Schriften des Vereins für Reformationsgeschichte

IM AUFTRAG DES
VEREINS FÜR REFORMATIONSGESCHICHTE
HERAUSGEGEBEN VON GUSTAV ADOLF BENRATH

BAND 190

GÜTERSLOHER VERLAGSHAUS
GERD MOHN

Stadt und Kirche im 16. Jahrhundert

HERAUSGEGEBEN
VON BERND MOELLER

GÜTERSLOHER VERLAGSHAUS
GERD MOHN

CIP-Kurztitelaufnahme der Deutschen Bibliothek

Stadt und Kirche im 16. [sechzehnten] Jahrhundert /
hrsg. von Bernd Moeller. – 1. Aufl. – Gütersloh:
Gütersloher Verlagshaus Mohn, 1978.
 (Schriften des Vereins für Reformationsgeschichte; Bd. 190)
  ISBN 3-579-04334-X
NE: Moeller, Bernd [Hrsg.]

Gedruckt mit Unterstützung der Stiftung Volkswagenwerk

ISBN 3-579-04334-X
© Gütersloher Verlagshaus Gerd Mohn, Gütersloh 1978
Gesamtherstellung: Hieronymus Mühlberger, Augsburg
Umschlagentwurf: Peter Steiner, Stuttgart
Printed in Germany

Inhalt

Vorwort

In diesem Band werden die sechs Hauptreferate und sechs der kurzen Beiträge (»Communications«) im Druck vorgelegt, die bei dem zweiten wissenschaftlichen Symposion des Vereins für Reformationsgeschichte, das vom 24.–26. März 1977 im Buettner-Haus der Universität Göttingen in Reinhausen bei Göttingen stattfand, vorgetragen wurden; zwei der kurzen Beiträge erscheinen an anderer Stelle[1]. Der Band wird eingeleitet mit einem Forschungsbericht von *H. C. Rublack*, der den Teilnehmern im voraus zugesandt worden war[2] und der im Verlauf des Symposions verschiedentlich eine Rolle spielte; den Abschluß des Bandes bildet ein Bericht über die Diskussionen der Tagung aus der Feder des Herausgebers.

Das Symposion, das man wohl als ungewöhnlich ertragreich bezeichnen darf, ist durch einen finanziellen Beitrag der Stiftung Volkswagenwerk wesentlich gefördert worden, und auch zum Druck des vorliegenden Bandes hat die Stiftung einen beträchtlichen Zuschuß geleistet. Den hierfür Verantwortlichen, nicht zuletzt Herrn Dr. Werner Boder, schuldet der Verein für Reformationsgeschichte herzlichen Dank.

Für freundliche Mitarbeit bei der Gestaltung des Bandes hat der Herausgeber Herrn stud. theol. Hartmut Eggert, für Mithilfe bei dem Diskussionsbericht den Herren Dr. Rublack und Dr. Schneider zu danken.

Göttingen, den 12. Februar 1978   B. Moeller

1. Die Ausführungen von *H. A. Oberman* über »Die sogenannte Erste Zürcher Disputation. Erwartungen und Ergebnisse« sind Bestandteil seines Buches »Werden und Wertung der Reformation« (Spätscholastik und Theologie Band II), Tübingen: Mohr 1977; der Beitrag von *E. Weyrauch* »Zum Sozialprofil der evangelischen Geistlichen in Kitzingen im 16. Jahrhundert«, erscheint wahrscheinlich 1978 in der Publikationsreihe »Spätmittelalter und frühe Neuzeit« des SFB 8 in Tübingen.
2. Er gibt demgemäß den Forschungsstand von 1976 wieder.

Verzeichnis der Abkürzungen

ABR	*E. Dürr-P. Roth (Hg.):* Aktensammlung zur Geschichte der Basler Reformation, Bd. 1–6, 1921–50
AKultG	Archiv für Kulturgeschichte
ARG	Archiv für Reformationsgeschichte
AZürcherRef	*E. Egli (Hg.):* Actensammlung zur Geschichte der Zürcher Reformation in den Jahren 1519–1533, 1879
Basler Zs.	Basler Zeitschrift für Geschichte und Altertumskunde
BC	Basler Chroniken 1 ff., 1872 ff.
Beitr. z. bayer. KG	Beiträge zur bayerischen Kirchengeschichte
Bll. f. dt. LG	Blätter für deutsche Landesgeschichte
BwKG	Blätter für württembergische Kirchengeschichte
CR	Corpus Reformatorum
DtStChron.	Die Chroniken der deutschen Städte 1 ff., 1862 ff.
Emder Jahrbuch	Jahrbuch der Gesellschaft für bildende Kunst und vaterländische Altertümer zu Emden
Hans. Gesch. bll.	Hansische Geschichtsblätter
JfLf	Jahrbuch für fränkische Landesforschung
JGndsKG	Jahrbuch der Gesellschaft für niedersächsische Kirchengeschichte
JHI	Journal of the History of Ideas
MVGN	Mitteilungen des Vereins für Geschichte der Stadt Nürnberg
RQ	Römische Quartalschrift
RTA JR	Deutsche Reichstagsakten, Jüngere Reihe 1 ff., 1893 ff.
ZBKG	Zeitschrift für Bayerische Kirchengeschichte
ZGO	Zeitschrift für die Geschichte des Oberrheins
ZHG	Zeitschrift des Vereins für Hamburgische Geschichte
ZKG	Zeitschrift für Kirchengeschichte
ZSavRG	Zeitschrift der Savigny-Stiftung für Rechtsgeschichte
Germ.	Germanistische Abteilung
Kan.	Kanonistische Abteilung
ZSchwG	Zeitschrift für Schweizerische Geschichte

Hans-Christoph Rublack

Forschungsbericht Stadt und Reformation

I.

»Again, after all we have written in previous chapters, we need but briefly to recall that the German Reformation was an urban event at once literary, technological and oratorical.«[1] Wie provozierend dieser Satz von A. G. Dickens ist, wird deutlicher, wenn man die Darstellungen der Reformationsgeschichte durchsieht: Das Thema ›Stadt und Reformation‹ fällt weitgehend durch das traditionelle Muster hindurch[2]. Dies, obwohl Ranke der Reformation in den niederdeutschen Städten ein eigenes Kapitel widmete[3]. Er problematisierte seine Darstellung unter der Fragestellung[4], ob zwischen den in den Städten kurz vor Einsetzen der Reformation stattfindenden Unruhen und den reformatorischen Bewegungen eine Verbindung bestehe: »Jetzt entstand die Frage, inwiefern der religiöse Impuls sich mit dieser demokratischen Regung vereinigen, ob nicht alsdann eine vorzugsweise politische Tendenz die Oberherrschaft bekommen werde. In dieser Hinsicht finden wir nun einen großen Unterschied unter den Städten. Es gab solche, wo sich Rat und Gemeinde noch zur rechten Zeit verständigten. Da wurden die Städteverfassungen erst während der Bewegung wahrhaft stark. Denn nicht allein, daß sie sich des Einflusses der fremden Prälaten, der ih-

1. *A. G. Dickens:* The German Nation and Martin Luther, 1974, 182. Förderliche kritische Kommentare haben dem Manuskript gewidmet *Prof. Thomas A. Brady jr.,* Eugene, Or., *Prof. Bernd Moeller,* Göttingen, *Dr. Anton Schindling,* Würzburg, Prof. *E. W. Zeeden,* Tübingen. Ihnen ist ebenso zu danken wie den Mitgliedern des Projekts Z 2 im SFB 8 Frau *Dr. Bátori,* den Herren *Dr. Trüdinger, Dr. Weyrauch* und *Dr. Dieter Demandt* für dauernde und spezielle kritische Anregung.
2. Das aus Theologie- und Kirchengeschichte sowie politischer Ereignisgeschichte, insbesondere der Reichsgeschichte, herstammende Muster behandelt in der Regel aufeinanderfolgend die spätmittelalterlichen Voraussetzungen in Kirche und Reich, die innere Entwicklung Luthers, seine Begegnung mit der deutschen Nation, die Reichsgeschichte als Geschichte der Reichstage, des Reichsregimentes und der kaiserlichen Politik, schiebt Reichsritterfehde und Bauernkrieg ein, setzt dann die Reformationsgeschichte im engeren Sinne mit der Behandlung des landesherrlichen Kirchenregiments fort und läuft über die konfessionellen Bünde, den Schmalkaldischen Krieg, das Interim bis 1555 fort.
3. *Leopold von Ranke:* Deutsche Geschichte im Zeitalter der Reformation (Historisch-kritische Gesamtausgabe der deutschen Akademie, hg. von *Paul Joachimsen)* Bd. 3, 1925, hier 301 f.
4. Jetzt wieder aufgenommen von *Robert Scribner:* Civic Unity and the Reformation in Erfurt (Past & Present 66, 1975, 29–60). Vgl. auch *Klaus Arnold:* Die Stadt Kitzingen im Bauernkrieg (Mainfränk. Jb. f. Gesch. u. Kunst 27, 1975, 11–50); *ders.:* Spätmittelalterliche Sozialstruktur, Bürgeropposition und Bauernkrieg in der Stadt Kitzingen (JfLf 36, 1976, 173–214).

nen immer beschwerlich gewesen, entledigten, sondern durch die Verwaltung der Kirchenangelegenheiten und der Kirchengüter, die ihnen zufiel, bekamen sie auch ein gemeinschaftliches Interesse, das sie noch enger vereinigte.«

Auch Lortz, wiewohl ohne eigenen Abschnitt, berichtet von der Reformation in den Städten[5], sieht zwar kein durchgängiges Muster, betont aber die antiklerikalen Züge[6] und stellt die führende Rolle der Städte in der Frühphase der Reformation fest[7]. Implizit wie explizit war die Reformation auch in den Städten Symptom eines Säkularisierungsprozesses[8]: »Als *Triebkraft* war bei der Reformierung das Religiöse das am wenigsten Wichtige.« W. P. Fuchs[9] hängt acht Zeilen zum Thema an das Kapitel ›Die Ausbildung des landesherrlichen Kirchenregiments‹ an. Die andauernde Dominanz der religions- und reichspolitischen Perspektive in diesem Punkt wird auch bei Hassinger[10] und Skalweit[11] sichtbar, die unsere Thematik als Anhang zur Züricher Reformation, der Reformation in der Eidgenossenschaft, im Zusammenhang des ›Christlichen Burgrechts‹ und des Entstehens des protestantischen Bündnissystems bringen. Skalweit vereinigt die oberdeutschen Reformationsstädte zu einem »evangelischen Staatstypus«, ohne

5. *Josef Lortz:* Die Reformation in Deutschland Bd. 1, 5. Aufl., 1962, 339–346.
6. Nicht zu übersehen ist der Fortschritt in der Behandlung des Themas durch Lortz gegenüber *Johannes Janssen:* Geschichte des deutschen Volkes seit dem Ausgang des Mittelalters Bd. 3, 1881, 75–79, dessen exempla und Zitate in der Notiz eines unbekannten Zeitgenossen gipfeln: »*Allerort, wohin man auch sehen wollt, in Nord und Süd war ein wüst, roh, widerwertig Wesen*« (ebd. 76). Auch *F. Bezold:* Geschichte der deutschen Reformation, 1890, 381–391 sah wohl im Antiklerikalismus die wichtigste Energie: »Es handelte sich darum, die drückende Herrschaft eines unerhört privilegirten Standes zu beseitigen; solche Bewegungen ergreifen, wenn sie überhaupt nicht totgeboren sind, die Massen und nehmen damit einen mehr oder weniger demokratischen Charakter an« (ebd. 391), – den es freilich zu entschuldigen gilt – dagegen vollzog sich die Reformation in Nürnberg »so zu sagen in musterhafter Ordnung, Schritt für Schritt«, die »öffentliche Anerkennung« folgte der Annahme der neuen Lehre durch die Bevölkerung (ebd. 382).
7. Die Schrittmacherfunktion der Städte hatte schon *G. L. v. Maurer:* Geschichte der Stadtverfassung in Deutschland Bd. 4, 1871, 106 behauptet: »Die religiöse Freiheit und die Reformation hat demnach in den Städten begonnen. Die Reformation ward dort nicht bloß vorbereitet. Sie kam auch zuerst in den Städten zur Ausführung ... Da, wo die bürgerliche Freiheit am größten war, in den Reichsstädten, da ward auch zuerst reformirt ... von den Städten aus hat sich sodann der Geist der Reformation und die Reformation selbst weiter und weiter verbreitet.«
8. *Lortz* 362. – *Anton Störmann*, Die städtischen Gravamina gegen den Klerus, 1916, unterschied einen wirtschaftlich und politisch motivierten – vorreformatorischen – Antiklerikalismus von der prinzipiell antikirchlichen Wendung, »mit religiösen Elementen vermischt« (ebd. 1 f.) seit Luthers Auftreten.
9. *Walter Peter Fuchs* in: *Gebhardt*, Handbuch der deutschen Geschichte Bd. 2, 9. Aufl., 1970, 80.
10. *Erich Hassinger:* Das Werden des neuzeitlichen Europa 1300–1600, 1959, 150 f.
11. *Stefan Skalweit:* Reich und Reformation, 1967, 221.

jedoch dessen Eigenart auszuführen[12]. Im neuesten deutschen Handbuch[13] bringt E. W. Zeeden ein knappes Resümee der politischen und sozialen Faktoren[14], während J. Engel in seiner Überschau die Reformation in den Städten auf den verfassungsgeschichtlichen Aspekt reduziert[15].

Diesen Darstellungen der Reformationsgeschichte[16] zufolge war die Reformation also gewiß kein ›urban event‹[17].

Zurück zu Ranke: Bei ihm finden wir drei Aussagen, aus denen sich Thesen zu den städtischen Reformationen entwickeln lassen:

1. Städtische Reformationen verbanden sich mit demokratischen Bewegungen,

2. die städtischen Verfassungen wurden durch das gemeinschaftliche Interesse gestärkt, die Reformation bildete den Genossenschaftscharakter der Stadt weiter aus,

3. die städtischen Reformationen vollendeten die antiklerikale Linie der städtischen Obrigkeiten des Spätmittelalters, indem sie die fremden Prälaten aus-

12. Daß das auch bei knappem Raum möglich ist, zeigt *Moeller* in R. *Kottje-B. Moeller (Hg.):* Ökumenische Kirchengeschichte Bd. 2, 1973, 343, nachdem die im Abschnittstitel erscheinende ›Städtereformation‹ im Prototyp Zürich aufgeht. Ebd. 343 auch der Hinweis auf die Integrationsfunktion der reformatorischen Theologie.

13. *Josef Engel (Hg.):* Die Entstehung des neuzeitlichen Europa (Handbuch der europäischen Geschichte, hg. von *Th. Schieder*), Bd. 3, 1971.

14. Ebd. 520.

15. Ebd. 124: »... dabei wurde, wie in zahlreichen Städten Deutschlands, wo die Einführung der Reformation oft zugleich eine Auseinandersetzung um die Stadtverfassung war, die alte nur durch eine neue Obrigkeit ersetzt, die die Reformation dann schon zum Zeichen ihres Sieges anordnete.«

16. In den neueren amerikanischen Gesamtdarstellungen ist der Befund nicht anders: Wenn überhaupt, erscheint das Thema an obskurer Stelle, so bei *H. G. Koenigsberger-G. L. Mosse:* Europe in the Sixteenth Century (A General History of Europe 6), 1968, 83 als Schluß des Abschnitts ›Fortifications and Town Planning‹ im Kapitel ›Towns and Cities‹; oder bei *Harold J. Grimm*: The Reformation Era, 1955, 157 f. im Abschnitt ›Visitations‹ des Kapitels ›The Growth of Lutheranism‹, angemessen plaziert eigentlich nur bei *H. J. Hillerbrand*: Christendom Divided, 1971, 41 f. im rezeptionsgeschichtlichen Kapitel und mit der These: »Most of the cities embraced the new faith because in the cities a measure of democracy prevailed ...«. – *Ernest A. Payne* in: The New Modern Cambridge History Bd. 2, 1968, 96 f. versetzt die Städtereformationen an den Beginn des Abschnitts ›The Swiss Reformers and the Sects‹, in denselben Kontext *G. R. Elton*: Europa im Zeitalter der Reformation 1517–1559 Bd. 1, 1971, 54 (engl.: Reformation Europe 1517–1559, 1963).

17. Daß städtische Reformationen im Kontext der These von Reformation als Teil der frühbürgerlichen Revolution als tragendes Moment der Gesamtkonzeption erscheinen, verwundert nicht; vgl. *Max Steinmetz*: Deutschland von 1476 bis 1648 (Lehrbuch der Deutschen Geschichte), 1965, 111–114. Wir treten, um den Rahmen dieses papers nicht zu sprengen, auf eine Auseinandersetzung mit der Literatur zu dieser These nicht ein, ebenso wie die politischen Voraussetzungen der bürgerlichen Autoren nicht herausgestellt sind, – in den Zitaten (vgl. oben A. 6 und 7) sind diese im Ansatz greifbar.

schlossen. Ranke hat damit in nuce die Thesen der modernen Spezialforschung vorweggenommen: Alfred Schultze begriff die städtische Reformation als eine antiklerikal-politische Bewegung, Franz Lau sah in ihr eine populäre, antipatrizische Bewegung, Bernd Moeller versteht sie als Kongruenz der ›demokratischen‹ Genossenschaftsbewegung[18] mit der reformatorischen Theologie.

II.

Alfred Schultze hat das Thema ›Stadt und Reformation‹ zuerst monographisch behandelt. Er setzte die Kirche als Anstalt, die, von außen geleitet, in übersteigertem Zentralismus zur Vernachlässigung der Seelsorge der Bürger führt, in scharfen Gegensatz zur Stadt als Körperschaft, in der der bürgerliche Verband sich selbst verwaltet und gegen die Vernachlässigung zur Wehr setzt. Die Abwehr des kirchlichen Zentralismus setzte an der Organisation der bürgerlichen Stadtgemeinde an[19]. Der Stadt wird aber im Gefolge von Rudolf Sohm[20] auch eine eigene Expansionskraft, analog zur Staatlichkeit, zugeschrieben. Sie erklärt, warum die städtische Obrigkeit sich nicht damit begnügte, das Verhältnis der Körperschaft zur Anstalt wieder ins Lot zu bringen, also den status quo ante zu restaurieren, indem sie die Kirche auf ihre Amtsaufgabe zurückwies, sondern daß sie die einmal eingeschlagenen Tendenzen über das ursprüngliche Ziel hinaus verfolgte. Durch Wahlrecht und Patronat suchte die Stadt den Klerus in seine Verfügungsgewalt zu bekommen. Über die Verwaltung von bürgerlichen Stiftungen wurde der Ansatz zum Kirchenregiment ausgebildet. Bei den Klöstern war die Klostervogtei das Instrument, über die Besorgung der weltlichen Geschäfte auch die Verwaltung der Klostergüter ansichzuziehen sowie Reformen anzuregen und durchzuführen[21]. Dabei bildete sich eine Gruppe heraus, die Kirchenpfleger, die sowohl die Wünsche der Bürgerschaft gegenüber kirchlichen Instanzen als auch gegenüber dem Rat formulierten und deren Einfluß durch die Kredite, die sie vergeben konnten, ständig wuchs. Auch auf das Gebiet der Kirchenzucht und der kirchlichen Gebräuche griff der Rat über, wie er andererseits die Bürger vor wirtschaftlichen Schädigungen durch den Klerus schützte. Hospi-

---

18. *Alfred Schultze:* Stadt und Reformation, 1918; vgl. auch *ders.:* Stadtgemeinde und Kirche im Mittelalter (Festgabe für R. Sohm, 1914); *Franz Lau:* Der Bauernkrieg und das angebliche Ende der lutherischen Reformation als spontaner Volksbewegung (Luther-Jahrbuch 26, 1959, 109–134; wieder abgedruckt in: *W. Hubatsch* [Hg.]: Wirkungen der deutschen Reformation bis 1555 [Wege der Forschung 203], 1967, 68–100); *Bernd Moeller:* Reichsstadt und Reformation, 1962. Ferner werden in die Übersicht mit hineingenommen der Aufsatz von *Gerhard Pfeiffer:* Das Verhältnis von politischer und kirchlicher Gemeinde in den deutschen Reichsstädten (*W. P. Fuchs [Hg.]:* Staat und Kirche im Wandel der Jahrhunderte, 1966, 79–99) und *Leonhard von Muralt:* Stadtgemeinde und Reformation in der Schweiz (ZschwG 10, 1930, 349–384).
19. *Schultze,* 11.
20. Ebd. 12.
21. Ebd. 18 f.

tal, Armenfürsorge, auch die Schule wurden zunehmend ›verstädtigt‹. Dies alles sah Schultze als Ausdruck eines gewandelten Selbstverständnisses der städtischen Obrigkeit, die Fürsorge für Religion und Sittlichkeit als selbstgesetzten Zweck erkennt. Der Expansionswille hatte den Willen der Bürger zur Sicherung ihres Heils durch Stiftungen aufgenommen. Die Harmonie der Interessen zwischen Bürger und Rat wurde am Vorabend der Reformation durch soziale Spannungen bedroht[22]. Trotzdem sieht Schultze eine Linie der Kontinuität zwischen Spätmittelalter und Reformation. Da sich das Selbstverständnis der Stadt gewandelt hatte vom rein Technisch-Politischen zur allgemeinen Fürsorge auch für das Heil der Seelen, fiel, als sich das Glaubensverständnis wandelte, die Aufgabe der materiellen Sicherung der neugeordneten Kirche unmittelbar dem Rat anheim. Dem Übergreifen der stadtbürgerlichen Institutionen auf die neue reformatorische sichtbare Kirche kam nach Schultze die Lehre Luthers von der unsichtbaren Kirche entgegen. Sie war, wenn man so will, die Ideologie, die die Expansion zugleich rechtfertigte und deren Vollendung ermöglichte. Die Stadtbürgergemeinde, bzw. der Stadtrat als Obrigkeit, expandierte in einen evakuierten Raum. Die Kontinuität zwischen Spätmittelalter und Reformationszeit liegt in den Städten einfach darin, daß die Expansion weiter getrieben wird. Auch im städtischen Bewußtsein sah Schultze Kontinuität: »Der stadtkörperschaftliche Gedanke kam bei diesen Vorgängen (d. h. Einführung der Reformation, Ordnung der neuen Kirche HCR) zu großartiger Entfaltung.« Der Rat handelte als ausführendes Organ der Bürgerschaft[23]. Wo die Kongruenz des Willens des Rates mit dem der Bürgerschaft nicht vorhanden war, setzte die Bürgerschaft den Rat so lange unter Druck, bis er als ausführendes Organ des bürgerschaftlichen Willens fungierte[24]. Auch personal läßt sich eine Kontinuität feststellen in der Gruppe der Kirchenpfleger, die auch in der Reformationszeit eine vermittelnde Tätigkeit ausübten[25]. Gegenüber der Kirche wurden jetzt die Verwaltungsrechte genutzt, um der neuen Lehre Eingang zu verschaffen. Hebel zur Reformierung waren die Ratslehen, die Stiftungen, deren Zweck entsprechend der neuen theologischen Erkenntnis geändert werden durfte, sowie die Verwaltung der Klöster, deren Vermögen zur Besoldung der neuen Prediger herangezogen wurden. Die Kirchenordnung etablierte dann den Stadtrat als leitende Instanz. D. h. der körperschaftliche Ansatz hatte sich gegenüber der Kirche voll durchgesetzt: »Die Stadt hat sich auf ihre Grundstruktur besonnen.«[26] Diese Rückbesinnung auf das genossenschaftliche Element in der Stadt blieb aber langfristig weder in den Reichsstädten noch in den landsässigen Städten erhalten. Die verbeamteten Kleriker distanzierten sich von der Gemeinde, sie wurden von der Stadtobrigkeit absor-

22. Ebd. 26.
23. Ebd. 34.
24. Ebd. 38.
25. Ebd.
26. Ebd. 50.

biert[27]. In den landsässigen Städten war die landesherrliche Staatlichkeit gerade durch den Fortfall des katholischen Gegenüber so gestärkt, daß der Stadtrat auch in kirchlichen Dingen dem Kirchenregiment des Landesherrn »verfällt«[28].

Schultze bot eine Erklärung, die spätmittelalterliche Kirchenpolitik und Reformation zusammensah. Einzuwenden bleibt, daß er, wiewohl nicht ausdrücklich, die bürgerliche Expansion in die katholische Kirche bejaht, daß er die schweizerische Reformation ausklammert[29] und daß der Gegensatz von Anstalt und Körperschaft die Komplexität der kirchlichen Struktur ebenso vereinfacht wie er die soziale Differenzierung innerhalb der Stadt einebnet.

III.

Von Schultze angeregt, ergänzte von Muralt das Bild für die Schweiz. Er fragte nach dem Anteil, den die städtische Verfassungsstruktur in Zürich, Bern und Basel an der Durchsetzung des religiösen Impulses der Reformation hatte. In der Analyse der Ereignisse weist von Muralt die Verfassungsstrukturen den Rahmenbedingungen zu: Zürich, wo die zünftisch bestimmte Verfassung mit der starken Persönlichkeit des Reformators zusammenspielte, führt die Reformation schnell durch, während die Oligarchien in Basel und Bern erst unter dem Druck der Zünfte die reformatorische Neuordnung zulassen. Für alle drei Städte gilt, daß während der Zeit der Einführung der Reformation die Beteiligung der Gemeinde stärker war als zuvor und danach, entsprechend dem Druck in Basel und Bern war jedoch die Demokratisierungstendenz stärker ausgeprägt. Ob die reformatorische Bewegung einen stärker antiklerikal-politischen Charakter oder eher einen populär-antioligarchischen Charakter hatte, war demnach von der Verfassungsstruktur abhängig. Da sich in allen drei Fällen als Ergebnis der Einführung der Reformation das städtische Kirchenregiment herstellt, sieht auch von Muralt die Kontinuität zu den spätmittelalterlichen Bestrebungen der städtischen Obrigkeit: »Damit schien das vor der Reformation angestrebte obrigkeitliche Kirchenregiment seine Vollendung erreicht zu haben.«[30] Bei der religiösen Seite der Reformation spricht von Muralt nach wie vor von einem Bruch[31].

IV.

Wenn Schultze die städtische Reformation als antiklerikal-politische Bewegung verstand, so stellt sie Franz Lau als eine populär-antipatrizische oder antiobrigkeitliche dar. Lau beschränkt sich, wie schon Ranke, auf den niederdeutschen Raum. Sein Kanon von Städten ist bis auf zwei mit dem Rankes identisch. Entgegen der Ansicht Schultzes, der Rat sei Organ der städtischen Genossenschaft

27. Ebd.
28. Ebd.
29. Ebd. 7.
30. *von Muralt*, 379.
31. Ebd. 355.

gewesen, nimmt Lau Ergebnisse der Stadtgeschichtsforschung auf, die eine Tendenz zur Ausbildung von Oligarchien und zur Betonung des Charakters der Obrigkeit festgestellt hat[32]. Dieser gegenüber setzt kurz vor der Reformation eine Partizipationsbewegung ein, die sich beim Eindringen der reformatorischen Lehre aktiviert[33]. Die Reformation ist also auch hier von einer politischen Bewegung begleitet, diese wird aber als oppositionelle oder ›revolutionäre‹ gesehen. Nicht der Rat organisiert die Reformation, sondern die Ausschüsse, die ad-hoc-Bürgerschaftsvertretungen darstellen. Lau akzentuiert so die Diskontinuität zwischen spätmittelalterlicher Kirchenpolitik der Obrigkeiten und reformatorischer Bewegung[34]: »Es stimmt nicht, mag es auch noch so oft behauptet werden, daß der Rat einfach das Pfarrwahlrecht erstrebt und erreicht habe und über alle Kirchen Kollator geworden sei.« Zum Verständnis dieser These ist zu berücksichtigen, daß Lau in der Spontaneität der Stadtreformation ein Argument gegen die These vom Ende der Reformation als Volksbewegung infolge des Bauernkrieges sieht. Ebenso wie Schultze setzt Lau voraus, daß die Bürgerschaft der Städte eine besondere Affinität zur reformatorischen Bewegung aufwies[35].

Spontane Reformation bedeutet demnach auch für Lau nicht, daß es sich um eine rein religiöse Bewegung handelte. Denn in den Städten ebenso wie in den Territorien sind politische Motive zu erkennen. Überdies setzt die reformatorische Bewegung bei einer Trägerschicht an, die Lau als »gehobene« Bevölkerungskreise[36] bezeichnet, eine kommunale Führungsschicht also, die noch nicht zur Obrigkeit gehörte und die sich zwischen Rat und Gemeinde ausgebildet hatte. Sie muß sich gegen die städtische Obrigkeit durchsetzen, ob revolutionär oder verfassungskonform, hängt von der jeweiligen Verfassungskonstellation ab. Die Reformation in den Städten wäre bedingt durch eine demokratische, antiobrigkeitliche Bewegung[37], durch einen Sozialkonflikt, so nur in bezug auf eine Schicht »bürgerliche« Revolution.

V.

War bei Schultze das Verhältnis zwischen Rat und Klerus, Stadt und Kirche entscheidend, so stellt sich für Lau das Verhältnis der Bürgerschaft zum Rat, oder der Ratsoligarchie und dem Landesherrn als wichtig zumindest für den nieder-

---

32. *Lau*, 74. – *Eberhard Naujoks:* Obrigkeitsgedanke, Zunftverfassung und Reformation, 1958.

33. *Lau*, 80.

34. Ebd. 81.

35. Vgl. auch *F. Lau* in: *F. Lau-E. Bizer:* Reformationsgeschichte Deutschlands, 1964, K 19. Eigenartigerweise verdeckt *Lau* die Bedeutung des Themas, indem er den Abschnitt »Evangelische Predigt in deutschen Landen« überschreibt.

36. *Lau*, 96.

37. *Lau* kann in den Fällen, die er näher beschreibt, nur in Göttingen seine These rein belegen (ebd. 86). Schon in Lübeck vollendet sich die demokratische Bewegung nach Einführung der Reformation.

deutschen Raum heraus. Gerhard Pfeiffer fragt ebenso nach diesem Verhältnis, er bezieht jedoch das spätmittelalterliche Kirchenwesen wieder ein. Dabei geht er von einer etwas differenzierteren Struktur der Kirche aus, indem er die Parochien als ein Element erkennt[38]. Pfeiffer fragt, warum die reformatorische Bewegung nicht zur Ausbildung von Organen der Kirchengemeinde geführt habe, sondern warum sie sozusagen auf die Mühlen der politischen Gemeinde gelaufen sei. Pfeiffer lehnt jedoch eine Interpretation der Kontinuitätsthese Schultzes in dem Sinne ab, daß das Ziel der Kirchenhoheit dem Rat im Spätmittelalter schon vor Augen gestanden habe, der spätmittelalterliche Rat sei nicht antikirchlich gewesen[39]. Dann muß man aber erklären, welche Verbindung zwischen der antiklerikalen Haltung des Rates im Spätmittelalter, oder positiv gewandt, der Verantwortung der Obrigkeit auch für das Seelenheil, und der Okkupation des kirchlichen Lebens auf der Ebene der Stadtgemeinde während der Reformation bestand. Pfeiffer erklärt dies, wie Schultze, primär durch die Wirkung der Lehre Luthers, für den die Organisationsgestalt der Kirche letztlich unerheblich blieb. Die Entwicklung der spätmittelalterlichen städtischen Gemeinde, der die kirchliche Institution gegenüberstand, zur reformatorischen Stadt-Gemeinde ließ in praxi den kirchenpolitischen Bestrebungen der Magistrate freien Lauf. Pfeiffer betont bei der Darstellung die Vielfalt der Ansätze: in Parochialgemeinden, bei Prädikanten und politisch führenden Persönlichkeiten wie Stadtschreibern und Ratskonsulenten[40]. Wenn die religiösen Fragen zu Spannungen führten, nahm der Rat eine Funktion als Schiedsrichter ein[41]. Da der im Rat repräsentierten politischen Gemeinde keine Kirche mehr gegenüberstand, integrierte der Rat die Kirchengemeinde auf lokaler Ebene und zog alle Kompetenzen an sich. Der Zusammenfall der kirchlichen und der politischen Gemeinde wurde endgültig deutlich in der Auseinandersetzung um die Eigenständigkeit der Kirchenzucht. Ergebnis war, daß nur in Ausnahmefällen, nämlich dort, wo die evangelische Gemeinde sich als Minderheit gegenüber einer katholischen Mehrheit konstituieren mußte, selbständige evangelische Gemeinden möglich gewesen sind. Immerhin weist diese Tatsache darauf hin, daß die Identität von politischer und kirchlicher Gemeinde zwar eine weit verbreitete Möglichkeit, wenn nicht die Regel war, keineswegs aber die einzig mögliche, und daher »notwendige« Lösung gewesen ist[42]. Das heißt, die Identität von politischer und kirchlicher Gemeinde stellte sich nicht gleichsam von selbst her.

Ebensowenig spielte der Rat in dem Sinne eine Schiedsrichterrolle, daß er nur

38. *Pfeiffer*, 79.
39. Ebd. 83 f.
40. Ebd. 86 f.
41. Ebd. 89.
42. Vgl. dazu den Aufsatz von *Heinz Schilling*: Aufstandsbewegungen in der Stadtbürgerlichen Gesellschaft des Alten Reiches. Die Vorgeschichte des Münsteraner Täuferreiches, 1525–1534 (*H.-U. Wehler [Hg.]*: Der Deutsche Bauernkrieg 1524–1526, 1975), hier: 205; analysierter Fall Münster.

darauf sah, daß die Spielregeln eingehalten wurden oder daß Kompromisse geschlossen wurden. Man muß also nach den politischen Motiven fragen, die hinter der Stellungnahme des Rates oder hinter einzelnen Maßnahmen, wie der Ansetzung von Religionsgesprächen, standen. Dabei ist es selbstverständlich, daß diese politischen Motive ihrerseits wiederum religiös motiviert waren oder mindestens legitimiert wurden: mit anderen Worten, der Rat, der seine Aufgabe darin sah, Frieden und Einigkeit herzustellen, und dies auch in einer Situation, die von religiösen Spannungen gekennzeichnet war, wurde aktiv sowohl, weil er die politische Einheit wahren mußte, als auch, weil Frieden und Einigkeit eine religiöse Qualität besaßen. Ob die Einheit im alten Glauben erhalten oder im neuen, reformatorischen gesucht wurde, konnte ebensowohl politisch wie religiös begründet werden. Welche Motive und Faktoren den Prozeß der Einführung der Reformation steuerten, ist in dieser Phase des Schwankens und der dann erfolgten Festlegung zu untersuchen. Damit wird ein Ansatz deutlich, den Pfeiffer nicht entfaltete. Gerade wenn man davon ausgeht, daß es eine Kontinuität der kirchenpolitischen Praxis der städtischen Obrigkeiten zwischen Spätmittelalter und Reformationszeit gab, nicht eine Kontinuität definierter kirchenpolitischer Ziele, ist es um so wichtiger zu sehen, wie diese Ansätze aus dem Spätmittelalter in die Reformation weitergeführt und in ihr aufgenommen wurden. Pfeiffer sieht mehrere Phasen: eine erste, die durch die reformatorischen Prädikanten bestimmt war: »Das Wirken bedeutsamer Prädikanten ... war Voraussetzung für das Durchdringen der Reformation.«[43] Die Prädikanten riefen die Kirchengemeinden zur Aktivität auf. Sie sind neben den reformatorischen Schriften die wichtigsten Medien der Phase, in der die reformatorische Lehre sich in den Städten einnistet. In der darauffolgenden Phase übt der Rat – nach Pfeiffer – sein Schiedsrichteramt aus, es verbinden sich die kirchenpolitischen Ansätze des Spätmittelalters mit den Zielen, die sich aus der reformatorischen Lehre ergaben. In der letzten Phase wird die Reformation in Kirchenordnung und Kirchenzucht institutionalisiert. Es ist also jeweils zu fragen, in welcher Phase der Einführung der Reformation die Obrigkeit aktiv wurde, wie und ob sich ihre Motive und Ziele wandelten. Pfeiffer modifiziert also durch eine differenziertere Betrachtung die Kontinuitätsthese Schultzes.

VI.

Moellers vor Pfeiffer publizierte Arbeit wird hier nach der Pfeifferschen Studie behandelt, da sie die heute maßgebende synthetisierende Interpretation unseres Themas ist[44]. Moeller bezog wie Schultze, im Unterschied zu Lau, das Spätmit-

---

43. *Pfeiffer*, 87.

44. An weiterführenden Arbeiten desselben Verfassers sind zu nennen: *ders:* Die Kirche in den evangelischen freien Städten Oberdeutschlands im Zeitalter der Reformation (ZGO NF 73, 147–162); *ders.:* Pfarrer als Bürger, 1972; *ders:* Kleriker als Bürger (Festschr. für H. Heimpel Bd. 2, 1972, 195–224); *ders.:* Die Reformation in Bremen

telalter ein, weitete gegenüber Schultze und Lau das Untersuchungsgebiet wieder auf das Reich aus, konzentrierte sich jedoch auf die Reichsstädte. Den religiösen Faktor bringt er wieder voll zur Geltung[45]. Überdies differenziert er die reformatorische Theologie, indem er Zwinglis und Butzers Lehre einbezieht. So gewinnt er für den oberdeutsch-schweizerischen Raum eine genauere Interpretationsbasis.

Moeller hat die These der Identität von politischer und kirchlicher Gemeinde dadurch gesteigert, daß er diese Identität in das Bewußtsein der Bürger verlegt. Die Tendenz, die in Folge der Reformation Stadt und Kirche zur Stadt-Gemeinde zusammenfallen läßt, hat ihren Ursprung im Bewußtsein des spätmittelalterlichen städtischen Bürgers: »Irdische Wohlfahrt und ewiges Heil werden zusammengeschaut, und so sind auch die Grenzen von säkularem und spirituellem Lebensbereich verwischt.«[46] Das Bewußtsein gliedhafter Zugehörigkeit zum genossenschaftlichen Organismus, durch die erfolgreiche Partizipationsbewegung der sogenannten Zunftkämpfe auf eine breite Basis gestellt[47], versteht die Stadt nicht nur als etwas relativ Abgeschlossenes, sondern überhöht sie religiös: »Die deutsche Stadt des Spätmittelalters hat eine Neigung, sich als corpus christianum im kleinen zu verstehen.«[48] Moellers Position in dem aus der Forschungsliteratur erhobenen Problemraster, das durch das Verhältnis Stadt – Kirche und Bürgerschaft – Obrigkeit zu bezeichnen ist und innerhalb dessen nach Kontinuität oder Diskontinuität gefragt wird, läßt sich so bestimmen: Die Kontinuität zwischen spätmittelalterlicher Stadt und Reformation erschöpft sich nicht im Anti(-klerikalismus), sondern ist positiv zu bestimmen: Die reformatorische Bewegung revitalisiert den Genossenschaftsgedanken[49]. Die Revitalisierung vollzieht sich in der Durchsetzung gegen Oligarchisierungstendenzen der Obrigkeit[50]. Der religiöse Faktor wirkt aktiv auf den sozialen Bereich, indem er den Genossenschaftsgedanken steigert. Da die Reformation die politisch-soziale Tradition aufnimmt, setzt sie sich, selbst wo sie als Bürgeropposition auftritt, verfassungskonform

(Jahrb. der Wittheit zu Bremen 17, 1973, 51–73); *ders.:* Probleme des kirchlichen Lebens in Deutschland vor der Reformation (*H. Jedin-B. Moeller-St. Skalweit:* Probleme der Kirchenspaltung im 16. Jahrhundert, 1970, 11–32); sowie *ders.:* Zwinglis Disputationen I, II (ZsavRG kan. 56, 1970, 275–324; 60, 1974, 213–364).

45. In der Reformation geht es »um das Heil selbst« (ebd. 24), »den entscheidenden Anstoß hat offensichtlich ihre Botschaft selber gegeben« (ebd. 34).

46. *Moeller*, Reichsstadt, 13.

47. Ebd. 11.

48. Ebd. 15. Die zentrale These kann freilich auch, wie bei *Gottfried Seebass:* Die Reformation in Nürnberg (MVGN 55, 1967/68) 253 einschränkend verstanden werden: jede Stadt sei eine Welt für sich. Zum Begriff des corpus christianum vgl. *L. v. Muralts* Reflexionen in: Zum Problem der Theokratie bei Zwingli (Discordia concors. Festgabe f. E. Bonjour Bd. 2, 1968) 387 f.

49. *Moeller*, 33. *Dickens* (wie oben A. 1) 184.

50. *Moeller*, 27, 33.

durch[51]. Die Affinität der deutschen Reichsstadt zur Reformation wirkt jedoch nicht zwangsläufig zugunsten der letzteren, die politischen Normen von Friede und Einigkeit können auch die altgläubige Einheit konservieren[52].

Die Durchsetzungskraft der reformatorischen Lehre, besonders für den oberdeutschen Raum, wird letztlich erklärt durch die Kongruenz der Theologie mit dem städtischen Selbstverständnis. Zwingli und Butzer heben die Spannung auf, die bei Luther zwischen theologischer Verankerung der Genossenschaftsidee und individualisierenden Elementen seiner Heilslehre besteht. Dabei fordert das städtische Selbstverständnis diese Kongruenz heraus[53]. So entspricht auch der theologisch-regionalen Differenzierung in den reformiert-oberdeutschen und den lutherisch-niederdeutschen Raum eine der Verfassungs- und Sozialstruktur. In der Korrespondenz zwischen demokratisch-genossenschaftlichem Bewußtsein und städtisch geprägter Theologie liegt auch auf geistigem Gebiet ein Moment der Kontinuität.

VII.

Die Überdehnung der Forschungsergebnisse zum Problem ›Stadt und Reformation‹ zu einer Gesamterklärung der Reformation kündigt sich in dem Interpretationsessay ›The Reformation City‹ von Basil Hall an[54]: »... the implications of the fact of the essentially urban environment of the Reformation seem to have attracted too little attention from historians.«[55] Wie der Titel andeutet, will Hall hervorheben, daß die Städtereformationen nicht lediglich einen rezeptionsgeschichtlichen Aspekt der Reformationsgeschichte bilden, daß die Städte nicht nur passiv die reformatorischen Ideen aufnahmen, sondern daß letztere mit dem politischen und sozialen Wandel in den Städten in enger Wechselwirkung standen[56]. Sein eigentliches Thema sind die Konstellationen der Elemente

51. Ebd. 28.
52. Ebd. 25 f.
53. Ebd. 54, 66.
54. *Basil Hall:* The Reformation City (Bull. of the John Rylands Library 54, 1971/72, 103–148).
55. Ebd. 103.
56. Ebd. 103, 106 und 148; differenziert ebd. 105: das Verhältnis ist wechselseitig: Theologen erfahren Einschränkungen durch ihre städtische Umgebung (ebd. 106), sie stoßen aber auch neue Entwicklungen an. So schreibt Hall – in Vorwegnahme der Hauptthese Ozments – Luthers Theologie nicht lediglich theologie-immanente Intention zu, »it (scil. die Theologie Luthers) was also consequently seeking new ways of organizing men's lives, in giving a new and simpler pattern to ecclesiastical structures and in making their society more amenable to their own control« (ebd. 117 f.). Sola gratia- und sola scriptura-Prinzip wirkten instrumentell, um Entlastung »from the sense of restriction under complicated controls which seemed antiquated and frustrating« zu finden (ebd. 118). Die reformatorischen Theologen sanktionierten politischen Wandel und machten die Städte zu Zentren (strongpoints) der Propaganda gegenüber katholischem Widerstand.

der Interaktion reformatorischer Ideen und städtischer Struktur: er sucht an einer Auswahl[57] von Städten des Heiligen Römischen Reiches, einschließlich der Eidgenossenschaft, Struktur- und Verlaufsmuster. Nicht der einigende Genossenschaftsgedanke der spätmittelalterlichen Tradition bestimmte die Stadt, auf die Luthers Ideen stieß, sondern: »all these cities wanted greater expansion and social change ...«[58]. In dieser umfassenden wie unscharfen Tendenzbestimmung kombiniert er genauer besehen zwei bekannte Thesen und fügt ihnen eine weitere Hypothese hinzu: 1. In der ›Reformation City‹ vollzog sich ein Kampf um die politische Macht zwischen Zünften und Patriziat, 2. der Wunsch nach größerer Autonomie verband sich mit wachsendem Antiklerikalismus.

Neben der Revolutionsthese[59] und der Emanzipationsthese[60] taucht der Ansatz einer Frustrationshypothese auf: »Political and economic frustration had increased within the Empire.« Zwei Drittel der Stadtbewohner waren politisch nicht repräsentiert, von den Herrschenden ignoriert und verachtet, »... and were increasingly restless with these frustrations«[61].

Die Beschreibung der Städtereformationen ergibt bei Hall allerdings nicht ein einziges Muster, sondern eine »variety«[62]. Trotz der Flexibilität der ›patterns‹ fördert seine Analyse die Einsicht, daß

1. einige Faktoren immer wiederkehren: die – initiierende – reformatorische Predigt, der Reformator oder die Reformatoren, – die interne Verfassungs- und Herrschaftskonstellation, Rat und Zünfte und deren Spannungsverhältnis,

---

57. Die Auswahl wird nicht begründet, Kriterien liefert auch nicht die Charakterisierung 106 f. – Die Städte liegen genügend weit auseinander, neben Reichsstädten sind landesherrliche Städte aufgenommen. – Wir vermerken die Andeutung eines »Religion-and-Regime«-Ansatzes (vgl. die Diskussion bei *Ozment* 9–11) ebd. 118: Die Reformation wirkte im Reich »lacking centralized royal power«, ihre Durchsetzungskraft verringerte sich in »centralized monarchical states and highly sophisticated societies«.
58. Ebd. 108. Ebd. 120 erscheint Reformation eher als movens sozialen Wandels, was immer das heißen mag: »Wherever reformation came some degree at least of social change took place ...«
59. *Hall* versucht nicht, Revolution zu definieren; impliziert ist der elitentheoretische Ansatz, vgl. *K. v. Beyme* in *ders.: Empirische Revolutionsforschung*, 1973, 24 und *K. Rittberger*, ebd. 43. Vgl. aber auch *Hall*, 118: »Townsmen felt that they must have greater freedom of social and political action to obtain improvements in economic affairs and in the administration of justice.«
60. Emanzipation als Bewegung zur Autonomie einer politisch abhängigen Einheit, vgl. *K. M. Grass-R. Koselleck*, Art. Emanzipation (*O. Brunner-W. Conze-R. Koselleck [Hg.]:* Geschichtliche Grundbegriffe Bd. 2, 1975, bes. 166). Der Genossenschaftsgedanke als ›sense of corporate identity‹ wird zwar angesprochen (*Hall*, 109, 112), spielt aber bei der Erstellung der patterns keine Rolle.
61. *Hall* geht nicht auf die sozialpsychologischen Implikationen der Frustrations-Aggressions-Hypothese ein, noch zieht er sie anders als sporadisch heran, vgl. ebd. 118: »a frustrated desire for change.«
62. Ebd. 107: »a bewildering range of patterns« und ebd. 135.

– Druck von oben (Reich, Landesherr) und außen (Fürsten, andere Kantone wie Bern im Fall Genf). Weniger durchgehend sind kulturelle Tradition und geographische Lage herangezogen,

2. sich bestimmte Phasen des Verlaufs erkennen lassen[63]. Daß auch Städte wie Wittenberg, Münster und Genf[64] zur Untersuchung des Problems herangezogen werden, erhöht die Komplexität.

Trotzdem läßt Halls Darstellung drei Muster erkennen, die er selbst nur andeutungsweise[65] zu Typen erklärt und die sich auf zwei reduzieren ließen, nämlich ›revolutionär‹ (1 und 2) und ›nicht-revolutionär‹ (3):

1. Die reformatorische Predigt trifft auf den Widerstand des herrschenden konservativen Patriziats. Eine Aufsteigergruppe bemächtigt sich ihrer und setzt sich und sie durch. In einer Gegenoffensive stabilisiert sich das soziale Gleichgewicht im konservativen Luthertum. Das ist der ›norddeutsche‹ Typ, den Lau herausgehoben hat[66].

2. Die reformatorische Bewegung wird zunächst vom Rat toleriert, sie radikalisiert sich zum Zwinglianismus oder Täufertum, die Gegenoffensive stellt unter dem Druck wirtschaftlicher Abhängigkeit eine konservative Balance her. Am Beispiel Augsburgs entwickelt, stellt sich hier die Frage, ob dieser Verlauf zu einem Typ zu erweitern ist.

3. In Nürnberg, das sich und seine Kirche schon von bischöflicher Kontrolle emanzipiert hat, öffnet sich das herrschende Patriziat unter dem moralischen Druck der Intelligenz der Reformation und benutzt den Antiklerikalismus, um seine Kontrolle gegenüber Ansprüchen der kirchlichen Hierarchie zu konservieren[67].

Münster ist ein Beispiel für die bis zur Selbstzerstörung durchgeführte Radikalisierung, in der sich soziale Spannung und Emanzipationsstreben zugleich entladen. Dieser Ablauf bis zur Restauration bildet keine Anomie, sondern ist bedingt durch die Re-Kreation der Davidsstadt[68] infolge eines radikalen Biblizismus. Straßburg mit seiner ausgewogenen Verfassung illustriert den nicht-revolutionären Typ[69], der den Reformator fand, der Theologie und städtische soziale und kulturelle Tradition zur Deckung brachte[70], eine Mischform etwa von

---

63. Vgl. unten bei A. 89 zu *Ozment*.

64. Die Stadt Wittenberg nur in der Phase der »Wittenberger Bewegung« als »a paradigm of what could happen elsewhere« (ebd. 117), auch ebd. 123. – Die niederländischen Städte, trotz der von *Hall* angesprochenen hohen Quote der Stadtbewohner (ebd. 109), tauchen nach wie vor nicht in der Diskussion von »Stadt und Reformation« auf.

65. Ebd. 107: Northern, Southern, Swiss.

66. Ebd. 123.

67. Ebd. 126.

68. Ebd. 132 f.

69. Ebd. 140.   70. Ebd. 141.

Augsburg und Nürnberg. In Zürich verwirklichte Zwingli die Kongruenz ideal[71]. Genf liegt der sich vom Bischof emanzipierenden Stadt nahe, der der Reformator den Stempel aufdrückte[72].

VIII.

Der eingangs aus A. G. Dickens' ›The German Nation and Martin Luther‹[73] zitierte Satz, der an der betreffenden Stelle auf die städtische Herkunft der publizistischen Medien und ihre Rolle bei der Verbreitung der Reformation eingeschränkt erscheint, erweist sich im ganzen der provozierend und stimulierend gedachten Synthese in seiner verkürzten Form ›The Reformation was an urban event‹ durchaus als die Meinung des Autors: »I see the creative and irrevocable events largely in terms of the urban Reformation, a movement effectually springing from the new dynamic added by preachers, pamphleteers, and printers to the old turmoil of city politics«[74]. »The Reformation arose in its greatest strength within the cities, ... it arose largely because of their social structures and dynamics, their class struggles, their longstanding anticlericalism, their literacy and mental liveliness, their strong selfprotective urge toward internal unity, their ability to evade wholesale coercion by the emperor.«[75] In der Frage der Ursachen die Kontinuitätsthese aufnehmend und die Rolle der Städte im Durchsetzungsprozeß der Reformation überbetonend, regte Dickens zudem an, den Städten auch später, nach 1526 etwa, eine gleiche Bedeutung zuzumessen. Seine ›panurbanistische‹ Tendenz verlängert sich bis in die Zeit der Gegenreformation hinein: »... urban Protestantism still remained the solid substructure of the Reformation«[76].

Im einzelnen untersucht Dickens die Reformationen in Nürnberg, Straßburg, den Hansestädten und Erfurt. Bei allen Unterschieden sieht er doch gemeinsame Grundzüge: Reformation und Demokratisierungsbewegung liefen parallel und stützten sich gegenseitig[77]. Luthers Ideen setzten zunächst an den Mittel- und Unterschichten an[78]. Der Unterschied zwischen Ober- und Niederdeutschland scheint für ihn darin zu liegen, daß die niederdeutschen Städtereformationen einen überwiegend politischen, auch ökonomisch bedingten Charakter hatten[79]. Ebensowenig neu ist seine Typenbildung, in der er Hall folgt: in Nürnberg und Straßburg geht die Reformation vom Volk aus und setzt sich ohne Veränderung der Verfassung durch, dagegen setzen in den Hansestädten und in Erfurt die

---

71. Ebd. 142.
72. Ebd. 146.
73. Wie oben A. 1.
74. Ebd. V (Preface).
75. Ebd. 218.
76. Ebd. 219.
77. Ebd. 159.
78. Ebd. 140.
79. Ebd. 156, 161, 195.

reformatorischen Ideen an einer internen Konfliktsituation an, die den Prozeß der Durchsetzung der Reformation in Gang bringt, wobei sich zugleich der Konflikt steigert[80]. Lau folgend, wird der Konflikt als der einer zum Aufstieg drängenden Führungsschicht gegen die traditionelle Oligarchie bestimmt. Nach Vollzug der Partizipationsbewegung wird das zunächst dynamische Luthertum konservativ, ebenso wie die neue Elite sich abschließt. Das religiöse Moment erscheint dabei als Funktion des politischen[81]. Auch in der Frage der Kontinuität nimmt er die bekannte Emanzipationsthese, als Laisierungstendenz, auf, doch lebt der Genossenschaftsgedanke nur kurzfristig auf, um langfristig zu verfallen[82]. In dieser Perspektive erschiene die Reformation in den Städten nicht als frühbürgerlich, sondern als spätfeudales Epiphänomen.

IX.

Wie Dickens, und vor diesem Moeller und Hall, ist Ozment[83] an der Verbindung von Theologie- und Sozialgeschichte interessiert. Er setzt sie jedoch, anders als Moeller, nicht direkt in Beziehung, sondern untersucht die Wirkung der Ideen auf der vermittelnden Ebene der Rezeption, genauer der Schriften, die als Multiplikatoren dienen. Ozments Hauptthese, die sich schon bei Hall findet, dort nur nicht an Quellen überprüft, ist, daß die reformatorische Botschaft für den Bürger[84] entlastend wirkte, eine Befreiung bedeutete von einem religiösen System, das ihn psychologisch frustrierte, da es veräußerlicht, aber auch verinnerlicht, im Verhalten und psychologisch, zuviel von ihm forderte. Die Durchschlagskraft der reformatorischen Kernbotschaft, der Ablehnung der Heilswirksamkeit der guten Werke, beruhte auf der Entlastung von der Notwendigkeit, diese Werke zu üben, nicht auf der intellektuellen Annahme des sola-gratia-Prinzips[85]. Für die kirchlich-religiöse Praxis folgte daraus eine Reduktion: die Vereinfachung eines raffinierten und komplexen zeremonialen Systems. Diese die Reformation in ihrer Rezeption kennzeichnende Desakralisierung zeigt sich auch in der Neubestimmung des Verhältnisses von Klerus und Laien: der Laie wird nicht mehr nach dem Klerikerstandard der herausgehobenen elitären Heiligkeit bewertet, sondern der Geistliche wird zum Exponenten der Getauften. Ozment schließt sich, ohne dies theoretisch zu explizieren, an die Säkularisierungsthese der Reli-

---

80. Ebd. 157.

81. Ebd. 226 abbreviatorisch zu Luther: »a hero of history is after all a creation of the people«; etwas weniger summarisch entwirft *Dickens* kurz zuvor ebd. 223 ein Interaktionsmodell einer Spiralbewegung.

82. Ebd. 183, 199.

83. *Steven E. Ozment:* The Reformation in the Cities. The Appeal of Protestantism to Sixteenth-Century Germany and Switzerland, 1975.

84. Daß vieles auch auf die ländliche Bevölkerung ähnlich oder gleich wirken mußte, mag in diesem Zusammenhang dahingestellt bleiben, schwerwiegender ist, daß *Ozment* auf Unterschiede in den Stadtstrukturen nicht eingeht.

85. Ebd. 77.

gionssoziologie an[86]. Das Defizit empirischer Analysen der sozialen Schichten und ihrer möglichen Bewegungen kann er ohnehin nicht beheben[87]. Ozment setzt die Desakralisierungsthese bewußt gegen die Kontinuitätsthese, wie sie von Moeller vertreten wird, auch wenn Ozment den Umbruch schließlich vage in den Übergang von Mittelalter zu Neuzeit einordnet[88].

Zweitens verbindet Ozment seine Erklärung mit einer Einteilung der Rezeptionsprozesse in den Städten in Phasen, auch wenn er weniger auf den Verlauf, als auf die an dem Prozeß beteiligten ›agents‹ und ›levels‹, die Institutionen (Rat) und die bewegenden Kräfte, abhebt. Er kommt dabei zu einem im wesentlichen gleichförmigen, wenn auch Varianten zulassenden Ablauf der Städtereformationen, der nicht-revolutionär ist[89]: In der ersten Phase wird die Predigt der reformatorischen Ideen von Aufsteigergruppen aufgenommen (wie der norddeutsche Typ bei Lau), die zweite Phase ist bestimmt von den Reaktionen der Magistrate und der Reichspolitik: entweder nahm der Magistrat den Impuls von unten her auf, oder es stellte sich ein prekäres politisch-soziales Gleichgewicht her, das dann zugunsten einer Faktion entschieden wurde, oder die Bewegung setzte sich gegen den Magistrat durch. Nach dieser Phase der Verzögerung eines raschen Sieges der Reformation, die Ozment ›evolutionary span‹ nennt, folgt die dritte Phase der Konsolidierung. Die Aufnahme der Ideen muß entsprechend den jeweiligen durch die Phasen bedingten Situationen untersucht werden, da diese den Transformationsvorgang der Ideen in die soziale Realität bedingen.

X.

Wir versuchen abschließend – thesenartig – einige Ergebnisse, über die Konsens besteht, aber auch Forschungsdefizite und offene Fragen zu formulieren.

1. Unbestritten ist die Schrittmacherfunktion der deutschen Städte, insbesondere der Reichsstädte, in der Frühphase der Reformation. Sie ist allerdings in den Rahmen der Reichspolitik zu stellen[90]. Dringendes Desiderat ist dabei die Erforschung der Reichsstädtetage[91]. Es müßten untersucht werden: landsässige

---

86. Vgl. besonders ebd. 165: Reformation als lay enlightenment.

87. Er überbrückt es durch die Behauptung ebd. 123: »... the movement drew a representative (!) cross-section of the urban population.« Hinzuweisen ist auf die Untersuchung von *Thomas A. Brady jr.*: Ruling Class, Regime, and Reformation at Strasbourg, 1520–1555, 1978 und die im SFB 8, Projektbereich Zeeden laufenden Arbeiten; erste Teilergebnisse bringen *I. Bátori* und *E. Weyrauch* in der Festgabe für E. W. Zeeden zum 60. Geburtstag, 1976.

88. Ebd. 166.

89. Ebd. 124.

90. Vgl. *Hans Baron*: Religion and Politics in the German Imperial Cities during the Reformation (Engl. Hist. Rev. 52, 1937, 405–427; 614–633).

91. Vgl. dazu punktuell Verf. in *J. Nolte u. a. (Hg.)*: Kontinuität und Umbruch, 1978, 316–334.

Städte[92], die Rolle der Städte in späteren Zeitabschnitten der Reformation und Gegenreformation, insbesondere städtische ›Spätreformationen‹ (Colmar)[93], aber auch Erscheinungsformen des Protestantismus in katholischen Städten, wie überhaupt erfolglose Städtereformationen. In den Problemenkreis der Thematik sollten aufgenommen werden die niederländischen Städte[94] ebenso wie die calvinistische Bewegung in den französischen Städten[95].

2. Der religiöse Faktor, vermittelt durch reformatorische Predigt, Flugschriften, wirkte in einem durch mehrere nicht-theologische Faktoren bestimmten Feld. Als solche sind erheblich Verfassungs- und Sozialstrukturen: die Rolle des Rates und das Verhalten der Führungsschichten und insbesondere aufsteigender Eliten. Ferner waren mitbeteiligt der kulturelle background (Humanismus), aber auch politische Einwirkungen von außerhalb der Städte (Reich, Territorien). Ein grundlegendes Defizit[96] bleibt vorerst die Analyse sozialer Schichtung[97] und ggf. vertikaler Mobilität, deren Untersuchung nicht nur kurzfristig (etwa in den zwanziger Jahren des 16. Jahrhunderts), sondern auch langfristig anzulegen ist.

3. Es besteht eine Tendenz, den Prozeß der Einführung der Reformation in den Städten in Verlaufsphasen zu sehen. Zu fragen ist nach Verlaufstypen und etwaigen phasenspezifischen Konstellationen der oben genannten Faktoren und Bedingungen der Rezeption.

4. Offen bleibt die Frage der Kontinuität, bzw. Diskontinuität zwischen Spätmittelalter und Reformation, die abhängig scheint von der Bewertung der Reformation als Resakralisierung oder Desakralisierung. Dabei bezieht sich die

92. Vgl. *John C. Stalnaker:* Residenzstadt und Reformation: Religion, Politics and Social Policy in Hessen, 1509–1546 (ARG 64, 1973, 113–146).

93. Dazu bereitet *Kaspar von Greyerz* eine reformationsgeschichtliche Arbeit vor, während parallel die Arbeitsvorhaben ›Prosopographie der Führungsschichten‹ und ›Spätmittelalterliche Kirchenpolitik der Obrigkeit‹ im SFB 8, Projektbereich Z durchgeführt werden. – Eine Übersicht über die Städte in der Gegenreformationszeit bei *Gerhard Pfeiffer:* Der Augsburger Religionsfrieden und die Reichsstädte (Zs. d. hist. Vereins f. Schwaben 61, 1955, 213–321). Vgl. die eindringende Analyse von *Heinz Schilling:* Bürgerkämpfe in Aachen zu Beginn des 17. Jahrhunderts (Zs. f. Histor. Forschung 1, 1974, 175–231).

94. Vgl. als eindringende lokale Studie *A. C. F. Koch:* The Reformation at Deventer in 1579–1580. Size and social Structure of the Catholic Section of the Population during the Religious Peace (Acta Historica Neerlandica 6, 1973, 27–66).

95. Vgl. für Lyon: *Natalie Zemon Davis:* Society and Culture in Early Modern France, 1975.

96. Das durch den Aufsatz von *Harold J. Grimm:* The Reformation and the Urban Social Classes in Germany (*Olin-Smart-McNally [Hg.]:* Luther, Erasmus and the Reformation, 1969, 75–86) nur deutlicher zutage tritt.

97. Vgl. außer *Walter Jacob:* Politische Führungsschicht und Reformation. Untersuchungen zur Reformation in Zürich 1519–1528, 1970, das oben in A. 87 genannte Werk von *Brady* sowie die im SFB 8 Projektbereich Z laufenden Arbeiten.

erste These auf die städtisch-genossenschaftliche Linie, deren einzelnen Inhalte im Spätmittelalter genauer zu bestimmen wären, die zweite These auf die städtische religiöse Praxis. Bei der spätmittelalterlichen Kirchenpolitik wäre zu untersuchen, ob nicht nur erfolgreiche Expansion städtischer Rechte in den kirchlichen Raum eine Voraussetzung der Reformation darstellte, sondern: ob und unter welchen Bedingungen nicht auch frustrierte, also erfolglose oder steckengebliebene Bemühungen die städtische Politik in der Reformationszeit vorwärtstrieben.

5. So gewiß es keine Ratsreformation im Sinne einer Oktroyierung von Glaubensinhalten ohne jeglichen Respons von unten gab, so wenig gab es Reformation ohne Magistrat[98].

6. Die Rolle der städtischen Territorien müßte systematisch untersucht werden[99]. Eine leitende Fragestellung wäre, ob sich die Bevölkerung – anders als die städtische – passiv verhielt, oder: ob sich der Magistrat im städtischen Herrschaftsgebiet als Territorialherr verhielt.

Insgesamt macht diese Zwischenbilanz deutlich, daß die Literatur zum Thema Erkenntnisse und generalisierende Frageansätze bereitstellt, die sowohl die Erschließung neuer ›Fälle‹ als auch revisionistische Monographien zu Lokalreformationen leiten können, deren Ergebnisse dann wiederum die allgemeinen Thesen überprüfen würden. Darüber hinaus ist ›Reformation und Stadt‹ nicht nur ein bedeutsames Kapitel der Geistes- und Sozialgeschichte, wie doch auch der Stadtgeschichte[100], sondern sollte als ein in hohem Maße greifbarer und signifikanter Fall in eine religionssoziologische Perspektive einbezogen werden.

98. Worauf *Winfried Becker:* Reformation und Revolution, 1974, 89 die Aufmerksamkeit lenkt.

99. Für Zürich vgl. *Peter Heinrich Huber:* Annahme und Durchführung der Reformation auf der Zürcher Landschaft in den Jahren 1519 bis 1530, Diss. phil. I Zürich 1972.

100. *Kersten Krüger:* Die deutsche Stadt im 16. Jahrhundert. Eine Skizze ihrer Entwicklung (Zs. f. Stadtgesch., Stadtsoziologie u. Denkmalpflege 1, 1975 31–47), erwähnt die Reformation freilich nur zweimal beiläufig, ohne die wichtigste Literatur auch nur anzumerken. Dagegen weist *Jürgen Sydow:* Stadt und Kirche im Mittelalter – Ein Versuch (Württ. Franken 58, 1974, 35–57), auf die Rolle der Städte in der Reformation hin.

Wilfried Ehbrecht

Verlaufsformen innerstädtischer Konflikte in nord- und westdeutschen Städten im Reformationszeitalter

Als die Englische Schweißsucht, eine epidemische Krankheit mit hoher Sterblich-keitsrate, 1529 auf Göttingen übergriff, befahlen Rat und Klerus eine Bittpro-zession, an der sich neben der Ordens- und Weltgeistlichkeit und dem Rat die gesamte Göttinger Bürgergemeinde durch mindestens einen Vertreter pro Haus beteiligen sollte. Obwohl unterschiedliche Berichte über den Verlauf dieser Pro-zession überliefert sind[1], dürfte sie doch in Zug und Ordnung etwa den Fron-leichnamsprozessionen entsprochen haben[2], d. h. ausgehend von der Marktkirche St. Johann nahm sie ihren Weg über die verschiedenen Gebetsstätten der Stadt zu der Kapelle des Tagesheiligen, dem Hl. Bartholomäus, dessen besondere Ver-ehrung der Anlaß gebot[3]. Dabei kam es zwischen Nikolai und Marien auf der Groner Straße zu jenem denkwürdigen Zusammenstoß, den der Stadtchronist Franz Lübeck lapidar kommentierte: *Dies ist der Anfang des Evangelii*[4]. Eine größere Gruppe von Wollwebern hatte auf die Prozessionsgesänge mit Luthers Übersetzung des 130. Psalm geantwortet und gegen das Gebot des Rates in ei-nem eigenen Umzug den weiteren Gang der Prozession gestört.

1. Zur methodischen Nutzung innerstädtischer Auseinandersetzungen

Wie in Göttingen erlangte das Prozessionswesen auch in der Reformationsge-schichte anderer Städte zentrale Bedeutung, da die Einwohnerschaft hier beson-

1. *H. Volz (Hg.):* Franz Lubecus Bericht über die Einführung der Reformation in Göttingen im Jahre 1529, 1967, hier 15 f. Ein Auszug auch in *Ph. Meyer (Hg.):* Aus der Reformationsgeschichte Niedersachsens, 1952, 36–38. Zur Augustprozession ist der Be-richt von Johannes Letzner zu vergleichen, *G. Erdmann:* Einführung der Reformation in der Stadt Göttingen, Diss. Göttingen 1888, 21. Zu Letzner *H. Klinge*, Niders. Jb. 24, 1952, 36–96.
2. Zum Göttinger Prozessionswesen *A. Saathoff:* Aus Göttingens Kirchengeschichte, 1929, 54 f.
3. Das Bartholomäusspital lag vor dem Weender Tor und war besonders für Aussät-zige bestimmt, *Saathoff* (wie Anm. 2), 42. Es muß aber betont werden, daß der Engli-sche Schweiß keine pestähnliche Krankheit war; doch galt der hl. Bartholomäus auch als Helfer bei Nervenkrankheiten.
4. Franz Lübeck (wie Anm. 1), S. 16.

ders offenkundig erfuhr, wie sehr die Verflechtung von »Stadt und Kirche« das gesellschaftliche Leben durchdrang. In Soest hinderte Gerd Oemeken 1531 das Stiftskapitel daran, die Patrokliprozession durchzuführen[5]. Bekannt sind die Bemühungen der Buchholzer Bergknappen im ernestinischen Sachsen, in einer Spottprozession 1524 ihren Unwillen gegen die Heiligsprechung des »Wenden-apostels« Benno auszudrücken[6]. Ebenso zogen in Lüneburg 1530 auf Fastnacht die Schneidergesellen mit weißen Gewändern durch die Stadt, um die Hohlheit liturgischer Bräuche zu entlarven[7]. Dagegen erinnert der Mindener Chronist Heinrich Piel, dessen Familie schon früh zur lutherischen Lehre neigte, im An-schluß an seinen Bericht über die Mindener Reformation an Brauch, Verlauf und Ordnung der dortigen Fronleichnamsprozession, da er fürchtete, *daß unsere kin-der von dergleichen hendel nicht viele zu vorzelende wissen*[8]. Die Frage nach dem Verhalten städtischer Einwohnergruppen zu und bei Prozessionen in den Jahren des Aufgangs der Reformation führt in zweierlei Hinsicht über die al-leinige Feststellung hinaus, Störung religiöser Bräuche sei der Anlaß zum Durch-bruch der neuen Lehre gewesen. Während der Kirchenhistoriker aus dem Ereig-nis auf Maß und Bedeutung des reformatorischen Bewußtseins schließen kann, vermag der Sozial- und Verfassungshistoriker etwa aus der Prozessionsordnung Indizien für die soziale Einschätzung einzelner städtischer Gruppen abzuleiten.

So ist für Braunschweig in einem Vergleich der Verfassung von 1386 und der Ordnung der Fronleichnamsprozession von 1388 gezeigt worden[9], in welchem Maße sich das Sozialgefüge durch die dortige Ratsherrenschicht von 1374 gewandelt hat: Während der Verfassung nach die Lakenmacher den Rang der Gewandschneider erreicht haben, sind die Goldschmiede sogar hinter die Kno-chenhauer zurückgefallen. In der auf ältere Bräuche zurückgehenden Prozessions-ordnung reihen sich dagegen die »Aufsteiger« Lakenmacher und Knochenhauer hinter den Goldschmieden ein. Die durch die Unruhe gestiegene politische Bedeu-tung der Lakenmacher und Knochenhauer reichte offensichtlich zu einer Ände-rung des Fremdverständnisses nicht aus, das eine den gewandelten Bedingungen entsprechende Selbstdarstellung ermöglicht hätte.

5. Ratsprotokollbuch bei *H. Schwartz:* Geschichte der Reformation in Soest, 1932, Nr. 5, S. 351.
6. *A. Laube u. a.:* Illustrierte Geschichte der deutschen frühbürgerlichen Revolution, 1974, 168 f.; ders.: Studien über den erzgebirgischen Silberbergbau von 1470 bis 1546, 2. Aufl. 1976, 237 f.
7. *A. Wrede:* Die Einführung der Reformation im Lüneburgischen durch Herzog Ernst den Bekenner, 1887, 118 f.
8. *M. Krieg (Hg.):* Chronicon domesticum et gentile des Heinrich Piel (Publ. in Vor-bereitung). Mit Erlaubnis der Hist. Komm. Westfalens und des jetzigen Bearbeiters *D. Brosius,* Hannover, konnte bereits das Umbruchexemplar benutzt werden, nach dem zitiert wird. Hier S. 123–125.
9. *W. Spiess:* Fernhändlerschicht und Handwerkermasse in Braunschweig bis zur Mitte des 15. Jhs. (Hans. Gesch. Bl. 63, 1938, 49–85).

Ähnlich läßt sich in Göttingen Wandel und Konstanz der sozialen Einschätzung von der Mitte des 14. Jhs. an verfolgen[10]. Wichtig wäre dabei festzustellen, in welchem Ansehen die Wollweber in der Reformationszeit standen, zumal seit 1476 nach Gründung einer zweiten niederländisch beeinflußten Wollweberkorporation Differenzen innerhalb des Gewerbes zu erwarten waren[11]. Franz Lübeck jedenfalls sieht in den Meistern und Knappen der neuen Wollweber die Urheber der Störung von 1529[12]. Dabei ist sozialtopographisch zu beachten, wieweit sich die Wohn- und Arbeitsplätze den beiden Wollweberinnungen zuordnen lassen, die überwiegend in der Nikolaigemeinde und in der Neustadt vor dem inneren Groner Tor angesiedelt waren, also genau in dem Gebiet der Auseinandersetzungen um die Bittprozession[13]. Wie standen schließlich die in der Kaufgilde zusammengeschlossenen Händler der Göttinger Tuche zu diesen Vorgängen? Das reformatorische Bewußtsein der neuen Wollweber aber beruhte sicher nicht nur auf der vermuteten Unzufriedenheit über die gesellschaftliche Achtung, sondern auch auf Fremderfahrungen: Die lutherischen Gesänge vermittelten Wollweber, die früher in Braunschweig, Goslar und in Magdeburg gearbeitet hatten[14]. Dort hatte 5 Jahre zuvor dasselbe »Aus tiefer Not« – gesungen von einem alten Tuchmacher – die entscheidende Phase der Reformation eröffnet[15].

Neben der jeweiligen wirtschaftlichen und verfassungsrechtlichen Position sind Selbst- und Fremdverständnis zwei weitere Kriterien sozialer Einschätzung, die es in der altständischen Gesellschaft zu berücksichtigen gilt. Dazu tritt in der hier zu behandelnden Zeit ein in Form, Ziel und Intensität unterschiedlich ausgeprägter religiöser Erneuerungswille, – genug Zündstoff, der in Verbindung mit außerstädtischen Faktoren bei zunehmender Divergenz eine bis dahin unbekannte Häufung innerstädtischer Konflikte verursachte. Damit deuten sich zugleich methodische Schwierigkeiten an, die bisher ein allgemein befriedigendes Urteil über die Wechselbeziehung von religiöser Erneuerung und städtischer Verfassungswirklichkeit in den Sturmjahren der Reformation behinderten[16]: Einerseits werden nach den jeweiligen wissenschaftstheoretischen Voraussetzungen den einzelnen Faktoren mehr oder minder starke Präferenzen eingeräumt, andererseits besteht über die Bestimmung des Phänomens der innerstädtischen Auseinandersetzung keine Einigkeit. Während Erich Maschke für die Zeit von 1511 bis 1520 18, von 1521 bis 1530 45 »städtische Unruhen« in einer vorläufigen

---

10. Dazu *A. Ritter:* Die Ratsherren und ihre Familien in ... Göttingen, Duderstadt und Münden ..., 1943, 25 f., deren Interpretation aber nicht befriedigen kann.

11. *W. Nissen (Hg.):* Göttingen gestern und heute. Eine Sammlung von Zeugnissen zur Stadt- und Universitätsgeschichte, 1972, Nr. 17, S. 22.

12. Franz Lübeck (wie Anm. 1), 15, auch ebd. Anm. 76, S. 41.

13. Dazu ist der Hinweis von *H. Volz:* Die Reformation in Göttingen (Gött. Jb 15, 1967, 49–71), hier S. 58, Anm. 43, zu beachten.

14. Franz Lübeck (wie Anm. 1), 14.

15. DtStChron. Bd. 27, 1899, 107.

Zusammenstellung erfaßte[17], zählte Adolf Laube allein in den Jahren 1518 bis 1525 180 »Städteaufstände«, von denen die Mehrzahl zwischen 1521 und 1524 lag[18]. Dieses abweichende Ergebnis wird zum Teil dadurch erklärt, daß Maschke sich überwiegend auf die Aufnahme der Mittel- und Großstädte beschränkte, Laube dagegen möglichst jeden Hinweis auf innerstädtische Spannungen verwertete, also auch kleinstädtische Unruhen während des sogenannten Bauernkrieges berücksichtigte[19]. Völlig unsicher ist das Urteil überall dort, wo es um die Einbeziehung der Kämpfe zwischen Stadt und Geistlichkeit in den Forschungsrahmen der innerstädtischen Auseinandersetzungen geht[20].

Unter diesen Voraussetzungen sind auch Bedenken gegen eine Typologie zu erheben, wie sie ebenfalls von Laube versucht worden ist[21]: Häufigster Typ war danach die Verbindung einer Bürgeropposition mit der reformatorischen Bewegung »gegen die herrschende Ratsoligarchie«. Diese aber konnte sich auch im Bündnis »mit Teilen der oppositionellen mittleren Schichten des Bürgertums« an die Spitze der Bewegung stellen. Nur selten gelang etwa wie in Allstedt oder Mühlhausen schließlich eine »selbständige Weiterführung der reformatorischen

16. Es ist hier nicht der Ort, die Wege der Forschung nachzuzeichnen. Aus dem Schrifttum seien nur in subjektiver Auswahl genannt: *A. Schultze:* Stadtgemeinde und Reformation, 1918; *F. Lau:* Der Bauernkrieg und das angebliche Ende der lutherischen Reformation als spontaner Volksbewegung (Luther-Jahrbuch 26, 1959, 109–134); *B. Moeller:* Reichsstadt und Reformation, 1962; *K. Czok:* Revolutionäre Volksbewegung in mitteldeutschen Städten zur Zeit von Reformation und Bauernkrieg (*L. Stern–M. Steinmetz [Hg.]:* 450 Jahre Reformation, 1967, 128–145); *A. G. Dickens:* The German Nation and Martin Luther, 1974; *S. E. Ozment:* The Reformation in the Cities, 1975. Die umfangreiche Diskussion zum Verhältnis von Stadt und Reformation zwischen Thesenanschlag, Bauernkrieg und Täuferreich wird vorausgesetzt; dazu sei generell auf die Sammelbände verwiesen: *R. Wohlfeil (Hg.):* Reformation oder frühbürgerliche Revolution? 1972; *ders. (Hg.):* Der Bauernkrieg 1524–26. Bauernkrieg und Reformation, 1975; *H. A. Oberman (Hg.):* Deutscher Bauernkrieg 1525 (ZKG 85, 1974); *B. Moeller (Hg.):* Bauernkriegs-Studien, 1975; *H.-U. Wehler (Hg.):* Der Deutsche Bauernkrieg 1524–1526, 1975; *P. Blickle (Hg.):* Revolte und Revolution in Europa, 1975. Zu beachten ist auch der dem Reinhauser Kolloquium 1977 vorgelegte Forschungsbericht zu »Stadt und Reformation« von H.-C. Rublack (siehe oben S. 9 ff.).

17. *E. Maschke:* Deutsche Städte am Ausgang des Mittelalters (*W. Rausch [Hg.]:* Die Stadt am Ausgang des Mittelalters, 1974, 1–44), hier 40, Anm. 206.

18. *Laube* (wie Anm. 6) 291.

19. Auf eine Diskussion von Wechselwirkungen zwischen dem sogenannten Bauernkrieg und den parallelen innerstädtischen Kämpfen wird verzichtet; vgl. *P. Blickle:* Die Revolution von 1525, 1975.

20. Hier eine Klärung herbeizuführen, ist eins der Ziele des Teilprojekts C 1 »Die Funktionen des Klerus in der Stadtgemeinde des Spätmittelalters und der reformatorischen Frühzeit«, das der Verf. im SFB 164 »Vergleichende geschichtliche Städteforschung« in Münster vertritt. Erste Ergebnisse wurden in einem Arbeitsgespräch vom 3. bis 4. 11. 76 vorgelegt, eine Publikation in der Reihe Städteforschung ist beabsichtigt.

21. *Laube* (wie Anm. 6) 173.

Bewegung im Bündnis von oppositionellen bürgerlichen Schichten mit den Plebe-
jern in Richtung auf einen Sieg volksreformatorischer Kräfte«. Die Zuordnung
der Städte Nürnberg und Straßburg zum zweiten Typ will ebensowenig vollständig überzeugen wie die Wismars und Stralsunds zur ersten Gruppe. Mindestens im letzteren Fall übersieht Laube die Rolle Rolf Moellers, des Anführers
der Bürgeropposition, ebenso wie die des Bürgermeisters Smiterlow, des in der
Stadt führenden Lutheraners[22]. Nach Scheitern seiner Versuche, zwischen der
altgläubigen Ratsmehrheit und dem von Moeller geführten 48er Ausschuß zu
vermitteln, geht der Lutheraner Smiterlow für mehrere Jahre ins Exil nach
Greifswald.

In Mühlhausen schließlich verläuft die innerstädtische Auseinandersetzung bis
zur Ankunft Thomas Müntzers in Schritten, wie sie uns auch in anderen Städten
begegnen[23]: Dort kommt es 1523 zu einem ersten Auflauf, als der Rat den Prediger und früheren Zisterzienser Heinrich Pfeiffer aufs Rathaus holen läßt. In
der Folgezeit läßt dieser seine Anhänger zusammenschwören und aus jedem
Stadtviertel zwei Männer in einen 8er Ausschuß wählen, der mit dem Rat ver-
handeln soll. Daneben werden 10 weitere Männer für jedes Viertel bestimmt,
um die Forderungen der Bürgergemeinde zu sammeln. Nur zwei der 54 Artikel
zielen dabei mit der Forderung nach guten Predigern und der Öffnung der Klöster für die Mönche und Nonnen auf die reformatorische Bewegung, während
die Einbeziehung der Geistlichen in die bürgerlichen Pflichten an alte Gravamina
anknüpft. Als der Rat eine Annahme dieses Rezesses verzögert, kommt es zu
einem bewaffneten Auflauf, eröffnet vom Läuten der Sturmglocke auf St. Ja-
kobi. Eine Plünderung der Klöster zwingt schließlich den Rat zur Annahme,
doch kann er bereits im folgenden Monat die Achtmänner und die Gemeinde
gegen Pfeiffer einnehmen, der der Stadt verwiesen wird.

Eidbündnis, Verhandlungen mit der Stadtführung und bewaffneter Auflauf
zur Durchsetzung der Forderungen sind die drei Stufen gemeindlichen Protestes,
die in der mittelalterlichen Stadtgesellschaft entwickelt[24], auch im Mühlhausen
der Reformationszeit erkennbar bleiben. Dem augenblicklichen Forschungsstand entsprechend beschränkt sich dieses Referat auf eine Darstellung dieser
Verlaufsformen[25]. Es liegt dabei außerhalb der Überlegungen, in irgendeiner

22. Statt weiterer Nachweise G. Ch. F. Mohnike (Hg.): Sastrow, Bartholomäus: Herkommen, Geburt und Lauff seines gantzen Lebens ... 3 Tl., 1823/24; J. Schildhauer:
Soziale, politische und religiöse Auseinandersetzungen in den Hansestädten Stralsund,
Rostock und Wismar im ersten Drittel des 16. Jhs., 1959.
23. Laube (wie Anm. 6), 182–185; D. Lösche: Achtmänner, Ewiger Bund Gottes
und Ewiger Rat (Jb. f. Wirtschaftsgesch., 1960, T. 1, 135–162).
24. W. Ehbrecht: Bürgertum und Obrigkeit in den hansischen Städten des Spätmittelalters (Rausch [wie Anm. 17], 275–302).
25. B. Moeller stellte in einem Diskussionsbeitrag zum Reinhauser Kolloquium 1977
heraus, wie sehr das städtische Gemeinwesen im Spätmittelalter und in der Reformationszeit auf den Konsens der Sozialgruppen angewiesen war (vgl. unten S. 180 f.). In

Weise Erfolge, Teil- oder Mißerfolge in der städtischen Reformationsgeschichte zu messen. Allein im Feld von Anlaß und Ursache städtischer Unruhen findet die religiöse Erneuerungsbewegung hier Beachtung; denn sie hebt in der Geschichte der innerstädtischen Auseinandersetzungen diese Phase kennzeichnend von vorausgehenden, ebenfalls keineswegs nur von unzusammenhängenden, lokalen Ereignissen bestimmte Phasen ab[26]. Die Auswahl der dazu für die Argumentation herangezogenen Beispiele ist relativ zufällig, auch nicht nur annähernd lückenlos und vom Zustand der Ermittlungen abhängig, deshalb im Einzelfall korrekturbedürftig[27].

2. Schwureinung, Bürgerausschuß und Bannerlauf – Spätmittelalterliche Protestformen in der Reformationszeit

Im westfälischen Soest weisen die ersten reformatorischen Ansätze wie in den Nachbarstädten Dortmund, Münster, Osnabrück und Paderborn noch in die Zeit vor 1525 hinauf[28]. In den folgenden Jahren trafen sich überwiegend einflußreiche Bürger im Hause Johanns von Arnsberg, deren Selbstbezeichnung »Eidgesellen« ihre gemeindliche Sonderstellung treffend charakterisiert. Zu dieser im Eid verbundenen Gruppe zählten Einzelpersonen wie der bekannte Kupferstecher und Maler Heinrich Aldegrever[29], aber auch Bruderschaften wie die Patrokli-Schützen. Im Kirchspiel St. Georg tauchte 1527 erstmals die Gefahr des Aufruhrs auf[30], die vorübergehende Gefangensetzung eines Laienpredigers 1530 durch den Rat[31], der Gesang deutscher Lieder in der Paulikirche[32] und die

Konfliktfällen, und zwar sowohl in politischen wie in religiösen, bestand s. E. gleichsam ein Einigungszwang, der auf einen tragfähigen Kompromiß zielte. Die hierbei entwickelten Verfahrensweisen sowie die Verlaufsformen der Konflikte stehen im augenblicklichen Forschungsinteresse des Verf., der für diesen Diskussionsbeitrag zu danken hat.

26. Zuletzt hat *R. Postel:* Zur Sozialgeschichte Niedersachsens in der Zeit des Bauernkrieges (*Wehler* [wie Anm. 16] 79–104), knapp die städtischen Auseinandersetzungen in Osnabrück, Goslar, Braunschweig, Hannover und Göttingen verglichen.

27. So war eine Überprüfung der für die Argumentation notwendigen Quellen für den Druck nicht mehr vollständig durchzuführen.

28. Grundlegend *F. Joostes (Hg.):* Daniel von Soest, 1902; dann *Schwartz* (wie Anm. 5); vgl. auch *H. Rothert:* Märkische Kirchengeschichte *(A. Meister [Hg.]:* Die Grafschaft Mark, 1909, 207–262). Für die Frühphase der Reformation ist immer auch die Entwicklung im benachbarten Lippstadt zu berücksichtigen: *H. Klockow:* Stadt Lippe – Lippstadt, 1964.

29. Er hatte wohl aus religiösen Gründen unmittelbar vorher Paderborn verlassen: *Schwartz* (wie Anm. 5) 26 f.

30. Hier predigte der Kaplan Dietrich Saterdach gegen die Altgläubigen; ein gleichnamiger Prädikant war zuvor aus Lippstadt ausgewiesen worden, weil er sich dort der Westermannschen Ordnung nicht fügen wollte: *Schwartz* (wie Anm. 5) 27.

31. Ebd. 28.

32. Hier predigte Johann Kelberg, ebd. 28 f.

theologischen Streitereien zwischen dem Dominikaner Thomas Borchwede[33] und dem aus Lippstadt und Köln bekannten Johann Host von Romberg waren klare Anzeichen für das weitere Wachsen der reformatorischen Bewegung, die hier wie anderswo in innerstädtische Kämpfe einmündete.

Ganz in der Tradition spätmittelalterlicher Bürgerkämpfe richtete sich 1531 der erste Protest der Soester Bürgergemeinde gegen Versäumnisse der Stadtverwaltung. Der Rat der Stadt hatte den Ämtern und der Gemeinheit einen warnenden Brief Johanns von Kleve verlesen, in dem dieser angeblich den Vorwurf erhob, daß in seiner Stadt Bürger seine *hoich- ind overicheit* verletzt hätten. Die Bürgergemeinde verlangte darauf eine Kopie des Schreibens, da sie es für erfunden hielt. Als Fälscher vermutete sie neben anderen auch den Stadtsekretär Jasper van der Borch, der einer alten Familie der Soester Führungsschicht entstammte und zu dieser Zeit bereits Lutheraner war[34]. Schon immer hatte die Soester Bürgerschaft auf ein unerwünschtes Eingreifen des Landesherren in die Belange der Stadt empfindlich reagiert; wenn jetzt der Rat selbst mit diesem Eingreifen drohte, so war Widerstand geboten. Auf gleichzeitige Schwierigkeiten in der städtischen Wirtschaft deutet die von Ämtern und Gemeinheit erhobene Forderung hin, der Rat solle die Kornausfuhr verhindern. Dabei treten als Träger der Protestbewegung weniger die Handwerkerkorporationen als die drei Schützenbrüderschaften in Erscheinung[35]. Sie waren offensichtlich trotz erhöhten Soldes nicht mit ihrer Entlohnung zufrieden, eine neue *schutterye,* eine neue, im Eid verbundene Schützengesellschaft entstand[36]. In diesem Zusammenhang tauchen erstmals auch Hinweise auf eine Verbindung zur reformatorischen Bewegung auf; denn die Scheffer dieser Gesellschaft fragten in den beiden Klöstern der Dominikaner und Franziskaner nach, ob diese auf Befehl des Rates oder des Stiftskapitels von Patrokli die Prediger vertrieben hätten, *de dat wort godes prediken*[37]. So war denn die Spannung in der Stadt schon sehr gereizt, als der Rat Ämter und Gemeinheit Ende Juni aufs Rathaus bot, um die Klagen zu hören. Die Antwort der verfaßten Bürgergemeinde lautete, daß sie zuerst die alte Schrae hören wolle, das Rechtsbuch der Stadt[38]. Die Forderung nach Verlesen des alten Stadtrechts ist begründet in einem Bewußtsein von städtischer Ge-

---

33. Er ist seit 1530 in Soest, ebd. 31–37.

34. *W.-H. Deus:* Die Herren von Soest, 1955, führt ihn jedoch unter den Angehörigen der gleichnamigen Familie nicht auf. Zur Sache der Bericht Jaspers über die Gründe für seine Flucht, in: DtStChron. Bd. 24, 1895, 172–175, vgl. auch das Ratsprotokollbuch (wie Anm. 5) 340.

35. Zu den Soester Schützengesellschaften *Vogeler:* Urkundliche Beiträge zur Geschichte des Schützenwesens im alten Soest (Soester Zs. 3, 1883/84, 1–9); darin Nachweise zur Jürgensgesellschaft 1514, 1518, 1533.

36. Jasper v. d. Borch (wie Anm. 34) 173.

37. Ebd. 174.

38. *W. Ebel:* Die alte und die neue Soester Schrae (ZSavRG Germ. 70, 1953, 105 bis 124); *W.-H. Deus:* Soester Recht Bd. 1, 1969.

nossenschaft, wonach jederzeit der Vergleich der festgeschriebenen Freiheiten mit der Verfassungswirklichkeit verlangt werden kann. Unglücklicherweise war nun in Soest die alte Schrae seit über 12 Jahren vermißt. Der Stadtsekretär Jasper van der Borch hatte zwar im Auftrage des Rates die wichtigsten Bestimmungen aus dem Gedächtnis in einer neuen Schrae niedergelegt[39], doch mehrten sich jetzt offensichtlich die Zweifel an der Glaubwürdigkeit. Dreimal setzte die Bürgergemeinde dem Rat und seinem Sekretär eine Frist, um die alte Schrae wieder aufzufinden. Danach aber wollten die Bürger so handeln, wie die benachbarten Werler in einem eineinhalb Jahrzehnte zurückliegenden Aufruhr[40]. Was das bedeuten würde, fügten sie unmißverständlich hinzu; nämlich *dan des morgens de porten to doin laiten und die sloitele dairvan by sich nemen van dem raide*[41]. Die Übernahme der Gewalt durch die Gemeinde ermöglichte nach städtischer Rechtstradition bei verschlossenen Toren, ohne Störung von außen, die Vorwürfe innerhalb der Gesamtgemeinde zu klären, Beschwerden abzustellen und die Verantwortlichen zu bestrafen. Jasper van der Borch entzog sich dem zu erwartenden Strafgericht drei Tage vor Ablauf der letzten Frist am 24. Juli 1531 durch Flucht zum Herzog von Kleve.

Einen Monat danach fand sich dann auch die alte Schrae wieder, an die die Gemeinde jetzt in längeren Verhandlungen eine Reihe von Zusätzen fügen ließ[42]. Die hier erkennbaren Gravamina der Gemeinde gegen den Rat sichern nur die Abstellung sozialer und wirtschaftlicher Mißstände, berühren dagegen mit keinem Wort religiöse Fragen. Zwar wird auch die Wirtschaftsführung der geistlichen Institute behandelt, doch fällt im Vergleich zu Artikelbriefen anderer Städte auf, daß sogar die Forderung nach dem lauteren Evangelium fehlt. Für die Soester Bürger war es im Augenblick offensichtlich wichtiger, sich ein nicht an das Aufgebot des Rates gebundenes Versammlungsrecht bestätigen zu lassen. Dem entsprach es auch, wenn der Rat im Einvernehmen mit Ämtern und Gemeinheit sowohl Borchwede wie Romberg verbot zu predigen[43].

39. Diese Fassung hatte am 13. Juni 1523 der Soester Rat bestätigt: *Th. Ilgen* in: DtStChron. Bd. 24, 1895, CXLII–CXLIV.

40. Dazu Hermann Brandis: Historie der Stadt Werl, in: *J. S. Seibertz*: Quellen der Westfälischen Geschichte, Bd. 1, 1857, 70–72; vgl. auch Dietrich Westhoff in: DtStChron. Bd. 20, 1887, 408; *R. Preising:* Werl im Zeitalter der Reformation, 1960, 16–21, der den Aufruhr in Werl zu 1515 datiert, diesen Hinweis aus Soest aber nicht berücksichtigt.

41. Jasper v. d. Borch (wie Anm. 34) 175.

42. *Ilgen* (wie Anm. 39); *Schwartz* (wie Anm. 5) Nr. 1, S. 327–334.

43. Offensichtlich lief die Diskussion um die neuen Glaubenslehren getrennt von der politischen Kontroverse über die Stellung des Rates und die Mißstände der Verwaltung. Am Kack waren zuletzt am 14. September Spottgedichte und Briefe Borchwedes angeschlagen, die der Rat zwei Tage später abnehmen ließ. Dies gab den Anlaß für das generelle Predigtverbot beider theologischen Kontrahenten (siehe oben bei Anm. 33). Am 1. Oktober wandte sich der Rat in dieser Frage auch an den Herzog von Kleve: *Schwartz* (wie Anm. 5) 33.

Am 15. Oktober 1531 verlas der Rat den Bürgern die neue Schrae[44]. Einer herzoglichen Delegation berichtete er 10 Tage später stolz die interne Beilegung des Streites, die Wiederherstellung des städtischen Friedens. Als die Vertreter des Landesherrn dann forderten, sich des *niggen handell(s)* bis zu einer klevischen Kirchenordnung zu enthalten, wollten Ämter und Gemeinheit auch dem nachkommen, doch war eine solche Anordnung nicht mehr durchführbar[45]. Auf den Verfassungsstreit um die Schrae folgten jetzt konkrete Schritte zur Durchsetzung der Reformation. In 22 Thesen schlug Borchwede am 20. November sein Glaubensbekenntnis an die Stiftskirche St. Patrokli und lud zur Disputation ein[46].

Einen Monat später, am 21. Dezember 1531, *up sunct Thomas dach des hilligen apostels erhoiff sich eyn oploip und oproir van unsen gemeynen borgeren,* so eröffnet das Soester Ratsprotokollbuch seinen Bericht über die weiteren Ereignisse[47]. Den *frommeden predicanten* Johann van Kampen hatte der Rat festgesetzt, da er entgegen der klevischen Anordnung als Stadtfremder die Kanzel in der Paulikirche bestiegen hatte[48]. Das *gemeyne volck* wollte seine Befreiung, ließ die Trommeln und die Glocken schlagen; die Jürgens-, Tönnis- und Patroklischützen versammelten sich mit drei *upgerichteden venneken* dem Rathaus und Münster gegenüber auf dem Kirchhof von St. Peter. Nach Auskunft der Quelle kamen dazu 3 bis 4 Tausend *borger und inwoner,* – ein wenig verläßlicher Schätzwert, der in Verbindung mit den übrigen Nachrichten aber doch ausdrückt, daß es sich kaum nur um eine spontane, auf die Festsetzung Kampens reagierende Versammlung handelte. Vielmehr wußten Kampen und die Patroklischützen, die uns schon in den 20er Jahren als Mitglieder der Eidgesellen begegnet sind, um die Risiken der Mißachtung des Predigtverbots. Offensichtlich versuchten sie durch die nicht vom Rat gebotene Versammlung auch in Soest eine Entscheidung in der religiösen Frage herbeizuführen[49]. In den beiden Richtluden gehörten ihnen mindestens auch zwei Angehörige der städtischen Führungsschicht an[50], die unter Zusicherung freien Geleits den ersten Bürgermeister

---

44. *Schwartz* (wie Anm. 5) 31. Zur gleichen Zeit verließ Romberg Soest, ebd. 34.

45. Ratsprotokollbuch (wie Anm. 5) 341.

46. *Schwartz* (wie Anm. 5), Nr. 3, S. 336–338. Ebenso war eineinhalb Jahre früher Nikolaus Krage in Minden verfahren, der nach Beschluß der Kirchenordnung durch die Stadt am 21. März 1530 19 Thesen an alle Kirchentüren geschlagen hatte; Druck bei *M. Krieg:* Die Einführung der Reformation in Minden (Jb. d. Ver. f. Westf. Kirchengesch. 43, 1950, 31–108), hier 106 ff.

47. *Schwartz* (wie Anm. 5) 342 f.

48. Vgl. auch *Kl. Löffler (Hg.):* Hermann Hamelmann: Reformationsgeschichte Westfalens, 1913, 372–379; *Schwartz* (wie Anm. 5) 40–45.

49. Die Vorgänge wurden auch in Dortmund genau beobachtet: Dietrich Westhoff (wie Anm. 40) 427 f.; er berichtet unter dem selben Datum, daß sich *die stat Soest an die Lutersche leer gegiven, derhalven ein verbunt under den burgern gemacket ...*

50. Zur Soester Verfassung *K. Ader:* Geschichte der Ämter und Gemeinheit in der Stadt Soest, 1914; *Deus* (wie Anm. 34).

Albert Greven der Menge gegenüberstellten. Diese Vermittlung jedoch blieb erfolglos, vielmehr besetzten die Aufrührer bewaffnet das Stadtweinhaus. Nachdem sie die Stadtschlüssel in Verwahrung genommen hatten, zogen sie zum Hause des zweiten Bürgermeisters Johann Gropper, den sie zu Albrecht Greven in die Harnischkammer sperrten. Der Unmut der Protestgruppe richtete sich dann in dieser – nach dem bewaffneten Auflauf und den gescheiterten Verhandlungen mit dem Rat – dritten Phase der Auseinandersetzung gegen die städtischen Rentmeister, die man der Unterschlagung verdächtigte. Erst danach plünderte die Menge die Häuser der Geistlichen, bis Dunkelheit und Trunkenheit diesen ersten Aufruhrtag beendeten.

Am folgenden Freitagmorgen läutete die Glocke erneut[51]: die Gemeinde versammelte sich nach den *hoven*, wie in Soest die Stadtbezirke heißen, wieder bei St. Peter und setzte einen 24er Ausschuß ein, in den jede Hofe 4 Vertreter entsandte. Dieser Bürgerausschuß sollte die Vermittlung mit dem Ziel führen, daß die gefangenen Bürgermeister für sich selbst und alle Verwandten auf eine spätere Strafverfolgung verzichteten. Gleichzeitig sollte die Annahme des neuen Bekenntnisses von der städtischen Führung akzeptiert werden. Nachdem diese Voraussetzungen für eine Wiederherstellung des städtischen Friedens erfüllt waren, versammelte sich die Gemeinde am Samstag ein drittes Mal auf dem Petershof, zog aber dann in die Stiftskirche um, da man so die Nichtbürger besser aussondern konnte. Hier gelobten die beiden Bürgermeister öffentlich und schriftlich, nichts im Hinblick auf den Aufruhr zu tun und *by dem wort gotz to blyven levendich und doit*[52]. Danach wurden sie mit einigen anderen Gefangenen wieder freigelassen und in ihre Ämter eingesetzt. Als äußeres Zeichen erhielt der Rat die Stadtschlüssel zurück, während alle Büger *twe und twe* nach den Hofen geordnet auf das Rathaus kamen, um die Schwureinung zu erneuern: *sworen to gode und synen hilligen, den Raidt by allen alden herkomen und gerechticheit to behalden.* Mit einem entsprechenden Eide antwortete der Rat den Bürgern.

In einem Bundbrief, der vielleicht Borchwede zum Verfasser hatte, legte die gesamte Gemeinde fest, daß in allen Kirchen die neue Lehre verkündet werden sollte, nur dem Stiftskapitel von Patrokli war gestattet, ungehindert *in allem alden gebruck* zu verbleiben[53]. Im Zentrum dieses Soester Rezesses vom 23. 12. 1531 aber steht die zwischen Rat und Gemeinde erneuerte Eintracht, die durch die religiösen Differenzen innerhalb der Gesamtgemeinde gestört war, *dey wyle dan dat sulcke eyndrechticheit nycht komen (kan) ane gotz wordt. wente dar dat wordt nycht en is, dar ist got nycht* ... Dieses Wort Gottes aber sollte dem entsprechen, das in Nürnberg, Straßburg, Augsburg, Wittenberg, Magdeburg, Braunschweig, Stralsund, Rostock, Lübeck, Hamburg, Stade, Bremen und in den Ländern Livland und Lüneburg verkündet wurde[54]. Trotz des beschworenen

51. Ratsprotokollbuch (wie Anm. 5) 343 f.
52. Ebd. 344 f.
53. Ebd. 344.
54. *Schwartz* (wie Anm. 5) 46 f.

Friedens blieben die 24er vorläufig im Amt: Sie bestellten Kampen zum Pfarrer an der Peterskirche, ohne sich in irgendeiner erkennbaren Weise um den bisherigen Pfründeninhaber zu kümmern[55]. Dieser war übrigens seit 1530 niemand anders als der gleichnamige Sohn des zweiten, uns schon bekannten Bürgermeisters Johann Gropper, der als Kölner Domherr in den folgenden Jahrzehnten in der katholischen Reformbewegung einen so zentralen Platz einnahm[56]. In Soest aber hatte vorläufig diese altgläubige Gruppe ihren Einfluß verloren, nicht ohne jedoch auch in der Folgezeit in den Ratsverhandlungen immer wieder auf die Rücksichten gegenüber dem geistlichen Herrn in Köln und dem weltlichen Herrn in Kleve hinzuweisen.

Um den klevischen Bemühungen einer landesherrlichen Neuordnung des Kirchenwesens zuvorzukommen[57], verlangte der Bürgerausschuß noch vor Jahresende vom Rat, daß Gerd Oemeken aus Lippstadt zur Ausarbeitung einer städtischen Kirchenordnung geholt würde[58]. Dessen am Neujahrstag 1532 aufgenommene Tätigkeit mußte nun aber nicht nur auf den Widerspruch der Ratsgruppe um den Bürgermeister Gropper stoßen, sondern ebenso auch die Interessen des Herzogs verletzen, der 1529 Oemeken noch aus Büderich verwiesen hatte. Weit mehr aber verzögerten die Differenzen innerhalb der reformationsgesinnten Bürger der Stadt seine Arbeit. So legte Oemeken beim Rat Beschwerde dagegen ein, daß die 24er Borchwede in der Wiesenkirche ordiniert hätten[59]. Ihm und Kampen warf er gleichzeitig vor, daß sie *to uproir, Rottinge und anders predigten*[60].

Unter diesen Umständen ist es nicht verwunderlich, daß mit Annahme der Kirchenordnung durch Rat und Gemeinde am 4. April 1532 der Abschluß der Reformation in Soest noch nicht erreicht war[61]. Zwei weitere Aufläufe im folgenden Jahr zeigten bei aller jetzt auch in Soest erkennbaren Verquickung religiöser und verfassungsrechtlicher Forderungen die vorgestellten Verlaufsformen innerstädtischen Protestes[62].

55. *Schwartz* (wie Anm. 5) 48, 53.
56. Ebd. 164–170; W. v. *Gulik:* Johannes Gropper (1503-1559), 1906, 23–26; W. *Lipgens:* Kardinal Johannes Gropper 1503–1559, 1951, 159 f.
57. Zu den Bemühungen des klevischen Herzogs um eine eigene Kirchenordnung O. *Redlich:* Jülich-bergische Kirchenpolitik am Ausgang des Mittelalters und in der Reformationszeit Bd. 1, Urkunden und Akten 1400–1553, 1907. Die Kirchenordnung vom 11. 1. 1532 ebd. Nr. 240, S. 246–251; vgl. auch Dietrich Westhoff (wie Anm. 40) 428.
58. Mit dieser wichtigen Aufgabe wurde Heinrich Aldegrever betraut, Ratsprotokollbuch (wie Anm. 5) 347.
59. Ebd. 350.
60. Unterdessen teilten Rat, Ämter und Gemeinheit dem Herzog bereits am 5. Januar 1532 mit, daß sie *dat wort gotz in unser stadt dem volcke lutter und clair to predicken und dem volcke vor to dragen und semptlichen by to blyven* angenommen hätten.
61. *Keller:* Die Wiedertäufer in Soest 1534–1553 (Soester Zs. 1, 1881/82, 45–55).
62. *Schwartz* (wie Anm. 5) 96–114.

Nachdem die Gründung einer neuen *Schutterie* wiederum eine Zunahme des Protestes gegen die Stadtführung erwarten ließ, war das freiwillige Exil der immer noch auf Köln und Kleve achtenden Ratspartei unausbleiblich. Unter den 16 Exulanten, die im Juli 1533 die Stadt verließen, waren neben Johann Gropper und drei amtierenden Ratsherren die derzeit sitzenden Bürgermeister[63].

Auf dem Höhepunkt der Unruhen hatte eine anonyme Schrift noch einmal den ersten Bürgermeister Johann von Esbeck daran erinnert, wie die Stadt in der damals neun Jahrzehnte zurückliegenden Soester Fehde unter weitgehender Sicherung ihrer Freiheiten den Übergang von Köln zu Kleve vollzogen hatte[64]. Da in der Neubearbeitung des sogenannten Kriegstagebuches Spitzen gegen Kleve nicht vorhanden sind, der Gedanke an einen Wiederanschluß an Köln nirgends erscheint, muß die Schrift zur reformatorischen Argumentation gedient haben: Johann von Esbeck und die mit ihm gemeinsam hinhaltend taktierende Ratsgruppe sollten zum Kampf gegen den noch immer erkennbaren Einfluß der Geistlichkeit aufgerufen werden[65]. Den Soestern stellt der wohl im Kreis der Prädikanten zu suchende Verfasser[66] deshalb vor *wat se van der vormetener geistliker overicheit und erem anhange ein lange tyt her erleden und ervaren hebben ...*, um dann fortzufahren: *Darumme wer wal recht und billich, alle gude stede, land und lude sich solker hypokritischer, gotloser geistliker overicheit mitsampt erem anhange ganz sich to eintslaen*[67]. Den auch nach der Kirchenordnung Oemekens verbliebenen politischen und wirtschaftlichen Einfluß des Patroklikapitels und seiner Verwandten in der altgläubigen Ratsgruppe zu beenden, war Ziel des Kriegstagebuchs und der Aufläufe 1533.

3. Zur Bedeutung der Prädikanten in den innerstädtischen Auseinandersetzungen

Wer die städtischen Unruhen in den Jahren des Aufgangs der Reformation mit früheren Unruhephasen etwa in der Zeit Karls IV. oder Sigismunds vergleicht, wird für das erste Drittel des 16. Jahrhunderts nur schwer eine besondere Krisensituation in den Städten konstatieren[68]. Ebenso schwierig ist es, im Einzelfall

---

63. Ebd. 114–121.
64. DtStChron. Bd. 21, 1889; *Schwartz* (wie Anm. 5) 156–158.
65. Zu den in Soest in Verbindung mit den Kämpfen um die Reformation entstandenen Schriften gehört auch der Daniel von Soest, hg. von F. *Joostes*, 1902, dessen Verfasser jetzt im Kreis der Soester Minoriten gesucht wird: *N. Eickermann:* Wer schrieb den Daniel von Soest? (Soester Zs. 86, 1974, 34–41), während *Schwartz* (wie Anm. 5) 159–172 als Verf. Jasper v. d. Borch nicht ausschloß.
66. *J. Hansen,* in: DtStChron. Bd. 21, 1889, XXXI, vermutete Johann Pollius, der Anfang 1533 die Pfarrstelle Kampens an St. Peter antrat.
67. Ebd. XXIX.
68. So *W. Becker:* Reformation und Revolution, 1974, 84.

im Feld von Anlaß und Ursache nach allgemeinpolitischen, territorialen, verfassungsmäßigen, sozialen, wirtschaftlichen und religiösen Voraussetzungen zu gewichten.

In Dortmund erwuchs die reformatorische Bewegung in diesen Jahren beinahe nahtlos aus den spätmittelalterlichen Kämpfen um die Vorrechte der Geistlichkeit[69]. Nach Streitereien 1518[70] und 1523[71] war es am 17. Oktober 1525 zu einem Vergleich zwischen Geistlichkeit und Stadt gekommen, der in keiner Weise auf religiöse Fragen einging[72]. Dabei schätzte der Rat die Belastungen für den städtischen Frieden ganz anders ein: Er ließ während der Kämpfe an drei aufeinanderfolgenden Freitagen Bittgottesdienste wegen der Lehre Luthers, der Türkenkriege und »schwerer Fehden« abhalten[73]. Als dann zwei Jahre nach dem Vergleich die Bürgergemeinde neue Prädikanten vom Rat forderte, war sie bereits mehrheitlich reformatorisch gesinnt[74]. Aber erst 1532 löste der ehemalige Wittenberger Augustiner Hermann Kothe an der Reinoldikirche den altgläubigen Johann von Berchem ab, der schon 1523 Ziel der Angriffe gewesen war[75].

Der Englische Schweiß[76], der in Göttingen[77] 1529 das Spannungsfeld zwischen

69. Dazu allgemein Dietrich Westhoff (wie Anm. 40) 147–462; *L. von Winterfeld: Der Durchbruch der Reformation in Dortmund* (Beitr. z. Gesch. Dortmunds 34, 1927, 53–146).

70. Dietrich Westhoff (wie Anm. 40), 405 f.

71. Ebd. 417.

72. *Kl. Löffler: Reformationsgeschichte der Stadt Dortmund* (Beitr. z. Gesch. Dortmunds 22, 1913, 183–243), hier 188 f. Damit unterscheidet sich die Dortmunder Entwicklung klar von gleichzeitigen, vor dem Hintergrund des sog. Bauernkrieges zu beurteilenden innerstädtischen Auseinandersetzungen in westfälischen Städten, vgl. bes. O. *Ramstedt: Stadtunruhen 1525 (Wehler* [wie Anm. 16] 239–276).

73. *Löffler* (wie Anm. 72) 187.

74. Dietrich Westhoff (wie Anm. 40), 422: Nur einzelne Gildemeister standen in dieser Frage noch hinter dem Rat, während die Gildeversammlungen allgemein verlangten, *sie wolten ander und nije praedicanten hebben.*

75. Ebd. 428, Anm. 2. 1533 versuchten lutherisch gesinnte Wollweber die Petrikirche zu stürmen, ebd. 430.

76. Der Englische Schweiß war in den letzten Tagen des Mai 1529 in London ausgebrochen, erreichte um den 25. Juli Hamburg, am 1. August Lübeck, am 14. August Zwickau, wo 19 Personen verstarben, in der folgenden Nacht mehr als 100 erkrankten. Ende August/Anfang September tritt die Krankheit in Stettin, Danzig, in der Mark Brandenburg und in Schlesien auf, rheinwärts zieht sie über Köln, Frankfurt und Straßburg bis nach Augsburg, doch war überall die Dauer der Krankheit immer nur kurz: *J. F. C. Hecker: Die großen Volkskrankheiten des Mittelalters*, hg. von *A. Hirsch*, 1865, 264–320. Zu der in der Diskussion des Reinhauser Kolloquiums aufgeworfenen Frage, wieweit die Krankheit als Strafe Gottes im Kampf um die religiöse Erneuerung gesehen wurde, verweist *Hecker* auf Lübeck und Köln, 290–292.

77. Franz Lübeck (wie Anm. 1) 15, berichtet, daß etwa in einer Pfarrei 5 bis 8 Personen gemeinsam beigesetzt wurden.

den sozialen Gruppen so sehr belastete, war auch in Köln[78], Dortmund[79], Münster[80] und Soest[81] nachweisbar, ohne daß es allgemein zu vergleichbaren Auseinandersetzungen kam[82]. In Minden dagegen, wo in der ersten Nacht allein von 30 Erkrankten 20 verstarben[83], verschärfte die Epidemie die durch eine seit zwei Jahren andauernde Fehde gegen den Stadtherrn sowieso angespannte Lage. Als dann noch der Abt des Benediktinerklosters Moritz und Simeon sein Konventsmitglied Heinrich Traphagen verhaften ließ, da er in der dem Kloster inkorporierten Pfarrkirche St. Simeon lutherisch gepredigt hatte[84], war der Bogen überdehnt: Noch bis zum Ausgang des Jahres führte die Bürgerschaft einen Wechsel im Glauben und in der Stadtführung durch[85]: Am 24. November befreiten die Mindener Traphagen, um ihn selbst am folgenden Tag wieder in sein Predigtamt

78. Gedenkboich der jaren Hermanni von Weinsberch ... 1561, hg. von *K. Höhlbaum*, 1886 ff. Zu bedenken aber ist in diesem Zusammenhang die Hinrichtung Adolf Clarenbachs und Peter Fliestedens am 28. 9. 1529.

79. Dietrich Westhoff (wie Anm. 40) 425. Dort wurden angeblich in den vier Tagen vom 3. 9. bis 6. 9. 500 Menschen von der Krankheit befallen, die innerhalb von 3 Tagen bis auf 3 Personen verstarben. Die dortige Bittprozession wurde deshalb von der Angst beherrscht.

80. Gesch. Qu. d. Bist. Münster Bd. 2, 428 f.; Bd. 3, 227 f. Vgl. *H. Schilling:* Aufstandsbewegungen in der stadtbürgerlichen Gesellschaft des Alten Reiches. Die Vorgeschichte des Münsteraner Täuferreichs, 1525 bis 1534 (*Wehler* [wie Anm. 16] 193–238).

81. Am 2. September übertrug ein Essener Kaufmann die Seuche nach Soest, an der nach Auskunft der Soester Stadtbücher in den nächsten 8 Wochen 1 500 Menschen erkrankten, in: DtStChron. Bd. 24 (1895) 154 f. Noch am 30. 5. 1530 entschuldigt Soest sein Fehlen auf dem Hansetag mit der heftigen Seuche, die damit auch für Soest in das Ursachenfeld der Unruhen von 1531–33 zu rechnen ist, Hanserec. III, 9, Nr. 586, S. 696.

82. Über den Verlauf der Krankheit standen die Städte untereinander in Kontakt, Franz Lübeck (wie Anm. 1) 15, auch ebd. Anm. 62, S. 40. Sie empfahlen etwa *daß man die, so befallen, solte warme zudechen und warm bewaren, 24 stunde lang, den war die geferlicheit zum ende:* Heinrich Piel (wie Anm. 8) 108. *Es kam auch oft, das ihrer etliche, also zugedeckt, den Sweiß nit ausliegen konnten und zu sehr zugedeckt wurden, daß sie dohin storben:* Franz Lübeck (wie oben).

83. Heinrich Piel (wie Anm. 8) 108.

84. *F. Niemann:* Die St. Simeonskirche zu Minden ..., 1912, 12–14.

85. Die beste chronikalische Darstellung der Mindener Kämpfe bei Heinrich Piel (wie Anm. 8), der als Stadtkämmerer zwischen 1572 und 1580 die Reformation weitgehend noch aus eigenem Erleben schildert: *M. Krieg:* Die Mindener Chronik des Stadtkämmerers Heinrich Piel (Mindener Heimatbll. 27/28, 1955/56, 49–58); vgl. auch Hermann Hamelmann (wie Anm. 48) 76–80, der ergänzend die Nachrichten über den ersten Prediger an der Marienkirche, Albert Niese, mitteilt. Aus dem älteren Schrifttum sind noch zu benutzen *W. Schroeder:* Die Einführung der Reformation in Westfalen ..., 1883; *ders.:* Chronik des Bistums und der Stadt Minden, 1886, 428–434; *V. Pless:* Die Einführung der Reformation in Minden, 1930; im übrigen *Krieg* (wie Anm. 46).

an der Simeonskirche einzusetzen[86]. Die Protestgruppe versicherte sich des gegenseitigen Beistandes, erwählte einen 36er Ausschuß, dem auch einzelne Mitglieder der alten Ratsgeschlechter angehörten[87]. Erklärtes Ziel war es, Traphagen gegen jedermann zu verteidigen, – eine Aufgabe, die dadurch erleichtert wurde, daß der Bischof, Franz I. von Braunschweig, verstarb, das Domkapitel aber nach Hausberge auswich[88]. So lehrte denn auch in der Ratskirche St. Martin bereits zu Weihnachten der Hoyaer Hofprediger Nikolaus Krage im Sinne Luthers[89]. Am Tage nach Weihnachten blieben die Stadttore verschlossen, die 36er bestellten die Dekane von St. Martin und St. Johann sowie den Abt des Moritzklosters aufs Rathaus, wo ihnen nach Übergabe von Schuldbriefen die Freiheit wiedergegeben, die geistlichen Institute aber gleichzeitig ihrer Verwaltung entzogen wurden[90].

Obwohl noch im November Kaufmanns- und Handwerkskorporationen sich dem Rat verpflichtet hatten[91], hören wir von ihm nichts: Die 36er, die als Vertreter gemeindlicher Interessen im kirchlichen Bereich angetreten waren, übernahmen im Verlauf der Unruhe auch die politische Vertretung der Handwerksämter. Zwar verblieben die alten Stadtführungsorgane wie Rat und Vierziger formal im Amt, doch bestimmten die 36er die Politik der Stadt, so daß der Chronist Piel etwa das Jahr 1531 mit dem Satz eröffnet: *Das ... jar hatte man zweifagtes regimente*[92]. Im darauffolgenden Jahr änderten die 36er auch die Ratswahlordnung in der Weise, daß sie selbst sich anstelle der Vierziger als Wahlmännergremium konstituierten[93]. Sie knüpften so an die damals 125 Jahre zurückliegende Mindener Schicht an, in der es den Handwerksämtern gelungen war, wenigstens im Wahlausschuß der 40er Einfluß auf die Besetzung des Rates

86. Heinrich Piel (wie Anm. 8) 109 f.

87. Nach Hermann Hamelmann (wie Anm. 48) gehörten zu den 36ern der Ratsherr Johann Brüning, der Magister Peter Wiens und Johann Gevekote, Sohn eines Bürgermeisters, ebd. 77.

88. *Krieg* (wie Anm. 46), 43 f. 52.

89. Seit der Mitte der 20er Jahre predigten bereits Albert Niese und Johann Marienkink im lutherischen Sinne an der Marienkirche, was Heinrich Piel übergeht: *M. Krieg* (wie Anm. 46) 41–43.

90. Heinrich Piel (wie Anm. 8) 110 f.; *A. Störmann:* Die städtischen Gravamina gegen den Klerus am Ausgange des Mittelalters und in der Reformationszeit, 1916, 68 und 120.

91. Heinrich Piel (wie Anm. 8) 110.   92. Ebd. 113.

93. Ebd. 114 f. In diesem Zusammenhang muß auch der vor dem Reichskammergericht erhobene Vorwurf der Geistlichkeit erwähnt werden, wonach Bürger der Stadt mit 2 Fahnen aus der Stadt gezogen seien und dem Klerus großen Schaden zugefügt hätten: *Schroeder* (wie Anm. 85) 431 f.; *Krieg* (wie Anm. 46) 55 f.; Heinrich Piel (wie Anm. 8) 115 f., sieht darin nur einen unüberlegten und ungeordneten Überfall der Mindener: *sein die burgere ohene ordenunge mit einem klockenschlage ausgelaufen.* Der Glockenschlag ist Teil der innerstädtischen Protestform in den Jahren der Reformation, dazu unten Anm. 127.

zu nehmen[94]. Jetzt aber verlor bis 1535 auch die Bedingung, daß in den Rat selbst nur Mitglieder der Kaufmannsgilde gewählt werden konnten, jede Bedeutung. Hieran hatte der Verfasser der Mindener Kirchenordnung Nikolaus Krage entscheidenden Anteil[95]: nahm er sich doch nach dem Urteil des allen verfassungsrechtlichen Neuerungen ablehnend gegenüberstehenden Piel[96] *nicht alleine der lehre, besonder auch der politien und wertlichen regimentes an*[97].

So weit ging die der Mindener Unruhe 1529 zeitlich parallel laufende Göttinger Entwicklung nicht: Hier setzte die Stellung des Landesherren eindeutige Grenzen[98]. Diese aber konnte nicht verhindern, daß sich bereits zwei Monate nach dem Zwischenfall bei der Bittprozession auch in Göttingen innerstädtischer Streit an der Person eines Prädikanten entzündete. Der frühere Rostocker Dominikaner Friedrich Hüventhal hatte zwar vorübergehend noch einmal die Stadt verlassen müssen, als sich die Verhandlungen zwischen dem Rat und den reformatorisch gesinnten Gruppen der Bürgergemeinde hinzogen, doch vermochten Rat und Herzog nicht, deren Versammlungen auf dem alten Jürgenskirchhof vor der Stadt zu unterbinden[99]. Nicht deutlich wird in den Quellen, ob schon dort oder erst nach dem Auflauf in der Stadt ein Ausschuß von 9 Bürgern gebildet wurde, der beim Rat die Einräumung einer Predigerstelle für Hüventhal erreichen sollte[100]. Jedenfalls führten die der neuen Lehre zuneigenden Bürger den

94. *M. Krieg:* Zur Geschichte der Mindener Schicht, der Stadtfehde von 1405 bis 1408 (Mindener Heimatbll. 8, 12, 1930); *ders.:* Die Mindener Schicht von 1405 bis 1407 vor dem Hansetag in Lübeck 1407 (ebd. 13, 6, 1935); vgl. auch *W. Ehbrecht:* Verhaltensformen der Hanse bei spätmittelalterlichen Bürgerkämpfen in Westfalen (Westf. Forsch. 26, 1974, 46–59). Der 40er Ausschuß selbst bestand seit 1301. Unberücksichtigt bleiben hier die Anfänge der Auseinandersetzungen 1521; *Krieg* (wie Anm. 46) 39.

95. Ebd. 64–106: Die danach in Lübeck gedruckte Kirchenordnung wurde nach Beschluß durch Rat und Gemeinde am 13. Febr. 1530 von der Kanzel der Martinikirche verlesen, dazu auch oben Anm. 46.

96. Vgl. *M. Krieg* in seiner Einleitung zu Heinrich Piel (wie Anm. 8), in der Chronik zu Bremen 1304, 54 f. und 60, zu Braunschweig 1374, 68, zu Halberstadt 1423, 77, zu Köln 15./16. Jh., 93 f., zu Einbeck 1479, 87, zu Goslar 1485, 87. Die Kölner Unruhen während des sog. Bauernkrieges hat Piel nach eigener Aussage als Augenzeuge erlebt, ebd. 94.

97. Heinrich Piel (wie Anm. 8) 111.

98. Zu den Anfängen der Göttinger Reformation grundlegend *Volz* (wie Anm. 1 und Anm. 13), heranzuziehen sind auch *Erdmann* (wie Anm. 1) und *Saathoff* (wie Anm. 2); *ders.:* Geschichte der Stadt Göttingen bis zur Gründung der Universität, 1937; *H.-W. Krumwiede:* Die Reformation in Niedersachsen. Politische, soziale und kirchlich-theologische Aspekte (JGndsKG 65, 1967, 7–26).

99. Franz Lübeck (wie Anm. 1) 16–20; *Saathoff* (wie Anm. 2) 74–76; *Volz* (wie Anm. 13) 58 f.

100. Franz Lübeck (wie Anm. 1) 19 nennt für die vom Jürgenshof ausgehenden Verhandlungen vier bis fünf Delegierte. Mindestens sechs der neun Vertreter, die am 18. 10. die Verhandlungen mit dem Rat *von wegen der ganzen Gemeine* führten, gehörten zu den neuen Wollwebern.

Prediger vom Jürgenshof aus am Sonntag, dem 17. Oktober, in die Stadt zurück, wo er auf dem Markt sofort öffentlich das Wort ergriff.

Als der Rat trotz deutlicher Anzeichen für einen Aufruhr[101] auch weiter zögerte, den Forderungen dieser Bürger nachzukommen, versammelten sich am Mittwoch viele Gildemitglieder auf dem Paulinerkirchhof[102]. Zwar übermittelt uns Lübeck keine Nachricht von einer Eidverbrüderung[103] wie bei den Göttinger Unruhen von 1513[104], doch war diese wie in Soest und Minden Voraussetzung für ein gemeinsames Handeln der Versammlung: Sie umfaßte jetzt schon nicht mehr nur die ersten Anhänger Hüventhals, sondern muß als ein Bündnis der Göttinger Berufskorporationen verstanden werden[105]. Aus der Versammlung wurden 10 »Mittler« erwählt, um am folgenden Tag vom Rat die Schlüssel zu den vier Stadttoren einzufordern, da ein Eingreifen herzoglicher Truppen zu befürchten stand[106]. Im Auflauf, der Setzung eines Ausschusses und der Gewaltübernahme dokumentierten die Bürger ihren Willen, die Belange der Stadt selbst zu vertreten. Anders als 1513 schritt man jedoch nicht zur Wahl eines neuen Rates, sondern verpflichtete vielmehr die Stadtführung eidlich, die Amtsgeschäfte bis zur Durchführung der Reformation weiterzuführen[107].

Obwohl die Übernahme der religiösen Forderungen durch die Gemeinde auch wieder eine Revision der städtischen Finanzen nach sich zog, verhielten sich so die Folgen für die Stadtführung in Grenzen: Nur Kämmerer und Gildemeister verloren ihre Ämter[108]. Dazu bestanden die Zehner weiter, unterstützt von einem 60er Ausschuß, der in besonders wichtigen Fällen zu entscheiden hatte, zu-

---

101. Franz Lübeck (wie Anm. 1) 23: Der zur Stadtführung gehörende Heinrich Giseler, Mitglied des Zehnerausschusses, erklärte im Rat *daß es Gottes Wort wäre, dem men nicht zuwidern sein sollt. Darzu sollten sie auch bedenken, welche ein Aufruhr, Tumult und Blutbad daraus entstehen, daß sie ihrer Wirden, Ehren und Standes hierdurch ... entsetz(t) werden künnten. So würde gemeiner Frieden zerstöret ...*

102. Der Rat hatte ein offizielles Angebot der Gilden dorthin abgelehnt, zu den weiteren Ereignissen Franz Lübeck (wie Anm. 1) 21–27; Saathoff (wie Anm. 2) 77 bis 85; *Volz* (wie Anm. 13) 60–62.

103. Schon für die Treffen vor dem Einzug in die Stadt verwendet Franz Lübeck durchaus Formulierungen wie *Hierauf sie einig (wurden), Mitkonsorten* (wie Anm. 99). Zu den anschließenden Verhandlungen Anm. 100. Die Bäcker schlossen ein Bündnis mit dem Ziel, Hüventhal zu erschlagen, Franz Lübeck (wie Anm. 1) 21.

104. A. Saathoff (wie Anm. 98) 167–169; *H. Mohnhaupt:* Die Göttinger Ratsverfassung vom 16. bis 19. Jh., 1965, 24–32.

105. Der Rat hatte die Gilden zu den Häusern ihrer Gildemeister bestellen lassen, um die Anhänger Hüventhals zu ermitteln. Danach versammelte sich *die ganze Gemeine ... auf dem Paulinerkirchhof, über die 100 Manne aus allen Zünften,* Franz Lübeck (wie Anm. 1) 24.

106. Wie bei vergleichbaren Unruhen dienten die Maßnahmen zur Verhinderung von *Vorräterei,* Franz Lübeck (wie Anm. 1) 25.

107. Franz Lübeck (wie Anm. 1) 26, auch *H. Mohnhaupt* (wie Anm. 104) 36–42.

108. Franz Lübeck (wie Anm. 1) 26 f.

mal wenn zwischen Rat, Gilden und Mittlern keine Einigung zu erreichen war[109]. Während Hüventhal bereits am folgenden Sonntag in der Paulinerkirche den ersten deutschen Gottesdienst hielt, verzögerte sich die Annahme des den Stadtfrieden erneuernden Rezesses, bis am 18. November das auf dem Paulinerhof versammelte Stadtvolk neuerlich drohte, die Glocke läuten zu lassen und seinen Willen mit Gewalt durchzusetzen[110].

Die Politik des Rates zielte in zwei Richtungen: Einmal galt es das Regiment selbst besser als 1513 zu sichern, so daß sich ein Eingehen auf die Forderungen anbot. Indem der Rat aber die neue Lehre und die Prüfung der Stadtrechnung zugestand, spaltete er die Protestgruppe zum andern gleich mehrfach. Um sowohl schwärmerische Reformer wie Gegner der Ratsherrschaft, die sich im Kreis um Hüventhal überschnitten, zu isolieren, forderte er noch im November Heinrich Winkel aus Braunschweig mit der Begründung an, daß dessen Predigten nicht zu Aufruhr und Vernichtung der Klöster und Zeremonien führen würden[111]. So unterblieben dann auch radikale Veränderungen, wie sie sich in einem auf Hüventhal zurückgehenden Bildersturm, einem *Mühlhäusischen Handel*, abzeichneten[112].

Hüventhal verließ am 8. Dezember 1529 Göttingen[113] und ermöglichte damit einen ruhigen Ausbau der Kirchenverfassung, während in Minden Nikolaus Krage auch nach seiner Ausweisung 1535 noch den Sturz des wiedereingesetzten alten Rates mit Hilfe der Fischervorstadt betrieb[114]. Die Rolle beider Prädikanten in den innerstädtischen Auseinandersetzungen ist m. E. nicht nur als tendenziöser Vorwurf einer wiedergefestigten Stadtführung und der diese stützenden

109. Ebd. 30: *Anno 1530 do waren wohl 4 Rade in Göttingen gesatz(t), als der neue Rat und dei Gilden, die Hovetleute, die Mittler und die 60.* Unklar bleibt, ob unter den Hauptleuten die Mittler oder die Gildemeister zu verstehen sind.

110. *A. Hasselblatt-G. Kaestner (Hg.):* Urkunden der Stadt Göttingen aus dem XVI. Jhs., 1881, Nr. 437–439, S. 196–204; Saathoff (wie Anm. 2) 85–92; *Volz* (wie Anm. 13) 63–67.

111. Über Hüventhal äußert Franz Lübeck (wie Anm. 1): *der wäre kein stiller evangelischer Friedenprediger, dann er sehr nach Unfrieden ringete,* 28. Die Unruhen der frühen Reformationsphase wurden in der städtischen Historiographie bald durch die Betonung des sog. Bauernkrieges verdrängt, dazu der Verf. in dem Anm. 20 angekündigten Beitrag zu »Formen innerstädtischer Auseinandersetzungen im ersten Viertel des 16. Jhs.«. Entsprechend heißt es bei Franz Lübeck, 32, daß die neuen Prediger *für allem Aufruhr warneten, die Bilde zu stürmen ernstlich straften, auch Wiederdäuferei und Baurenaufruhr all vorworfen.* Vgl. im übrigen zur Sache Saathoff (wie Anm. 2) 94 bis 97; *E. Jacobs:* Heinrich Winkel, 1896, 18–21.

112. Franz Lübeck (wie Anm. 1), 29, 30, 32; Saathoff (wie Anm. 2) 95 f.

113. *Hasselblatt/Kaestner* (wie Anm. 110), Nr. 443, S. 206–208; Franz Lübeck (wie Anm. 1) 29.

114. Heinrich Piel (wie Anm. 8) 121 f. Hermann Hamelmann (wie Anm. 48) 80 weiß von einem Brief Krages an die Mindener Stadtführung, geschrieben *in suburbio piscatorio … Datae Bethaniae prope Jerusalem.*

Historiographie zu erklären, vielmehr wird man aus dem Verlauf der Auseinandersetzungen ableiten müssen, daß sie ebenso wie die Soester Borchwede und Kampen wußten, wie durch die städtische Protestform des Auflaufs Einfluß auf die jeweilige Stadtführung gewonnen werden konnte. Indem diese in Göttingen und für längere Zeit auch in Soest auf die Forderungen einging, gewann sie den für eine Sicherung des städtischen Friedens ihrer Meinung nach notwendigen Handlungsraum zurück. Die Ablösung der ersten Prädikanten durch Männer wie Winkel und Oemeken[115], die Ausarbeitung von Kirchenordnungen nach Bugenhagenschem Muster[116] deuten auf den weiteren Weg der städtischen Reformation in unserem Raum.

Aber nicht nur Winkel und Oemeken, die – wenn auch mit unterschiedlicher Intensität – Verbindung zum Wittenberger Kreis hielten, schufen die Kommunikation zwischen den verschiedenen reformatorischen Ansätzen. Ebenso vermittelten auch Prädikanten wie Friedrich Hüventhal und Johann Wulf von Kampen Kontakte, die nicht nur die reformatorische Bewegung, sondern auch die mit ihr zusammenhängenden städtischen Kämpfe in einen interlokalen Rahmen stellten. Dabei sollte es nicht Ziel dieser Überlegungen sein, dem theologischen Standort des einzelnen Prädikanten nachzugehen, sondern vielmehr nur ihre Rolle im innerstädtischen Protest zu betonen. Sie verfolgten religiöse und politische Ziele, die in der Vielzahl der Voraussetzungen innerstädtischer Auseinandersetzungen der frühen Reformationszeit noch nicht erkannt oder auch nicht verhindert werden konnten. In dieser Hinsicht hat auch Oemeken etwa Kampen falsch eingeschätzt, der doch über ein Jahr das reformatorische Geschehen in Soest prägte.

Johann Wulf, genannt von Kampen, entstammte einer Bürgermeisterfamilie der gleichnamigen Stadt an der Ijssel[117]. Nach dem Verlassen des Franziskanerklosters in Amsterdam, kam er über Friesland und Bremen als Prediger an das Zisterzienserinnenkloster Itzehoe[118]. Als er auf Seiten Melchior Hoffmanns im April 1529 am Flensburger Religionsgespräch teilnahm, wurde er des Landes verwiesen und tauchte für einige Monate in Lübeck unter. Aufenthalte in Mecklenburg, neuerlich in Bremen und an der Ijssel, eine vorübergehende Festsetzung in Verden, waren wie Besuche in Magdeburg, Braunschweig, Hildesheim, Goslar und Osnabrück Stationen seines wechselvollen Itinerars, bis er 1531 in Soest eine vorübergehende Bleibe fand. Hier haben wir sein Wirken bei der Durchsetzung der Reformation eingehend behandelt. Oemeken, der nach Abschluß seiner Arbeiten an der Soester Kirchenordnung nach Lübeck ging, muß erst in der Travestadt genauere Informationen über den Lebensweg und die reformatorische Ge-

---

115. Oemeken trat auch 1535 die Nachfolge von Nikolaus Krage in Minden an (bis 1540).

116. Für Minden *Krieg* (wie Anm. 46) 49; für Göttingen *Saathoff* (wie Anm. 2) 97–119; für Soest Ratsprotokollbuch (wie Anm. 5) 353–357, Hermann Hamelmann (wie Anm. 48) 379–382, *Schwartz* (wie Anm. 5) 60–79.

117. *Schwartz* (wie Anm. 5) 40–42 u. ö.

118. *R. Irmisch:* Geschichte der Stadt Itzehoe, 1960.

sinnung dieses Mannes erhalten haben[119]. Am 26. Juli 1532 mahnte er die Soester dringend, einen Superintendenten aus Wittenberg zu berufen[120]. Zur selben Zeit warnte auch Luther unverblümt vor dem amtierenden Pfarrer von St. Peter: *Ich höre auch, Es sei einer bei euch genant Campensis, der viel unruge anrichtet, nu bin ich glewblich bericht, das sich der selbig Campensis zu Brunswig an lahr und leben ubel gehalden habe, darumb wollet verwarnet sein und verhuten, das gedachter Campensis nit secten oder auffrur in ywr statt anrichte[121].* Ein halbes Jahr später wird Luther noch präziser: *denn sein thun ist offentlich, wie er zu flensburg mit Melchior Kursner (genant hofeman), der schwermerey beygestanden und seinen samen zu Lubeck und Brunswig zu seen sich unterstanden[122].*

Nachdem der Soester Rat diese Vorwürfe gegen Kampen durch Nachforschungen an den einzelnen Aufenthaltsorten geprüft hatte[123], verwies er am 9. Jan. 1533 seinen Prädikanten der Stadt[124]. Während Krage sich in Minden beinahe fünf Jahre halten konnte, wirkte Friedrich Hüventhal nur ein Vierteljahr in Göttingen. Das Urteil, das Johann Sutel um 1547 über ihn fällt, kennzeichnet m. E. eine größere Gruppe von Prädikanten: *Fridericus ist der erste evangelischer prediger gewesen. Anno 29. Wie dieser mit einer gewalt eingedrungen und sich ahn den gemeinen pobel gehenget etc., hat man sich zu erkundigen an den eltesten zu Gottingen ... Der ander prediger ist gwesen Magister Heinricus Winkel. Diesen haben die von Brunswig auf bitte und begere des erbaren radts zu Gottingen gesandt zu stillen den lerm und emporung von Er Friderico angerichtet und der bei zu leggen ...[125].*

4. Zusammenfassende und weiterführende Thesen

1. Die an anderer Stelle für die spätmittelalterliche Stadt aufgewiesenen konstitutiven Elemente des gemeindlichen Protestes bleiben in den drei Phasen, nämlich einem in der Schwureinung begründeten, unter Umständen bewaffneten Auflauf, den Verhandlungen mit der Stadtführung über die Beschwerden und einer gegebenenfalls gewaltsamen Durchsetzung der Forderungen sowie der Bestra-

119. *Schwartz* (wie Anm. 5) 79, 84. Vgl. aber auch schon oben Anm. 59.
120. *Schwartz* (wie Anm. 5), Nr. 8, S. 380 f.
121. Ebd. Nr. 9, IV, S. 385 f. Gleichzeitig vermittelte Luther den ursprünglich aus Gent stammenden früheren Franziskaner Johan de Brune, der in Wittenberg studiert hatte, als Superintendenten nach Soest.
122. Ebd. Nr. 9, VI, S. 387. Auch Erasmus warf Johann von Kampen die Predigt zum Aufruhr vor: *excussa cuculla docet evangelium hoc est meras seditiones, Rothert* (wie Anm. 28) 240.
123. Ratsprotokollbuch (wie Anm. 5) 358.
124. Ebd., vgl. auch Hermann Hamelmann (wie Anm. 48) 382 f.
125. J. Nissen (wie Anm. 11), Nr. 25, S. 27.

fung der Verantwortlichen nicht nur in den verfassungspolitischen Auseinandersetzungen der Reformationszeit wirksam, sondern sie sind auch in den innerstädtischen Kämpfen um eine religiöse Erneuerung erkennbar.

2. Der durchaus unterschiedliche Fortgang der Unruhe hängt natürlich jeweils vom Maß der Gravamina, von der psychischen und physischen Belastbarkeit der städtischen Bevölkerungsgruppen und deren politischen Bewußtsein ab.

3. Besondere Beachtung müssen die wohl überall in der zweiten Phase der Auseinandersetzung gebildeten Bürgerausschüsse finden. Sie sind wie im Spätmittelalter bei den entsprechenden quellenmäßigen Voraussetzungen im Einzelfall in ihrer soziologischen Zusammensetzung zu prüfen und mit der städtischen Sozialstruktur zu vergleichen. Die Aufgabe dieser Bürgerausschüsse besteht zu vorderst darin, den gestörten Frieden innerhalb der Stadtgesellschaft wieder auszuhandeln. Der nach den inner- und außerstädtischen Faktoren der jeweiligen Auseinandersetzungen unterschiedliche Kompromiß kann dazu führen, daß das Vermittlergremium seine Tätigkeit einstellt, seine Amtsgeschäfte eine Weile fortführt oder aber in die Stadtführung integriert wird. Aus der Vermittlertätigkeit selbst entstehen, wenn ich recht sehe, nicht nur in Lübeck und Lüneburg Forderungen nach einer Disputation über die unterschiedlichen theologischen Standpunkte.

4. Anders als in der vorausgegangenen Geschichte innerstädtischen Protestes treten nicht nur in Soest als Trägergruppen Schützengesellschaften auf[126]. So legt der Paderborner Rezeß zwischen Hermann von Wied und der Stadt 1532 das Verbot der dortigen Schützengesellschaft fest und bestimmt, daß *das nuwe ungewonliche banner, so sie itzo haben, uns als dem landtsfursten zugestelt werden ... solle.* Entsprechend untersagt der Rezeß gleichfalls Versammlungen der gemeinen Bürger *(versamlung, vergaderung, buirspraich, klockenschlag)* ebenso wie den Bannerlauf, nämlich auf keinen Fall *mit ufgerichtem vengen zu ziehen,* es sei denn, in besonderen Notfällen und mit Wissen der Bürgermeister und Ratsherren[127]. Die Formen des gemeindlichen Protestes waren offensichtlich auch der städtischen Führung in der Reformationszeit bekannt und von ihr gefürchtet.

5. Stehen diese neuen Protestgruppen auch nicht in einem unmittelbaren Zusammenhang zur reformatorischen Bewegung, so ist doch die Rolle der Prädikanten in den innerstädtischen Auseinandersetzungen eine zeitspezifische Erscheinung. Auf genauere prosopographische Untersuchungen muß die weitere Arbeit zielen.

---

126. In den Osnabrücker Unruhen von 1525 wird der Rat von den ihm besonders verpflichteten Schützen anfangs gegen die Gilden unterstützt, bis auch sie sich der Protestgruppe anschließen; *Stüve:* Zur Geschichte der Stadtverfassung von Osnabrück (Osn. Mitt. 8, 1866, 1–210), hier 167 f.; vgl. sonst *H. Stratenwerth:* Die Reformation in der Stadt Osnabrück, 1971. Zu Schützengesellschaften allgemein *H.-G. Gengler:* Deutsche Stadtrechts-Alterthümer, 1882, 469–477; *Th. Reintges:* Ursprung und Wesen der spätmittelalterlichen Schützengilden, 1963.

127. *W. Richter:* Geschichte der Stadt Paderborn Bd. 1, 1899, 121 f., 156, dazu im Anhang Nr. 79, S. CVI–CXI, Art. 3 und 5, S. CIX.

Hans R. Guggisberg – Hans Füglister

Die Basler Weberzunft als Trägerin reformatorischer Propaganda*

Die Erforschung der Geschichte der Stadt Basel in der ersten Hälfte des 16. Jahrhunderts hat sich bisher hauptsächlich auf die Bereiche der politischen und kulturellen Entwicklungen konzentriert. Verfassung und außenpolitische Beziehungen der Stadtrepublik sind verhältnismäßig gut bekannt; besonders eingehend ist über den Humanismus, die Universität, den Buchdruck, über die intellektuellen und religiösen Beziehungen zu anderen Zentren der Reformation sowie über die Aktivität der in Basel niedergelassenen Glaubensflüchtlinge gearbeitet worden[1]. Die Ereignisgeschichte der Anfänge und des Durchbruchs der kirchlich-religiösen Erneuerung ist ebenfalls weitgehend erforscht worden, zunächst durch Rudolf Wackernagel, dessen Geschichte der Stadt Basel als Informationsquelle auch heute noch von nicht zu unterschätzendem Wert ist, und dann auch durch Paul Roth, der seine Darstellungen als Begleitwerke zur bekannten Aktensammlung vor und während des Zweiten Weltkrieges veröffentlichte[2].

Was bis heute noch gefehlt hat, sind eingehende Untersuchungen über die sozialen und ökonomischen Hintergründe der Basler Reformation. Sowohl für das späte Mittelalter als auch für das 17. und 18. Jahrhundert ist die Wirtschaftsgeschichte der Stadt und Republik Basel vielfältig bearbeitet worden[3]. Demogra-

---

* Die einleitenden Bemerkungen zum nachstehenden Beitrag stammen von *H. R. Guggisberg;* die Darstellung selbst wurde von *H. Füglister* verfaßt.

1. *Andreas Heusler:* Verfassungsgeschichte der Stadt Basel im Mittelalter, 1860; *Alfred Müller:* Die Ratsverfassung der Stadt Basel von 1521 bis 1798 (Basler Zs. 53, 1954, 5–98); *Hans Georg Wackernagel:* Die Politik der Stadt Basel während der Jahre 1524–1528, 1922; zur Erforschung der Kultur- und Geistesgeschichte vgl. *Guido Kisch:* Forschungen zur Geschichte des Humanismus in Basel (AKultG 40, 1958, 194–221), sowie *Hans R. Guggisberg:* Neue Forschungen zur Geschichte des Basler Humanismus (Schweizer Monatshefte 49, November 1969, 769–775). Zu den wichtigsten neueren Beiträgen gehört *Peter G. Bietenholz:* Basle and France in the Sixteenth Century: The Basle Humanists and Printers in Their Contacts with Francophone Culture, 1971.

2. *Rudolf Wackernagel:* Geschichte der Stadt Basel, 3 Bände, 1907–1924; *Paul Roth:* Die Reformation in Basel Bd. 1–2, 1936/1943; *ders.:* Durchbruch und Festsetzung der Reformation in Basel, 1942. *Emil Dürr / Paul Roth* (Hg.): Aktensammlung zur Geschichte der Basler Reformation Bd. 1–6, 1921–1950 (abgekürzt zitiert ABR). Wichtige Quellen zur Basler Reformationsgeschichte enthält auch die seit 1872 erscheinende und bis heute auf 10 Bände angewachsene Reihe der Basler Chroniken (abgekürzt zitiert BC).

3. Grundlegend ist immer noch *Traugott Geering:* Handel und Industrie der Stadt Basel: Zunftwesen und Wirtschaftsgeschichte bis zum Ende des 17. Jahrhunderts, 1886.

phische und sozialhistorische Studien sind für beide Zeitabschnitte gerade in den letzten Jahren wiederum mit neuer Energie aufgenommen worden[4]. Für die Reformationsepoche hingegen besteht gerade hier noch eine Lücke und damit eine dringende Forschungsaufgabe.

Die wenigstens teilweise Lösung dieser Aufgabe ist nun in allerneuester Zeit an die Hand genommen worden. Am Historischen Seminar der Universität Basel hat sich in enger Zusammenarbeit mit dem Basler Staatsarchiv eine kleine Arbeitsgruppe gebildet, die sich mit einigen der bisher eher vernachlässigten Aspekte der Basler Reformationsgeschichte befaßt. Einige Dissertationsprojekte haben bereits konkrete Formen angenommen. Sie behandeln u. a. die Rolle der Zünfte im reformatorischen Umbruch, den vielschichtigen Problemkreis der Säkularisation der Klöster und Stifte sowie die soziale Position der neugläubigen Geistlichen als Hauptträger der reformatorischen Propaganda. Wir hoffen, daß bald auch noch weitere Themata in Angriff genommen werden, so z. B. dasjenige des politischen Verhaltens des Kleinen Rates und seiner Motivationen in den entscheidenden Jahren. Ebenfalls viel zu tun bleibt noch auf dem personengeschichtlichen Sektor. Eine ganze Reihe von biographischen Studien sollte unternommen werden können. Diese Arbeiten werden sich sowohl mit einigen Vertretern der politischen Führungsschicht als auch und vor allem mit reformierten Predigern und Theologen zu befassen haben. Unter den Basler Antistites der Reformationszeit hat nur Oekolampad eine einigermaßen umfassende Lebensbeschreibung erhalten[5]. Für Myconius, Simon Sulzer, Johann Jakob Grynaeus und mehrere andere Basler Kirchenführer bleibt diese Arbeit noch zu tun. Obwohl die Zeit für eine synthetische Gesamtdarstellung der Basler Reformation und ihre sozialgeschichtlichen Hintergründe noch lange nicht reif ist, erscheint es doch jetzt schon sinnvoll, ihre Vorgeschichte und ihren Verlauf im Vergleich mit den entsprechenden Vorgängen in anderen Städten vornehmlich des oberdeutschen Raumes zu betrachten.

Hierzu möchte die folgende Untersuchung einen kleinen Beitrag leisten. Sie enthält keine umfassenden und allgemeine Gültigkeit beanspruchenden Erklärungsversuche, sondern will an einem konkreten Beispiel das Zusammenwirken der religiösen und sozialen Triebkräfte der Erneuerungsbewegung aufzeigen.

Annähernd zehn Jahre dauerte in Basel die Auseinandersetzung um die Einführung der Reformation. Seit etwa 1521 mehren sich die Zeugnisse evangelischer Gesinnung aus dem Kreise der Bürgerschaft. 1529 setzte die Mehrheit der Zünfte in einem von Bilderstürmen begleiteten Aufruhr die Abschaffung der Messe sowie die Entsetzung der altgläubigen Ratsmitglieder durch. Im Jahre 1525, zeitlich also in der Mitte des »Jahrzehnts der Reformation«, griff erstmals

---

4. Mehrere monographische Untersuchungen sind gegenwärtig im Entstehen begriffen; einige von ihnen stehen kurz vor der Veröffentlichung.

5. *Ernst Staehelin:* Das theologische Lebenswerk Johannes Oekolampads, 1939.

eine geschlossene soziale Gruppe entschieden zugunsten der Reform in die Auseinandersetzung ein: Um die Jahreswende 1524/25 beschloß die Weberzunft, die bis anhin besorgte Bezündung einer Ampel im Münster nicht länger zu betreiben. Im darauffolgenden Mai kam es unter Führung einiger ihrer Mitglieder zu Unruhen mit stark religiösem Charakter.

In Basel fällt die erste große Auseinandersetzung um die Reformation zeitlich also zusammen mit Bauernkrieg und innerstädtischen Unruhen, aber auch mit dem letzten Höhepunkt der seit dem 15. Jahrhundert verstärkt feststellbaren Auseinandersetzungen zwischen Handel und Handwerk, so daß in ganz besonderem Maße soziale *und* religiöse Konflikte gleichzeitig zum Austrag kommen.

In der Geschichte der Stadt Basel gilt das frühe 16. Jahrhundert als das Zeitalter des »Handwerksregiments«[6]. In wirtschaftlicher Hinsicht lassen sich seine Wurzeln bis in die zweite Hälfte des 15. Jahrhunderts, letztlich auf den gesamtwirtschaftlichen Einbruch der Nachkonzilszeit, zurückführen. Es äußert sich in zunehmend handelsrestriktiver Wirtschaftspolitik des Rates, am deutlichsten vorerst im Jahre 1495, als der mehrheitlich von Handwerkern besetzte Rat die bestehenden großen Handelsgesellschaften auflöst und Neugründungen verbietet. Den eigentlichen Höhepunkt der zunfthandwerklichen Bewegung bringt die Gewerbeordnung von 1526, in der es den Handwerkern gelingt, sich dem gewerblichen Einfluß der Großkaufleute zu entziehen und sich das uneingeschränkte Absatzmonopol für eigene Produkte zu sichern, in einzelnen Fällen gar ins Handelsmonopol der Kaufleute einzubrechen.

Etwas später erst läßt sich das Vordringen des städtischen Handwerks im institutionell-politischen Bereich feststellen. Eine entscheidende Wende bildet das Jahr 1516, als die Korporation des städtischen Patriziats de jure den Zünften gleichgestellt, de facto dessen Verdrängung aus dem politischen Leben der Stadt eingeleitet wird. Zur gleichen Zeit gelingt es den Vertretern der Handwerkerzünfte zunehmend, sich in die politische Führung der Stadt einzuschalten.

Neben und in wechselseitiger Beziehung zu den sich seit dem frühen 16. Jahrhundert verschärfenden sozialen und politischen Auseinandersetzungen steht der Konflikt zwischen Bischof und Stadt, der zwar in den frühen Zwanzigerjahren mit der einseitigen Lossagung des Rates von der bischöflichen Oberhoheit endgültig entschieden wird, in seiner Endphase sich aber verlängert in die Auseinandersetzung um die Einführung der Reformation in der Stadt.

Zugleich Antrieb und Nutznießer der zünftisch-handwerklichen Grundwelle waren in hohem Maße die Weber. Immer entschiedener vermochten sie seit der zweiten Hälfte des 15. Jahrhunderts zunfthandwerkliche Organisationsformen zu behaupten und gar auszubauen. Dadurch gelang es ihnen, die Entwicklung – von ortsansässigen Großkaufleuten durchaus angestrebter – industrieller Produktionsformen ebenso zu verhindern wie ihre Degradierung zum industriellen

6. *Geering:* Handel und Industrie der Stadt Basel 355 ff.

Proletariat[7]. Freilich nehmen die Weber in Basel eine mindere soziale Stellung ein. Die Weberzunft – mit etwa 50 zünftischen Meistern durchaus zu den kleineren Zünften zu rechnen – steht in der traditionellen Reihenfolge der fünfzehn Basler Zünfte an vierzehnter Stelle. Die Vermögenssteuern des 15. Jahrhunderts weisen die Weber durchwegs als unter dem handwerklichen Durchschnitt liegend aus[8]. Ihrem gesellschaftlichen Status entsprechend siedelten sie in ausgesprochener Randlage, stark konzentriert in der Vorstadt »an den Steinen«, einem selbst unter den ohnehin sozial minderwertigen Außenvierteln stark deklassierten Unterschichtenquartier.

Gerade in diesem gesellschaftlichen Randbereich setzte in den frühen zwanziger Jahren die evangelische Predigt ein. Die in der chronikalischen Überlieferung stets hervorgehobene evangelische Haltung der Steinenvorstadt, insbesondere der Weber, dürfte vor allem auf das Wirken des Spitalpfarrers Wolfgang Wissenburg[9], selbst Sohn eines Webers, und des aus Rorschach stammenden Prädikanten zu St. Leonhard, Marx Bertschi[10], zurückzuführen sein.

Gegen Ende des Jahres 1524 beschloß die Weberzunft, ihre Ampel im Münster nicht länger zu bezünden. In einer langen, zweifellos von einem Geistlichen – Bertschi oder Wissenburg – verfaßten Verantwortung rechtfertigt sie ihre Entscheidung[11].

Zwar beeilte sich die Zunft zu beteuern, sie hätte »dieselb amplen alleyn usz verwärffung desz göttlichen wordts unnd dheyner andern ursach dannen gethon«[12]. Andererseits dürften soziale Überlegungen die Entscheidung zumindest gefördert haben. So führt die Zunft aus, die Bezündung der Ampel sei, »wie man denn dise unnd andere derglych ding uff den gemeynen zunfftbruder jårlichs pfligt zu legen, nit on sonnder beschwård der zunfftbrüedern biszhar underhaldtenn worden«[13]. Und: »das diser cost, der biszhar nit on belestigung der armen zunfftbrüederen, dåren on zwyfel meingem, das er brott darum koufft,

7. Geering, 305 f.
8. Geering, 48.
9. BC, Bd. 7, 287.
10. Klaus Fischer: Marx Bertschi und das reformierte Basel, Lic.Arbeit Basel 1975 (Masch.).
11. ABR, Bd. I, Nr. 316, S. 180–85. Zur Verfasserschaft ebd. 180, Anm. 1.
12. Ebda. 184. – Bereits die Propheten des Alten Testaments hätten sich gegen »sollich cerimonien unnd uszerlich gotsdienst« ausgesprochen (ebda. 182). »Ouch am jungsten gericht« würden »nach lut desz heiligenn evangelii weder kertzenn noch amplen noch sust ützit anndders derley dingen, sonnder alleyn die wårck der barmherzigkeyt belonet unnd wir ouch allein derohalb, so wir die nit geleistet, mit gerechter urteyl gots verdampt werdennt« (ebda. S. 182). Es werde schließlich »gott nach leer unnd uszwysung aller geschrifft dheyn höcher dienst noch eer bewysenn (...) dann so wir usz liebe unnd rechtem gloubenn uff die nott unsers nächstenn uffsåchenn habend« (ebda. 183).
13. Ebd. 180 f.

nôtter gewesenn, unnutzlich unnd wider den willenn gots mit stinckendem öl geleistet.«[14]

Nun finden sich aber unter den insgesamt 24 in den Wachsgeldrödeln der Zunft zwischen 1500 und 1524 verzeichneten Wachsgeldzahlern nur ein Weber, hingegen neun Tuchhändler, sechs Tuchscherer, jeweils ein Gremper, Gerber und Metzger sowie der Spitalprediger Wolfgang Wissenburg. Fünf Wachsgeldzahler können nicht identifiziert werden[15]. Das Wachsgeld zur Bezündung der Münsterampeln wurde also gerade *nicht* von den Webern selbst bestritten, mit deren Armut die Zunft ihre Verweigerung u. a. rechtfertigte.

Wir können davon ausgehen, die Wachsgeldzahler der Weberzunft hätten neben ihrer angestammten Hauptzunft – die überwiegende Mehrzahl, Kaufleute und Tuchscherer waren in der vornehmen Herrenzunft zum Schlüssel hauptzünftig – die Weberzunft als Zweitzunft besessen. In Basel war Doppel- und Mehrfachzünftigkeit durchaus geläufig. Sie diente in erster Linie der handelzünftischen Oberschicht, ihren Einfluß auf die Handwerkerzünfte geltend zu machen. Die Doppelzünftigkeit war denn auch ein hauptsächlicher Angriffspunkt der Handwerkerzünfte gegen die Herrenzünfte seit dem frühen 16. Jahrhundert. Die Weber etwa beklagten sich 1521 vor dem Rat über die doppelzünftigen Kaufleute, die ihre Zunftzugehörigkeit zu Webern weit intensiver zu nutzen imstande seien als sie selbst und ihnen dadurch schweren Schaden zufügten[16].

Indem nun die Weberzunft beschloß, die Münsterampel nicht länger zu bezünden, entzog sie den Fremdzünftigen, die dies bis anhin besorgt hatten, eine mögliche Legitimation ihrer Doppelzünftigkeit zu Webern. Von hier aus erhält die Verweigerung der Weber, neben ihrer offensichtlich intendierten religiösen Signalwirkung, durchaus eine Funktion in den sozialen Auseinandersetzungen der Zeit.

Seit dem Abend des 30. April 1525 kam es in der Steinenvorstadt zu Zusammenrottungen[17] mit dem offenbaren Ziel, den zu dieser Zeit in der Stadt weilenden Kirchherrn von Rodersdorf heimzusuchen, der *»die an den Steinen ketzer gescholten«*[18]. Darüber hinaus dürfte die Absicht zumindest einer Minderheit dahin gegangen sein, *»die kloster unnd andere eignen frevels und gewalts mit der thatt zu uberfallen«*[19]. Am Nachmittag des 1. Mai wurden die benachbarten Vorstädte zu St. Alban und Aeschen beschickt. Zu einer auf den Abend desselben

14. Ebd. 183.
15. Staatsarchiv Basel. Zunftarchiv Webernzunft Bd. 20, fol. 100–116. Die Liste bricht 1524 ab.
16. *Geering*, 373.
17. Für das folgende vgl. die Verhörprotokolle in ABR I, Nr. 349/441–43/471/ 477 f. Die Unruhen sind ausführlich dargestellt bei *Paul Burckhardt:* Die Politik der Stadt Basel im Bauernkrieg des Jahres 1525, Diss. Basel 1896, 23 ff.
18. ABR I, Nr. 441, S. 323.
19. ABR II, Nr. 52, S. 35.

Tages geplanten erweiterten Zusammenrottung von etwa 400 Bürgern und Hintersassen scheint es jedoch nicht gekommen zu sein. Vielmehr dürfte der Rat – aufmerksam geworden – bereits am Abend des 1. Mai die Unruhen unterbunden haben, indem er die Anführer gefangensetzte und durch eine Gesandtschaft auf das Zunfthaus der Weber die Lage beruhigte. Auf den folgenden Tag berief der Kleine Rat den Großrat ein und nahm ihm einen Loyalitätseid ab[20]. Gleichzeitig beschlossen beide Räte, die Insassen der Stifte ins Bürgerrecht aufzunehmen und dadurch unter städtischen Schutz zu stellen. Darüber hinaus stellten sie in einer Botschaft den Zünften in Aussicht, »mit allen geistlichenn, briestern oder closternn ein treffenlich insechenn ze thûnd, damit sy glych wie annder burgere hinfur gmeine burgerliche beschwerde tragenn müssen«[21]. Mit Hilfe dieser Maßnahmen sollte offensichtlich die antiklerikale Empörung beschwichtigt werden.

Bereits am Abend des 3. Mai freilich kam es zu neuerlichen Unruhen, als in der Stadt bekannt wurde, die Bauern aus den Ämtern würden vor die Stadt ziehen. »Do seitten etlich, sy wolten die kloster uberfallen und hetten etlich burger beschyed mit innen (mit den Bauern), das sy innen das thor wolten offen behalten«[22].

Eine praktische Zusammenarbeit zwischen Bauern und städtischen Aufrührern kam jedenfalls nicht zustande. Der Vormarsch der Bauernhaufen konnte reichlich vor der Stadt angehalten werden, der Rat trat in unmittelbare Verhandlungen und machte den Bauern weitgehende Zugeständnisse[23]. Er dürfte zu dieser einlenkenden Haltung nicht zuletzt durch die drohenden innerstädtischen Unruhen gezwungen worden sein. Andererseits konnte er, indem er die Bauern befriedete, zugleich den potentiellen Verbündeten der städtischen Aufrührer eliminieren. Jedenfalls dürfte sich nach dem Rückzug der Bauern auch die Lage in der Stadt unmittelbar beruhigt haben.

Deutlich ist der Doppelcharakter der städtischen Unruhen erkennbar. Zum einen handelt es sich um einen durchaus nicht singulären, spontanen Ausbruch eines latenten Antiklerikalismus in brauchtümlicher Gestalt[24]. Zum anderen bemächtigte sich der spontanen Unruhen eine religiöse und politische Forderungsbewegung, deren zentrale Gestalt der Weber und Tuchhändler Ulrich Leiderer[25] war.

20. ABR I, Nr. 394.
21. ABR I, Nr. 398, S. 234.
22. Ryffsche Chronik, BC, Bd. 1, S. 51.
23. Burckhardt, 31 ff.
24. Brauchtümlich fixiert ist sowohl der Zeitpunkt der Unruhen, die Mainacht, als auch die Form der Heimsuchung. Vgl. Hans Georg Wackernagel: Altes Volkstum der Schweiz, 1959, besonders 259 ff.
25. Leiderer war 1510 aus St. Gallen nach Basel zugewandert und hatte sich zunächst in der Steinenvorstadt als Weber niedergelassen. 1519 kaufte er die Krämerzunft zu Safran, 1520 hinzu die Zunftgerechtigkeit der Tuchhändler zum Schlüssel. Obwohl offenbar vom Weber zum Tuchhändler aufgestiegen, konnte er sich anscheinend nicht in

Leiderer hatte bereits am 27. April den Weber Jakob Zweibrucker mit einem von ihm verfaßten Artikelbrief bekannt gemacht, *»der meynung das sy seltten unnd weltten ein bitt an die herren darumb thûn«*[26]. Leiderers Absicht war es, seine Artikel zunächst einzelnen Mitgliedern des Großen Rates, dem er und Zweibrucker als Sechser der Weberzunft angehörten, zu unterbreiten, sobald es ihm gelungen war, 40 Mitglieder des Großen Rates auf sein Programm zu verpflichten und seine Forderungen im Kleinen Rat einzubringen. Leiderer scheint jedoch diesen ursprünglichen Plan nicht weiter verfolgt zu haben – möglicherweise weil er unter den Großratsmitgliedern anderer Zünfte keine Zustimmung fand. Er dürfte vielmehr versucht haben, nun alternativ die Unruhen der Weber in der Steinenvorstadt für seine Zwecke zu nützen.

Der Inhalt von Leiderers Artikelbrief ist nicht überliefert. Aus den Zeugenaussagen lassen sich immerhin einzelne Forderungen rekonstruieren:

1. Zweibrucker erinnert sich an *»ettlich arttickell von frowen zu der unee, wie es zu Ougspurg unnd andren ortten gehalten wurd«*[27].

2. Zweibruckers Aussage macht es überdies wahrscheinlich, Leiderer habe die Obrigkeit auffordern wollen, die Geistlichen in die bürgerlichen Pflichten zu nehmen[28].

3. Ihre politische Brisanz erhalten die Leidererschen Artikel jedenfalls durch die Forderung nach einer Ratssäuberung. In einem Widerruf vom 11. September 1526 ist die Rede von fünfzehn altgläubigen Ratsherren, die entfernt werden sollten[29]. Die Forderung nach Ausschluß der altgläubigen Ratsherren wurde 1529 von der nunmehr breiten reformatorischen Bewegung wieder aufgenommen. Wie 1529 dürfte die von Leiderer bereits 1525 anvisierte Gruppe der militant Altgläubigen weitgehend den herrenzünftisch-patrizischen Handelsdynastien angehört haben.

Der Aufruhr wird getragen von bürgerlichen Unterschichten, in allererster Linie von in der Steinenvorstadt ansässigen Webern[30]. Darüber hinaus geht

---

die handeltreibende Oberschicht integrieren. Er blieb jedenfalls zu Webern leibzünftig und bekleidete dort als Sechser und Schürlitzschauer zünftische Ämter. Leiderer galt als entschlossener Parteigänger der Reformation. Der altgläubige anonyme Chronist aus der Reformationszeit bezeichnet ihn als *»ganz besessen mit der Lutery«* (BC, Bd. 7, S. 291), die evangelisch gestimmte Ryffsche Chronik als *»fast wol am wort gottes«* (BC, Bd. 1, S. 52).

26. ABR I, Nr. 442, S. 328. Vgl. dazu auch Leiderers Urfehde in: Urkundenbuch der Stadt Basel Bd. 10, hg. von *Rudolf Thommen*, 1908, Nr. 44.

27. ABR I, Nr. 442, S. 328.

28. Ebd.

29. Ebenso die anonyme Chronik: *»... dasz er auf ein zedel verzeichnet hett mehr dann 15 der rähten, so dann nit Lutersch waren«* (BC Bd. 7, S. 290).

30. Den Kern der Verschwörer bilden nebst Leiderer zehn Weber (von denen sieben nachweislich Zunft und Bürgerrecht besitzen), zwei Gremper und jeweils ein Schlosesr, Rebmann, Müller, Metzger, Baumann und Wirt, schließlich ein Gerichtsbote.

Leiderers Absicht dahin, die nichtzünftischen Unterschichten, in erster Linie die Druckerknechte, zu mobilisieren[31]. Daß gerade die nichtzünftischen Unterschichten als Unsicherheitsfaktoren angesehen werden, belegt ferner ein Ausgehverbot, das der Rat am 3. Mai über Diener und Knechte verhängte[32].

Eine unmittelbare Beteiligung der evangelischen Geistlichen an den Unruhen ist nicht nachzuweisen, namentlich für Bertschi aber nicht auszuschließen. Bertschi hatte am Abend des 30. April zu St. Leonhard über Ezechiel XXX gepredigt: *»Das feistist das haben die hirtten gemetzgett etc.«* Im Verhör wird ihm – offensichtlich aufgrund eines Informanten – vorgehalten, er habe gepredigt, *»wie man die underthonen hab uszgesogen, unnd man soll der oberkeit nit gehörig sin etc., doch so kum unnd sige die zytt hie, das gott lenger nit gedulden wellte etc.«*[33].

Insbesondere die neugläubigen Zeitgenossen haben sehr stark den religiösen Charakter der Unruhen in der Steinenvorstadt akzentuiert, etwa der Ratsherr, Chronist und enge Mitarbeiter Oekolampads, Conrad Schnitt, der zu Ende des Abschnitts über die Unruhen lakonisch bemerkt: *»Das thetten die zweyerlein glüben.«*[34]

Der gemäßigt altgläubige sogenannte anonyme Chronist der Reformationszeit berichtet, die Unruhen hätten sich insbesondere auch gegen die Herrenzünfte zum Schlüssel (Kaufleute), Hausgenossen (Wechsler) und Safran (Krämer), mithin gegen die städtische Handelsoligarchie gerichtet[35]. Inwieweit auf der anderen Seite die unmittelbare gewerbliche Konkurrenz, der die Weber seitens der Frauenklöster ausgesetzt waren, die beabsichtigten Klosterstürme mitprovozierte, läßt sich nicht eindeutig beurteilen, es darf aber angenommen werden. Jedenfalls richteten die Weber 1521 vehement Klage gegen die Klöster, welche durch ihre Tuchproduktion das zünftische Gewerbe schädigten[36].

Der Rat – um Beruhigung der Lage bemüht – beschränkte sich denn auch nicht darauf, die Geistlichen, gegen die sich die Bewegung der Weber unmittelbar gerichtet hatte, ins Bürgerrecht aufzunehmen. Seine Maßnahmen lassen vielmehr längerfristig die Absicht erkennen, die wirtschaftliche Lage der Weber insgesamt zu verbessern, indem er ihnen im Januar 1526 auf Kosten der handeltreibenden Oberschicht Handelsprivilegien einräumte. Hinzu kommt die zunehmende Integration gerade der weberzünftigen Ratsvertreter in die politische

---

31. ABR I, Nr. 442, S. 327. – Das Druckereigewerbe war in Basel das einzige Handwerk, das nicht den – gerade im frühen 16. Jahrhundert rigoros wiederbelebten – zünftischen Zwängen unterlag, sich also quasi-industriell zu entfalten vermochte. Dadurch entstand eine beträchtliche Schicht lohnabhängiger Druckereiarbeiter.

32. ABR I, Nr. 398, S. 234 f.

33. ABR I, Nr. 471, S. 369.

34. BC, Bd. 6, S. 128.

35. BC, Bd. 7, S. 287.

36. *Geering*, 373.

Führung, die ihren Ausdruck 1529 in der Ernennung eines ihrer Häupter zum Oberstzunftmeister findet.

Zusammenfassend und verallgemeinernd läßt sich etwa folgendes feststellen, wobei verallgemeinernde Aussagen aufgrund der sehr schmalen materiellen Basis, auf der wir uns bewegen, nur hypothetischen Charakter haben können:

1. Sowohl die Rechtfertigung der Weberzunft als auch die Unruhen in der Steinenvorstadt lassen sich über die jeweils vorgetragene religiöse Programmatik hinaus in Beziehung zu konkreten sozialen Konfliktsituationen der Zeit setzen.

2. Weder die Webereingabe noch die freilich nur sehr spärlich rekonstruierbaren Programmpunkte der Unruhen tragen integrale reformatorische Programme vor, sondern stets nur einzelne Segmente, die sich gerade dadurch auszeichnen, daß sie in Beziehung zur spezifischen Bedürfnisstruktur der Gruppe stehen, die sie trägt. Insgesamt tragen die Weber jene religiösen Forderungen vor, die sich ihren allgemeinen Bedürfnissen integrieren lassen.

3. Eine entscheidende Rolle spielt bei diesem Integrationsprozeß die evangelische Predigt, indem sie gezielte Aneignungshilfen leistet. Die Predigt Bertschis am Vorabend der Unruhen darf als Beispiel dafür stehen.

4. Die derart integrierten reformatorischen Forderungen erhalten eine breitere soziale Basis. Daß sie nun andererseits mit sozialen und politischen Implikationen vorgetragen werden, macht sie der städtischen Obrigkeit und den Herrschaftsverhältnissen insgesamt gefährlich.

5. Die evangelischen Prädikanten spielen wiederum eine entscheidende Rolle, wenn es gilt, die Forderungen vorzutragen, indem sie unmittelbar, wie im Falle der Verantwortung der Weberzunft, oder mittelbar in der Predigt die den religiösen Forderungen impliziten sozialen Postulate rechtfertigen.

Robert W. Scribner

Sozialkontrolle und die Möglichkeit einer städtischen Reformation

Die folgenden Überlegungen sind nicht als festgelegte Ergebnisse dargeboten, vielmehr als theoretische Ansätze zur weiteren Erforschung der soziologischen Aspekte der Reformation.

Wenn wir den Ausdruck »Reformation« gebrauchen, müssen wir uns darüber klar sein, daß wir von einer kollektiven Erscheinung einer Mehrzahl von Personen reden, die nach einer Änderung in der bestehenden geistlichen und kirchlichen Ordnung strebten. Wir haben nicht nur mit dem Glauben des einzelnen Menschen, auch nicht mit einer bloßen Addition individueller Entscheidungen zu tun, sondern mit einer Form des kollektiven Verhaltens[1]. Die Frage ist also soziologisch, und wir müssen die Reformation als *Bewegung* betrachten.

Was heißt dann *Bewegung?* Im allgemeinen kann eine Bewegung durch vier Grundzüge charakterisiert werden:
- kollektive Handlung einer Mehrzahl von Personen
- gemeinsames Bewußtsein dieser Personen
- gezielte Aktionen
- Bestrebung, eine Änderung in der bestehenden Ordnung herbeizuführen[2].

Der Begriff Sozialkontrolle. Soziologen sind darüber einig, daß die Entstehungs- und Erfolgschancen von kollektiven Erscheinungen wie religiösen und sozialen Bewegungen mit der Natur und Ausübung von sozialen Kontrollen eng verbunden sind. Es besteht jedoch leider gar keine Einigkeit unter den Soziologen über den Inhalt dieses Begriffs. Im weitesten Sinne wird damit gemeint: »kulturelle Normen, Werte und Institutionen, die das Verhalten von Individuen und Gruppen prägen, beeinflussen und regulieren«, was dem Prozeß der Sozialisierung selbst gleichkommt. Im engeren Sinne redet man von Kontrollinstanzen der politischen Macht, die auf die Gesellschaft einwirken, etwa wie die Polizei und die Gerichte. Weiter kann Sozialkontrolle formal/informal, gewollt/

---

1. Vgl. *H. Blumer:* Collective Behaviour (*J. B. Gittler* [Hg.], Review of Sociology: Analysis of a Decade, 1957, 127–158) 128.

2. Zusammenfassend *R. Heberle:* Types and Functions of Social Movements (International Encyclopedia of the Social Sciences Bd. 14, 1968, 438–444); *H. A. Landsberger:* Peasant Unrest: Themes and Variations (*H. A. Landsberger* [Hg.], Rural Protest. Peasant Movements and Social Change, 1974) 19; *J. Wilson:* Introduction to the Study of Social Movements, 1973, 8–14. Die neuere Geschichtsschreibung hat diesen Aspekt der Reformation immer implizit wahrgenommen, indem erhebliche Durchführungsversuche von bloßen Anregungen und Bestrebungen unterschieden wurden.

ungewollt, bewußt/unbewußt, gezielt/diffus, intern/extern sein[3]. Hier müssen wir auf weitere Diskussion verzichten und den Begriff etwas vereinfacht anwenden. Damit wird also gemeint: die Kräfte, welche die bestehende Ordnung erhalten, das Fortbestehen der politischen Macht ermöglichen und den Einfluß politischer auf gesellschaftliche Formen erlauben[4].

Vier Formen der Sozialkontrolle sind hervorzuheben, die allerdings nicht als gegenseitig exklusive Typen, aber umfassend als Spektrum eines Gesamtphänomens zu betrachten sind[5]:

1. *Zwangsausübung:* entweder direkt durch Anwendung von Gewalt, oder indirekt durch Gesetz. Das schließt sowohl Polizeimaßnahmen ein, die für bürgerliche Ruhe und Ordnung sorgen (wie Ausgehverbot), als auch politische Kontrollen (wie Verbot von aufrührerischem Reden oder Versammlungsverbot).

2. *Politische Regelungen:* d. h. Bestimmungen, die eine bürgerliche Ordnung aufrichten, von der Stadtverfassung und kommunalen Selbstverwaltung bis zu Einzelheiten wie Zunftsatzungen und Zunftzwang.

3. *Legitimation* der bestehenden Ordnung: d. h. Grundsätze, die das Fortbe-

---

3. Zitiert nach *P. C. Ludz:* Soziale Kontrolle (*C. D. Kernig* [Hg.]; Sowjetsystem und demokratische Gesellschaft Bd. 5, 1972, 941–950). Zur weiteren Diskussion über Sozialkontrolle vgl. die ebd. zitierte Literatur sowie: *G. Gurvitch:* Social Control (*G. Gurvitch – W. E. Moore* [Hg.]; Twentieth Century Sociology, 1971, 267–296); *A. B. Hollingshead:* The Concept of Social Control (Amer. Sociological Rev. 6, 1941, 217–224); *R. T. LaPiere:* A Theory of Social Control, 1954; *E. M. Lemert:* The Folkways and Social Control (Amer. Sociological Rev. 7, 1942, 391–399); *J. R. Pitts:* The Concept of Social Control (International Encyclopedia of the Social Sciences Bd. 14, 1968, 381–402); *N. Smelser:* Theory of Collective Behaviour, 1962, 261–267, 306–310, 364–381; *C. Ken Watkins:* Social Control, 1975; *K. H. Wolff:* Social Control (*J. S. Roucek* [Hg.]: Contemporary Sociology, 1959, 110–131).

4. Hier ist nach *Gurvitch* 269 zu bemerken, daß das englische Wort »control« viel stärker als das deutsche »Kontrolle« ist. Auf Englisch hängt es mit Macht und Herrschaft, auf Deutsch vielmehr mit Regulierung und Aufsicht zusammen. Trotzdem haben viele amerikanische Soziologen den Begriff »social control« mehr nach dem europäischen Sinn ausgelegt und den Zusammenhang mit Herrschaft übersehen. Das leitet zu den sozialpsychologischen Ansätzen der Parsons-Schule hinüber, die »social control« im Rahmen der Theorie des »abweichenden Verhaltens« betrachtet, was in unserer Diskussion nicht berücksichtigt wird, obwohl die Arbeit des Parsons-Schüler *Smelser* gebraucht wird, jedoch nicht im Sinne dieser Schule. Zum Problem »social control« und Herrschaft sind weitere Ansätze kürzlich von seiten der Hegemonie-Theorie des Marxisten *Antonio Gramsci* gekommen; vgl. *T. R. Bates:* Gramsci's Theory of Hegemony (JHI 36, 1975, 351–366). Wir versuchen hier, den Zusammenhang des Begriffs mit Macht und Herrschaft wiederherzustellen und den Gebrauch des Worts »Sozialkontrolle« durch weitere Beschreibung für unsere Zwecke näher zu präzisieren.

5. Diese Formen stehen gewissen Kategorien von *Smelser* nahe, sind aber nicht wie diejenigen *Smelsers* hierarchisch geordnet.

stehen solcher Bestimmungen *zweckrational* rechtfertigen[6]. Im Rahmen der spätmittelalterlichen Stadt wird damit gemeint z. B. die Pflicht der Regierung, den Gemeinnutz zu fördern und für Reiche und Arme gleich zu sorgen.

4. *Ideologie:* d. h. allumfassende Prinzipien, die die bestehende Ordnung *wertrational* rechtfertigen. Das kann weltlich ausgedrückt werden, z. B. daß alle Menschen ungleich geboren und deshalb des Regierens bedürftig sind; oder religiös ausgedrückt, daß alle Obrigkeit von Gott verordnet ist.

Der Zweck von Sozialkontrolle ist, einen tiefeingewurzelten Consensus der bürgerlichen Gesellschaft zu erzeugen, der die soziale und politische Ordnung als legitim und zweckdienlich akzeptiert. Im 16. Jahrhundert war dies äußerst nötig, weil zu der Zeit die Mittel der Zwangsherrschaft begrenzt und schwach waren. Wichtig war es, Ordnung zu erhalten, ohne diese primitivere und anstößigere Art der Sozialkontrolle zu verwenden. Eine wichtige Funktion der Sozialkontrolle ist es dabei, ein Gefühl der Solidarität zu schaffen, das stark genug ist, sozialen Anpassungsdruck zu festigen[7].

Dies konnte auf verschiedene Weise geschehen. Das Bürgerrecht schuf ein Bewußtsein der Zugehörigkeit, besonders wo der städtische Bürgereid als Grundlage von Frieden und Ordnung betrachtet wurde. Die Leistung von bürgerlichem Schutz und Schirm war ein kräftiges Mittel, das die Bürger zweckrational miteinander verband. Durch Zunftzwang wurden die Arbeit und der menschliche Beruf dieser Zweckrationalität einverleibt. Insofern als die Zunft auch zur Anstalt der sozialen Wohlfahrt wurde, wurde das Wohl des Individuums mit dem sozialen Consensus identifiziert. Der intime Bereich des Haushalts wurde durch Ehe- und Erbschaftsgesetze und durch Regelung von Liegenschaftsübertragungen ebenfalls zweckrational einbezogen. Hier ordneten sich Privat- und Familieninteressen einem weiteren Gemeinnutz unter.

Als wertrationale Bestätigung der Gesellschaft waren vor allem symbolische Handlungen und Geschehnisse wichtig, zumal Rituale, sowohl weltliche als auch geistliche[8]. Weltliche Rituale wie Eidleistungen, Vereidigung bei Amtsantritt, Grenzmarkierung usw. drückten kollektive Solidarität und Abhängigkeit der Bürger voneinander aus. Geistliche Rituale wie Gottesdienst, Abendmahl, Umzüge usw. betonten, daß kollektives und individuelles Seelenheil voneinander abhängig waren. Das ist vor allem bei Sakramenten wie Taufe, Firmung, Eheschließung und Letzter Ölung zu bemerken, die als *rites de passage* den Zyklus des Menschenlebens sowohl an die Heilsgeschichte als auch an das soziale Gefüge anknüpften. Eine Verbindung der geistlichen und weltlichen Rituale wie in solchen *rites de passage* war durchaus bezeichnend für das 16. Jahrhundert[9].

---

6. *C. Ken Watkins* (siehe oben Anm. 3) schlägt den Gebrauch der Weber'schen Ansätze *zweckrational* und *wertrational* im Rahmen der Sozialkontrolle vor.

7. Zur Wichtigkeit von *Consensus* und *Solidarität* ebd.   8. Zum Ritual *Pitts*, 386.

9. Vgl. *M. Gluckmann:* Les Rites de Passage (*Ders.* [Hg.], Essays on the Rituals of Social Relations 1962, 1–52), und zumal *J. Toussaert:* Le sentiment religieux en Flandre à la fin du Moyen Age, 1963, 89–92.

Die soziale und die kosmische Ordnung wurden dadurch miteinander verkettet und Sozialkontrolle damit wertrational befestigt. In einem weltlicheren Zeitalter hätte solche Bestätigung der Sozialkontrolle gefehlt.

Wie konnte im Rahmen der spätmittelalterlichen Stadt Unstimmigkeit zum Ausdruck kommen, und wie konnte sie durch Sozialkontrolle in Schach gehalten werden? Sozialkontrolle wird sehr effektiv durch das Gerücht umgangen, weil es ohne strenge Zwangsmaßnahmen nur schwierig zu unterdrücken ist[10]. Es verbreitet sehr wirksam abweichende Meinungen und war sicher von Anfang an wichtig für die Verbreitung evangelischer Ansichten. Viele reformatorische Flugschriften scheinen auch ihren Ursprung im Gerücht zu haben[11]. Meistens nahm die Stadtobrigkeit das Gerücht sehr ernst, sobald es durch das Anschlagen von Schmähblättern und Pasquillen an die Öffentlichkeit trat. Die Druckpresse machte die Kontrolle der öffentlichen Meinung viel schwieriger und erforderte die Errichtung einer obrigkeitlichen Zensur. Richtig ausgenutzt hätte die Druckpresse als kräftiges Mittel der Sozialkontrolle gedient. Allzuoft aber versagte die Obrigkeit in Sachen Zensur, ob durch Unwissenheit, durch Gleichgültigkeit oder durch Sympathie für die aufkommende Reformation.

Die Predigt war ein vorzügliches Mittel der Sozialkontrolle, konnte aber auch zum Ausdruck abweichender Meinungen umfunktioniert werden[12]. Schon viele Jahre vor der Reformation reagierte die Stadtobrigkeit heftig auf solche Kleriker, die irgendwelches Gemurmel aus der Gemeinde von der Kanzel weitergaben oder gar ernstere innerstädtische Opposition förderten[13]. Das Ringen um die Beherrschung der Kanzeln war eine wichtige Etappe der reformatorischen Bewegung. Beide Seiten warfen ihren jeweiligen Gegnern aufrührerisches Predigen vor. Die Stadtobrigkeit, auch eine evangelisch geneigte, war gegenüber diesem »ungleichen Predigen«, wie man es in Nürnberg nannte, sehr empfindlich[14].

10. Vgl. *Smelser*, 81 und Sachverzeichnis. Als Beispiel der Auswirkung des Gerüchts vgl. *G. Lefebvre:* La grande Peur de 1789, 1970.

11. Darüber wird vom Verfasser ausführlicher in einer in Vorbereitung stehenden Arbeit über Bildpropaganda der Reformation gehandelt.

12. Über die Rolle der Predigt als Massenmedium vgl. Z. *Baumunt:* A Note on Mass Culture: On Infrastructure (*D. McQuail* [Hg.]: Sociology of Mass Communications, 1972, 64–5). *Baumunt* hebt die folgenden Züge der Predigt als Massenmedium hervor: 1. The communication of the same unit of information to very many people at one and the same time, with no differentiation introduced into it according to the status of the addressees; 2. the communication of this information in one irreversible direction and the virtual exclusion of the possibility of an addressee to reply ...; 3. the remarkable persuasiveness of the information being passed on, based on the exalted social authority of the sources, their semi-monopolistic position, and the conviction, of much psychological significance, that »everybody« is listening – and listening with respect – to the same message.

13. Z. B. in Erfurt, vgl. *R. W. Scribner:* Civic Unity and the Reformation in Erfurt (Past & Present 66, Febr. 1975) 33.

Ob es von seiten der Evangelischen oder von seiten der Altgläubigen kam – jedenfalls handelte sie meist nach den Maßstäben der Sozialkontrolle. Entscheidend ist es für die Auswirkung der Sozialkontrolle, daß minder wichtige Meinungsverschiedenheiten ausgetragen werden können, ohne den sozialen Consensus zu untergraben. Eine zu strenge Kontrolle dagegen kann dazu führen, daß solche Abweichungen der Meinung die Legitimität sowohl der politischen als auch der sozialen Ordnung in Frage stellen können. Einer lockeren Sozialkontrolle können aber wesentliche Verstimmungen sich anpassen, so daß nur Aspekte der Sozialkontrolle in Zweifel gezogen werden, das Ganze aber unangetastet bleibt. Wichtig ist es, Unzufriedenheit innerhalb der Struktur der Sozialkontrolle zum Ausdruck kommen zu lassen. Hier kann das Ritual zu vollem Einsatz kommen. Unzufriedenheit wurde durch Spiel und Scherz in Umzügen, in Festspielen, vor allem in der Fastnacht spaßhaft zum Ausdruck gebracht. Dadurch wurde das Ritual zu *rites de rebellion* umfunktioniert, und es ist von Bedeutung, daß Fälle solcher Ausnutzung der Fastnacht auch im Zusammenhang mit der Reformation vorkommen[15].

Am wichtigsten war es, kollektive Unzufriedenheit unter Kontrolle zu halten, und deshalb wollte die Stadtregierung z. B. alle Zunftversammlungen im Auge behalten. In Straßburg wurden Versammlungen vor der Zunftwahl im 15. Jahrhundert verboten, um Wahlvereinbarungen auszuschließen, und 1495 wurde in Freiburg die Zunftmeisterwahl der Zimmerleute aus diesem Grund für nichtig erklärt[16]. Wenn eine Zunftgemeinde evangelisch wurde, konnte die ähnliche Gefahr entstehen, daß die Zunft Entscheidungen außerhalb der Kontrollstruktur traf und dadurch die politischen Regelungen in Frage stellte[17].

14. Vgl. den Ratschlag Lazarus Spenglers vom 3. März 1525 über »das ungleiche predigen«, in: G. *Pfeiffer* [Hg.]: Quellen zur Nürnberger Reformationsgeschichte, 1968, 211, wo die Auswirkung hiervon aufgezählt sind, was einem Katalog von der mangelnden Sozialkontrolle gleichkommt: »*unainikait der regenten, zertailung menschlicher gemute, sitten und wesens, zertrennung burgerlichs fridens und zum letzten aufrur und widerwertigkeit aintweder wider die gaistlichen, die solche predig thun, oder wider die oberkaiten, die das gestatten und zusehen, oder der burgerschaft under sich selbs, die ains tails dieser, der ander thail der andern der prediger parthei und lehren anhangen.*« – Auch in Basel erwähnte das erste Predigtmandat von Mai/Juni 1523 die »*zwytracht, zweyungen unnd irrsal durch das zweyspeltig predigen ... dar durch das gemeyn, arm und schlecht volck ... verfurt möcht werden und ... under unser gemeynd uffrüren und emporungen villicht zu besorgen*« sind: vgl. ABR Bd. 1, 1950, 66.

15. Zu *rites de rebellion* vgl. M. *Gluckmann:* Rituals of Rebellion in South East Africa, 1952. Über den Zusammenhang Fastnacht-Reformation wird der Verfasser in einem demnächst erscheinenden Aufsatz »Reformation, Carnival and the World Turned Upside-down« berichten.

16. F. J. *Mone:* Zunftorganisation vom 13.–16. Jahrhundert (ZGO 15, 1863) 47; (ebd. 16, 1864) 340–41.

17. Ein vorzügliches Beispiel bieten die Vorgänge in Basel von Weihnachten 1528 bis zum 18. Feb. 1529, vgl. R. *Wackernagel:* Geschichte der Stadt Basel Bd. 3, 1924, 502–523.

Das gleiche konnte durch das Hervortreten einer breiteren Strömung innerhalb der politischen Gemeinde passieren. Zum Beispiel wurden in Basel kurz vor der Reformation Forderungen zugunsten der ganzen Einwohnerschaft laut[18]. Das hätte zu einem Neuentwurf des politischen Begriffs von der Gemeinde geführt. Diese Durchbrechung der Sozialkontrolle war in Basel wichtig für den Fortschritt der dortigen evangelischen Bewegung[19]. Im äußersten Fall konnte eine solche Störung des sozialen Consensus zumindest zur Entstehung einer innerstädtischen Opposition, im äußersten Fall sogar zu einem Aufstand führen, da an der Legitimation der politischen Ordnung gezweifelt wurde.

Eine zu offensichtliche Übertretung der Kontrollstruktur von seiten der regierenden Oberschicht selbst konnte die gleichen Folgen haben. Manchmal, wie in Erfurt 1509 und Köln 1513, wurde ein Kreis von Befreundeten angeklagt, die Stadt eigennützig zu verwalten. Daraus entstanden in beiden Fällen Versuche, die politische Ordnung umzugestalten. In anderen Fällen wurde Eigennutz nur als Vorwand gebraucht, um Sozialkontrolle auf zweckrationaler Ebene zu durchbrechen. Das scheint die Festigkeit der Sozialkontrolle zu bezeugen, da die Regierung im Rahmen der bestehenden Zweckrationalität beurteilt wurde. Es konnte trotzdem die bestehende politische Ordnung zum Umsturz bringen, wenn an deren Legitimation gezweifelt wurde. Andererseits wurde das Wertrationale selten in Frage gestellt, da es meist auf derart allumfassenden Prinzipien beruhte, daß jeder seine ideologischen Grundsätze bejahen konnte. Meist wurde nur darüber gestritten, wie solche Werte zu verwirklichen waren.

Solche Erwägungen waren auch während der Reformation im Spiel. Evangelische Prediger beschuldigten zögernde Stadtregenten des Eigennutzes und der Vernachlässigung des gemeinsamen Seelenheils. Auch wertrational versuchten sie, den Magistrat von der Notwendigkeit der Förderung des Wortes Gottes zu überzeugen. Hier ist auch der Fall geteilter Autorität zu erwähnen, z. B. bei Bischofsstädten oder bei Städten, die nach Autonomie strebten. Ein anderes Beispiel der geteilten Autorität ist der andauernde Streit des Stadtmagistrats mit der Geistlichkeit. Gespaltene Gewalt bedeutet eine Schwächung der Sozialkontrolle, die einer evangelischen Bewegung zugute kommen konnte, weil diese einer unteilbaren evangelischen Stadtobrigkeit nachstrebte[20].

Klar ist, daß das Verhältnis Sozialkontrolle – Reformation nicht eindeutig zu verstehen ist. Es konnte entscheidend sein, in welchem Maß die Sozialkontrolle eng oder locker, stark oder schwach war oder schon vor der Reformation angefochten wurde. Vieles war auch von der Natur einer reformatorischen Bewegung selbst abhängig, und wir müssen eine breite Auswahl von Städten sehr ge-

---

18. Ebd. 306.
19. Einen sehr interessanten Vergleich Basels mit Zürich und Bern bietet L. von Muralt: Stadtgemeinde und Reformation in der Schweiz (ZschwG 10, 1930, 349–384).
20. Zum Problem der gespaltenen Gewalt vgl. Smelser, 235.

nau untersuchen, bevor ein zusammenfassendes Urteil möglich ist. Dazu möge eine Anzahl heuristischer Richtlinien dienen[21].

1. Um festen Fuß zu fassen, muß sich eine Reformationsbewegung in gemeinschaftlichen oder genossenschaftlichen Formen ausdrücken können. Als Neuerungsbewegung kann sie den bestehenden Consensus herausfordern oder auf eine Verletzung dieses Consensus hinweisen, die ihre Entstehung rechtfertigt. Als Beispiel des ersteren können wir die plötzliche Entstehung einer evangelischen Gemeinde in Bremen nennen[22]. Für den zweiten Fall können wir auf den Unmut gegen den Klerus in vielen Städten hinweisen[23]. Dann aber scheidet sich die Entwicklung in zwei Richtungen, je nachdem die neue Bewegung vom Magistrat unterstützt wird oder nicht.

2. Wenn eine reformatorische Bewegung Unterstützung von seiten des Magistrats findet, werden die Sozialkontrolle und der darauf basierte Consensus kaum ernsthaft in Frage gestellt. Die Regierung kann die Reformation sogar als deren Stärkung ansehen. Höchstens sind die legitimierenden und ideologischen Aspekte der Sozialkontrolle umgestellt[24]. Allerdings bedarf eine solche kleine Verschiebung eines Wiederausrichtens der gemeinschaftlichen Solidarität. Das kommt besonders dann vor, wenn der Magistrat trotz seiner reformatorischen Neigungen eine Reformation nicht so rasch und konsequent durchführen kann, wie die Neugläubigen es wünschen. Das ist umso mehr der Fall, wenn der altgläubige Kultus und dessen Anhänger noch einen öffentlichen Sammelpunkt zugunsten der herkömmlichen Ordnung bilden. Daraus kann unvermeidliche Spannung erwachsen, die schlimmere Zweifel an der Struktur der Sozialkontrolle auslösen kann[25]. Man kann zu Zwangsmaßnahmen greifen und zwie-

21. Die folgenden Thesen stellen keine eigentlichen Verlaufsformen der Reformation dar, sondern sind idealtypisch gemeint. In der Tat wiesen reformatorische Bewegungen komplizierte Mischformen solcher überspitzten Entwicklungen auf.

22. *B. Moeller:* Die Reformation in Bremen (Jb. der Wittheit zu Bremen 17, 1973) 59–61.

23. Vgl. die Unstimmigkeit in Nürnberg über die Steuerbefreiung der Geistlichkeit, die mit Rücksicht auf ihre Auswirkung auf Sozialkontrolle bewertet wird: sie soll unter dem gemeinen Mann »*nit ein wenig nachrede und ungedult verursacht*« haben; weiter: »*es seyen auch bissher in etlichen stetten nit wenig emporungen entstanden darauss, das die briester mer freyung haben suchen wollen dann gemeine burgersleut*«, mit Bezug auf Mainz, Köln, Speyer, Worms, Straßburg, Regensburg, Erfurt, Bamberg and Würzburg: *Pfeiffer,* 234–5.

24. Wie ernsthaft solche Fragen in Folge des Glaubenwechsels aufgenommen wurden, ist aus einem Gutachten Osianders von Ende 1524 zu ersehen, wo er versucht, die zweck- und wertrationalen Aufgaben des weltlichen Regiments nach evangelischen Maßstäben umzugestalten, ebd. 181–186.

25. Nach *Smelser,* 73, sind kollektive Ausschreitungen die Taten von Ungeduldigen, die nach raschem Erfolg streben. Sozialkontrolle soll solche kollektive Energie zu ruhigerem Verhalten hinüberleiten, was im Fall der Reformation angesichts evangelischer Entschlossenheit manchmal nur durch Nachgiebigkeit zu erreichen war.

trächtiges Reden oder Predigen verbieten. Letzten Endes aber muß die alte Religion unterdrückt werden, sowohl aus sozialen als auch als religiösen Gründen. Je mehr man zögert, desto mehr Aufwand braucht man, um den sozialen Consensus zu erneuern. Dazu kann man einen feierlichen Ausdruck der gemeinschaftlichen Solidarität verwenden: z. B. eine Volksabstimmung (Ausdruck des gemeinen Willens)[26]; einen Entschluß des Großen Rats (Ausdruck der politischen Gemeinschaft)[27]; auch sogar einen Festumzug, wie in der Hildesheimer Fastnacht 1543 (Ausdruck der gemeinschaftlichen Stimmung)[28].

3. Wenn die Bewegung keine obrigkeitliche Zustimmung findet, kann sie sich innerhalb der Schranken der Sozialkontrolle entfalten. Ihr Fortschritt ist von dem Maß der Lockerheit der Sozialkontrolle abhängig, die den Ausdruck abweichender Meinungen erlaubt. Im übrigen ist die Bewegung auf die Duldung des Magistrats angewiesen. Je enger die Sozialkontrolle geschnürt ist, und je geduldiger die Bewegung diesem Zustand gegenübersteht, desto mehr gerät das Schicksal der Reformation in die Hände des Rats, der nun eigentlich das Tempo bestimmt.

Die Evangelischen können noch innerhalb der Schranken der Sozialkontrolle den Magistrat unter Druck setzen. Ihre Aufgabe ist es, den bestehenden Consensus zu durchbrechen und sich als Verfechter eines alternativen, wahrhaft gemeinschaftlichen Consensus darzustellen. Das geschieht durch öffentliche Proteste oder Aufrufe, durch Kundgebung evangelischer Stimmung, ja auch durch die Beweisführung, daß ein gemeinschaftlicher Consensus nicht mehr existiert. Im letzteren Fall wird z. B. auf »das ungleiche Predigen« der katholischen Geistlichen, auf die Geistlichkeit selbst als Fremdkörper in der Stadt, auf die Verkehrtheit des alten Gottesdiensts oder auf die Bedrohung des gemeinsamen Seelenheils hingewiesen. Das Vorankommen der evangelischen Sache ist davon abhängig, inwieweit der Rat zeitweilige Überschreitungen der Sozialkontrolle übersieht und schrittweise den evangelischen Forderungen nachgibt.

4. Eine Bewegung, die sich nicht zufrieden gibt, innerhalb der Schranken der Sozialkontrolle zu bleiben, muß sich zur oppositionellen Bewegung entwickeln. Das geschieht auch dann, wenn sie der Magistrat zwar duldet, ihren Forderungen jedoch wenig nachzugeben bereit ist. Sie ist auf immer weitere Herausforderungen der Sozialkontrolle angewiesen, so daß sie sich von einer konformistischen zu einer oppositionellen Bewegung entwickelt. Abgesehen von einem Stimmungswechsel im Magistrat kann sie nur durch Störung der bestehenden Ordnung auf Erfolg hoffen und läuft deshalb Gefahr, mit sozialer und politischer Opposition identifiziert zu werden.

---

26. Z. B. in Memmingen und Ulm.

27. Über die Wichtigkeit solches Verfahrens in Basel, Bern und Zürich: *von Muralt*, a. a. O.

28. *J. Schlecht*: Der Hildesheimer Fasching 1545 (RQ 10, 1896, 170–177) (das Jahr ist aber auf 1543 zu verbessern).

Es bleibt jetzt keine Zeit mehr zu diskutieren, welche Folgen für eine städtische Gemeinschaft nach gelungener oder verfehlter Reformation bei den hier hervortretenden Typen (d. h. Unterstützung, Duldung, Anpassung, Opposition) entstehen. Wir haben nur versucht, den Wert eines soziologischen Begriffs »Sozialkontrolle« zum Verständnis der Reformation als einer sozialen und kollektiven Erscheinung anzudeuten[29].

29. Wie solche Ansätze im Verlauf einer städtischen Reformation zu bewerten sind, ist aus dem Beitrag von Herrn Dr. *Hauswirth* (siehe unten S. 99 ff. vorzüglich zu ersehen.

Gottfried Seebaß

Stadt und Kirche in Nürnberg
im Zeitalter der Reformation

Wie für Konstanz und andere Städte, so sind durch die neuere Forschung für Nürnberg Verlauf und Zusammenhang der Reformation weithin geklärt worden. Um aber die dabei erzielten Ergebnisse in den größeren Zusammenhang unseres Themas einzuordnen und dafür fruchtbar zu machen, scheint der Versuch notwendig, nach bedingenden Strukturen, maßgeblichen Kräften und den darin wirksamen Motiven zu fragen. Ich meine auf diese Weise auch einen Teil jener Desiderate abdecken zu können, die Rublack ans Ende seines Forschungsberichtes gestellt hat[1]. Dabei soll allerdings nicht eine den Hauptfaktoren folgende Analyse in Längsschnitten erfolgen, sondern deren Zusammenspiel in den Hauptphasen in den Blick genommen werden. Wir befassen uns also zunächst, wenn auch nur sehr knapp und summarisch, mit dem vorreformatorischen Nürnberg bis zur Anstellung evangelischer Prediger (1522), betrachten die Entwicklung bis zum Religionsgespräch (1525), wenden uns dem Aufbau des evangelischen Kirchenwesens zu, um schließlich die Zeit von dessen Abschluß in der Kirchenordnung (1533) bis zum Interim in den Blick zu nehmen.

I.

In kurzer Zeit hat sich Nürnberg im 14. und 15. Jahrhundert zu einer der größten und mächtigsten Städte des Reiches entwickelt. Das gilt im Blick auf sein Territorium, seine Wirtschaft, seine Bevölkerung und seine Verfassung[2].

Seit dem 14. Jahrhundert kam zu dem alten, oft aus Reichspfandschaften resultierenden Besitz, den Nürnberger Geschlechter vor der Stadt hatten, vom Verfall adeliger Macht begünstigt, eine Reihe von Pfandschaften hinzu, die bald

1. Der »Forschungsbericht Stadt und Reformation« von *Hans Christoph Rublack* (siehe oben S. 9 ff.) hat den Teilnehmern am Reinhäuser Kolloquium in hektographierter Form vorgelegen. Es mag angemerkt werden, daß die Bezugnahmen auf Nürnberg gerade in der neueren englischsprachigen Literatur nicht überzeugen können. M. E. ist das Urteil, daß sich die Reformation in Nürnberg wesentlich unter dem Druck der unteren Volksschichten vollzog, genau so einseitig wie die These, sie sei auf einen Rat zurückzuführen, der unter dem moralischen Druck der Intelligenz stand (gegen *A. G. Dickens:* The German Nation and Martin Luther, 2. Aufl., 1976, 135–146, besonders 144, und *Basil Hall:* The Reformation City [Bull. of the John Ryland's Library 54, 1971/72, 103–148], besonders 124–126).
2. Dabei beziehe ich mich vor allem auf: Nürnberg – Geschichte einer europäischen Stadt, hg. von *Gerhard Pfeiffer*, 1971 (im folgenden = *Pfeiffer*, Nürnberg) und die dort zu den einzelnen Abschnitten genannte Literatur.

in festen Besitz übergingen. Noch weiter dehnte sich der Herrschaftsbereich durch die Hoheitsrechte, die der Rat aufgrund seiner Pflegschaften über Kirchen, Klöster und Spitäler der Stadt im nahen Umland geltend machte. Doch erst der Landshuter Erbfolgekrieg (1504/05) brachte statt eines vielfach durchlöcherten Bereichs von Herrschaftsansprüchen ein großes, weithin geschlossenes Territorium im Osten der Stadt, das 1542 weiter arrondiert werden konnte[3].

Dieses Territorium brachte der Stadt trotz des Neides der fürstlichen Nachbarn einen erheblichen Zuwachs an Macht. Deren eigentliche Grundlage aber bildete die Wirtschaft. Die politische Bedeutung, nicht die geographische Lage hatte Nürnberg zum Schnittpunkt sieben bedeutender Fernhandelsstraßen gemacht. In der Stadt gab es eine hochdifferenzierte und durch Stückwerkproduktion leistungsfähige Metall-, Leder- und Textilverarbeitung. Dazu kam ein durch Zollfreiheiten, Geleitschutz und ausgedehntes Nachrichtenwesen gesicherter, wenn auch von räuberischer Willkür stets bedrohter Fernhandel. Zur Reformationszeit reichten die Geschäftsbeziehungen Nürnberger Kaufleute von Kairo bis Antwerpen, von Krakau bis Kuba und Peru. Der von einer Familiengesellschaft getragene, mit modernsten Methoden arbeitende patrizische Großkaufmann war das Kennzeichen der städtischen Wirtschaft. Sein Reichtum ermöglichte ihm über den Handel hinaus eine umfangreiche Beteiligung im Montanwesen Mitteldeutschlands und Österreichs[4].

Dem wirtschaftlichen Aufschwung entsprach eine seit Mitte des 14. Jahrhunderts rapide wachsende Bevölkerung. Am Reichtum der Stadt freilich partizipierten die rund 45 000 Einwohner sehr unterschiedlich: Neben einer 6–8 %-igen, sehr reichen Spitze stand eine breite, wohlhabende Mittelschicht. Fast ein Drittel der Bevölkerung aber befand sich in proletaroider Situation[5].

Ähnliches gilt für die politische Repräsentanz. 1521 kapselten sich die ratsfähigen 42 Familien endgültig ab, so daß auch ein mit dem Doktorat abgeschlossenes Unversitätsstudium keine Aufstiegsleiter bot. Sie stellten die 34 Ratsherrn, die zusammen mit acht Handwerkern, die seit dem mit königlicher Hilfe niedergeschlagenen Handwerkeraufstand von 1348/49 im Rat saßen, allerdings selbst große Gewerbetreibende waren, den inneren Rat bildeten. Dieser regierte mit Hilfe einer weit aufgefächerten, klar durchgegliederten Verwaltung, an deren Schaltstellen wieder Patrizier saßen, die Stadt und das Landgebiet. Zwar gab es daneben, bestehend aus etwa 200 Honoratioren, den größeren Rat der ›Genannten‹. Doch trat der nur nach Aufforderung des inneren Rates zusammen, im allgemeinen zur Information oder wenn man bei gewissen Entscheidungen eine größere Repräsentanz der Bürgerschaft wünschte. Das Verhältnis des Rates zur

3. Vgl. *Pfeiffer*, Nürnberg, 11–20, 40, 75–80, 88–92 und 120–127.
4. *Pfeiffer*, Nürnberg, 46–54, 92–100, 176–193. Gerade zur Wirtschaftsgeschichte Nürnbergs ist in den Jahren seit dem Erscheinen der *Pfeiffer*schen Stadtgeschichte intensiv gearbeitet worden, wie die Aufsätze und Rezensionen in den MVGN zeigen.
5. *Pfeiffer*, Nürnberg, 194–199.

Bevölkerung war faktisch auch in der Stadt das von Obrigkeit und Untertan. Dennoch fühlte und handelte der Rat als Repräsentant des Willens der Bürger und wurde als solcher auch weithin anerkannt[6].

Wir haben damit die Rahmenbedingungen genannt, durch die sich Nürnberg von vielen anderen Reichsstädten unterschied, müssen aber noch erwähnen, daß die Stadt beim Erwerb politisch-territorialer Macht, bei Ausbau und Schutz ihres Handels und der Wahrung der patrizisch-oligarchischen Verfassung stets kaiserliche Gunst und Garantie für unwandelbare Kaisertreue erfahren hatte. Die Stadt war wirklich »allein darum Nürnberg, daß sie allzeit dem römischen Kaiser und König, wie billig, angehangen«[7]. Das gilt es bei der späteren Religionspolitik zu beachten. Die Stadt konnte aufgrund ihrer Tradition nicht bereit sein, die Religionsfrage über die Reichs- und Kaisertreue zu stellen. Wo diese Alternative aufbrach, und das war spätestens ab 1529 der Fall, entschied sie sich für das ihr immer wieder vorgeworfene ›Sowohl-als auch‹[8].

Im Blick auf das Verhältnis von Stadt und Kirche lassen sich deutlich zwei Tendenzen erkennen: Im Schnittpunkt dreier Ordinariate gelegen, aber selbst nie Bischofsstadt, versuchte man mit Hilfe der Kurie die geistlichen Institutionen der Stadt von allen kirchlichen ›Zwischengewalten‹ zu lösen und war im Interesse des Heils der Stadt und ihrer Bürger auf ein geordnetes Kirchenwesen bedacht. Das läßt sich am Verhältnis der Stadt zum Klerus, zum geistlichen Besitz und zum geistlichen Recht verfolgen.

Schon Ende des 14. Jahrhunderts konnte der Rat die Inkorporation der beiden städtischen Pfarren ins Bamberger Domkapitel verhindern und die Residenz der Inhaber erreichen. 1474 erwirkte er das Präsentationsrecht für die päpstlichen Monate. Seitdem mühte man sich, Vakanzen in diese Zeiten fallen zu lassen und die Pfarrstellen an Stadtkinder zu vergeben. Eine gewisse Rechtsunabhängigkeit wurde 1477 mit der Erhebung der Pfarrer zu Pröpsten erreicht, und 1513 erhielt man das Präsentationsrecht auch für die bischöflichen Monate. Das war die Voraussetzung dafür, daß 1520 und 1521 zwei noch junge Männer Pröpste werden konnten, die ihr Studium in Wittenberg absolviert hatten. Längst besaß der Rat auch das Recht, die drei Prädikaturen, die von Bürgern gestiftet worden waren, zu besetzen. So konnte man 1522 durchaus legal mit Osiander, Schleup-

---

6. Zur Entwicklung der Nürnberger Stadtverfassung vgl. *Pfeiffer*, Nürnberg, 17, 20–22, 25, 28, 31, 33–38, 41, 44, 73–75 und 196. Für das Nürnberger Landgebiet vgl. *Wolfgang Leiser:* Kommunalverfassung im Landgebiet der Reichsstadt Nürnberg (MVGN 60, 1973, 206–221).

7. Zitiert bei *Pfeiffer*, Nürnberg, 165.

8. Zur Politik der Reichsstadt während der Reformation ist immer noch instruktiv *Hans Baron:* Religion and Politics in the German Imperial Cities during the Reformation (Engl. Hist. Rev. 52, 1937, 405–427; 614–633). Neuere Literatur bei *Pfeiffer*, Nürnberg, 520 f., besonders Nr. 331 und 338. Vgl. außerdem: *Jonathan W. Zophy:* Lazarus Spengler, Christoph Kress and Nuremberg's Reformation Diplomacy (Sixteenth Cent. Journ. 5, 1974, 35–48).

ner und Venatorius reformatorische Prediger für die Kanzeln der Stadt gewinnen. Durch die zahlreichen Meß- und Altarpfründen, die reiche Bürger bis in die Mitte des 15. Jahrhunderts stifteten, erhielten zunächst die Familien, später der Rat das Anstellungs- und ein gewisses Aufsichtsrecht über einen großen Teil des Klerus, dem man später bei Übernahme von Pfründen einen eigenen Eid abverlangte. Das gilt auch für das Landgebiet, in dem fast 50 Kirchen, Pfarreien und Pfründen von Nürnberg aus geschaffen wurden. Daß der Rat bei ihrer Vergabe Stadtkinder bevorzugte, läßt sich vielfach belegen. Auch auf die Klöster konnte der Rat seinen Einfluß ausdehnen. Vor allem ging es um die als Versorgungsstätten wichtigen Nonnenklöster, in die ab 1476 nur noch Nürnbergerinnen aufgenommen werden durften. Außerdem konnten dort leitende Ämter nur besetzt und Visitationen nur durchgeführt werden, wenn die hohen Geistlichen der Stadt zustimmten. Bei Verwaltungsstellenbesetzung war die Genehmigung des Pflegers, also des Rates notwendig. Doch gelang es nicht, vom Basler Konzil das Aufsichtsrecht über alle Klöster unter einem städtischen Superattendenten zu erreichen. Immerhin konnte das Schottenkloster aus der Aufsicht des Regensburger Abtes gelöst werden[9].

Gegen die Beschlüsse einer Nationalsynode von 1287 muß die Stadt schon früh die Erlaubnis erhalten haben, das Kirchengut durch Kirchenpfleger und die ihnen unterstehenden Kirchenmeister zu verwalten. Solche Pfleger gab es – mit Ausnahme der Niederlassung des Deutschen Ordens – für die meisten Kirchen und Kapellen, aber auch für die Klöster, deren öffentlich-rechtlicher Schutz dem Rat schon im 14. Jahrhundert vom König übertragen worden war. Gegen Ende des 15. Jahrhunderts betraute dann die Kurie die Stadt mit dem Schutz des gesamten Klerus und seiner Güter. In diesen Zusammenhang gehört auch, daß sich der Rat bemühte, das bei Ablässen einkommende Geld ganz oder teilweise den mildtätigen Stiftungen der Stadt zu erhalten. Deshalb sicherte man sich noch 1517, als der Ablaß bereits grundsätzlich kritisiert wurde, einen konkurrenzlosen Ablaß für das Heiliggeistspital. Überhaupt unterstand die gesamte Sozialfürsorge – es gab in jeder Pfarre ein Spital, eine Pilgerherberge, ein Findelhaus und zwei Siechköbel sowie zwei Zwölfbrüderhäuser – dem Rat. Und wie in den oberdeutschen Städten, so ist auch in Nürnberg die erste eindeutig reformatorische Maßnahme der Erlaß einer Almosenordnung im Jahre 1522[10].

Wenig Erfolg hatten die Bemühungen des Rates auf rechtlich-jurisdiktionellem Gebiet. Zwar gab es immer wieder Vorstöße, das Asylrecht einzuschränken, der geistlichen Gerichtsbarkeit klare Grenzen zu ziehen, Nürnberg als Gerichts-

---

9. Vgl. *Pfeiffer*, Nürnberg, 100–104, 127, 138–141; außerdem: *ders.*: Nürnbergs christliche Gemeinde (Evangelium und Geist der Zeiten, 1975, 45–115; im folgenden = *Pfeiffer*, Nürnbergs Gemeinde) besonders 48–50.

10. Vgl. *Pfeiffer*, Nürnberg, 26, 37, 43, 78, 87, 100 f., 126, 139 f., 144; *Pfeiffer*, Nürnbergs Gemeinde, 50 f.; *Matthias Simon*: Movendelpfründe und landesherrliches Kirchenregiment (ZBKG 26, 1957, 1–30); *Ingrid Busse*: Der Siechkobel St. Johannis vor Nürnberg (1234–1807), 1974.

ort anerkannt zu erhalten, aber weder das privilegium fori noch das privilegium immunitatis konnten überwunden werden. Immerhin war aber für den Bamberger Bischof die Tendenz der Stadt, *uns und unserem Stift in geistlichen Sachen nit mehr unterworfen zu sein«*, klar erkennbar[11].

Wir erwähnen nur noch kurz, daß der Rat im Sinn einer politischen Frömmigkeit den Kult des Stadtheiligen nachdrücklich förderte, die mit den Reichskleinodien verbundene Heiltumsweisung mit Ablässen ausstattete und, wo es ihm nötig schien, Bitt- oder Dankgottesdienste anordnete[12].

Nichts wäre verkehrter, als aus alldem auf einen antikirchlichen Säkularisierungswillen des Rates zu schließen. Hier ging es lediglich um die möglichst umfassende Einheit und Autonomie der Stadt. Und was sich auf kirchlichem Gebiet vollzog, hatte sich teilweise früher, teilweise gleichzeitig auch auf politisch-rechtlichem Gebiet vollzogen: Wie man dort versuchte, mit Hilfe von Kaiser und König alle auswärtigen Rechtseinflüsse – auch die des Reiches – in der Stadt zu beseitigen[13], so versuchte man es auf kirchlichem Gebiet mit Hilfe der Kurie, an der man für diese Zwecke einen eigenen Prokurator unterhielt.

Daß diese Kommunalisierung der Kirche vom Rat aus gesehen in deren Interesse geschah, beweist der Gebrauch, den dieser von seinen Möglichkeiten machte. Er überwachte den sittlichen Stand des Klerus, verhütete die Anstellung unfähiger Vikare und suchte zu hindern, daß Kleriker standesunvereinbare Gewerbe betrieben. Im Verein mit den Ordensoberen erreichte oder erzwang er die Reformation der Klöster und sorgte auf diese Weise für gute Prediger und Seelsorger in der Stadt[14]. Dabei pflegte er darauf hinzuweisen, daß man als Obrigkeit für zeitliches und ewiges Heil der Bürger verantwortlich sei[15]. Es sind gerade die Klöster, in denen in der zweiten Hälfte des 15. Jahrhunderts der Humanismus Fuß faßt und andrerseits in Gebet und Predigt das gepflegt wird, was Moeller im Blick auf die oberdeutschen Städte als die »Mystik für jedermann« bezeichnet hat[16]. Eben das war auch die geistige Welt, in der viele Männer der

11. Vgl. *Pfeiffer*, Nürnberg, 37 und 137 f., sowie *ders.:* Nürnbergs Gemeinde, 56 f.

12. Vgl. *Pfeiffer*, Nürnbergs Gemeinde, 52 f., und *ders.*, Nürnberg, 87; außerdem: *Karl Schlemmer:* Gottesdienst und Frömmigkeit in Nürnberg vor der Reformation (ZBKG 44, 1975, 1–27).

13. Vgl. *Pfeiffer*, Nürnberg, 21, 31 f., 41, 79, 88, 119.

14. Vgl. außer der bei *Pfeiffer*, Nürnberg, 520, Nr. 280–285 genannten Literatur noch: *Johannes Kist:* Klosterreform im spätmittelalterlichen Nürnberg (ZBKG 32, 1963, 31–45). Predigten des Johannes Diemar aus dem Nürnberger Katharinenkloster wurden neuerdings veröffentlicht von *Andrew Lee:* Materialien zum geistigen Leben des späten 15. Jahrhunderts im St. Katharinenkloster in Nürnberg, phil. Diss. Heidelberg 1969, Erlangen 1972.

15. Vgl. z. B. *Hans von Schubert:* Lazarus Spengler und die Reformation in Nürnberg, 1934 (im folgenden = *Schubert*, Spengler), 175.

16. Vgl. *Bernd Moeller:* Die Kirche in den evangelischen freien Städten Oberdeutschlands im Zeitalter der Reformation (ZGO 112, 1964, 147–162), besonders 150, und die folgende Anmerkung.

führenden Schichten der Stadt lebten. Das hat den Boden bereitet für die Aufnahme der Predigten Staupitzens und Lincks und der frühen deutschen Schriften Luthers. Längst vor der sodalitas Staupitziana, die schließlich zur Martiniana wurde und zu einem guten Teil die weitreichenden personellen Veränderungen im kirchlichen Leben der Stadt zu Beginn der zwanziger Jahre bewirkte, gab es in der Stadt die Verbindung von dem Humanismus aufgeschlossenen Patriziern, Juristen, Astronomen, Medizinern und Künstlern mit dem Klosterhumanismus, den Machilek erst kürzlich für Nürnberg eindrucksvoll herausgearbeitet hat[17].

Trotz aller Erfolge des Rates blieb das Verhältnis von Stadt und Kirche ein rivalisierend belastetes. Die langwierigen Verhandlungen mit Kurie oder Bischof verschlangen Unsummen. Und es hinterließ keinen guten Eindruck, wenn päpstliche Einnehmer den Rat um den zugesagten Teil der Ablaßgelder betrogen. Ständig gab es Auseinandersetzungen um die geistliche Gerichtsbarkeit. Es machte böses Blut, als die Kurie 1519 einen Erbprozeß der Furtenbach gegen die Holzschuher an sich zog[18]. Besonders die Dominikaner machten sich zu Beginn des 16. Jahrhunderts verhaßt. Unvergessen blieb ihre Polemik gegen die auf die anderen ausstrahlende Humanistenschule der Stadt. Wieder und wieder waren sie in die unhaltbaren Zustände verwickelt, die man in den Nonnenklöstern Engelthal und Gründlach aufdeckte und abstellte[19]. Und das zu einer Zeit, in der der Pfefferkornhandel den Orden ohnehin verhaßt machte. Und Dominikaner waren es, die den Prozeß gegen Luther betrieben, in den zwei hochangesehene Bürger der Stadt verwickelt wurden[20]. Längst also hatte man die Erfahrung gemacht, daß es städtischer Selbsthilfe und mühseliger Verhandlungen bedurfte, der Kirche Reformen und Verbesserungen abzuringen.

II.

Mit der Anstellung reformatorischer Prediger, die man durchaus im Zusammenhang der gewohnten Fürsorge für die Kirche sehen muß, änderte sich innerhalb von drei Jahren die Lage von grundauf: Sie entfesselten – unterstützt von den gerade auch in Nürnberg produzierten Flugschriften – eine Volksbewegung. In brieflichen Berichten aus der Stadt und in Flugschriften, in denen sich Bürger wie Hans Greiffenberger, Niklas Kadolzburger und vor allem Hans Sachs zu Wort meldeten, läßt sich die Erklärung dafür fassen[21]. Sie kreist um die beiden Punkte: christliche Freiheit und Antiklerikalismus.

17. Vgl. *Franz Machilek:* Klosterhumanismus in Nürnberg (MVGN 64, 1977, 10–45).
18. Vgl. *Adolf Engelhardt:* Die Reformation in Nürnberg Bd. 1, 1933 (MVGN 33; im folgenden = Engelhardt, Reformation 1), 8 und 22 f.
19. Vgl. *Schubert*, Spengler 132–138; 181–188.
20. Vgl. *Engelhardt*, Reformation 1, 45–61.
21. Das ist mit Recht hervorgehoben worden bei: *Stephan E. Ozment:* The Reformation in the Cities. The Appeal of Protestantism to Sixteenth-Century Germany and Switzerland, 1975. Vgl. dazu den Forschungsbericht von *Rublack* (s. o. 9 ff.).

Offenbar erlebte das Volk mit der reformatorischen Predigt eine Befreiung[22]. Sie trug nicht selten ähnlichen Charakter wie bei Luther selbst: Befreiung von Sündenangst und damit unmittelbar verbunden von ängstlicher Sorge um das ewige Heil. Diese Seite belegt nicht nur die bekannte Stelle in Dürers Tagebuch[23], sondern bereits im Titel ein Traktat Greiffenbergers: ›Ein trostlich Ermahnung den angefochtenen im Gewissen von wegen getaner Sünd, wie und womit sie getröst werden, den Satan sich nit erschrecken lassen‹[24]. Damit war aber auch die Befreiung von all dem verbunden, was bisher als Bedingung des Heils und Möglichkeit seiner Vergewisserung gegolten hatte – Möglichkeiten übrigens, die, was man nicht vergessen sollte, weithin eben nur den Reichen offenstanden. »Vnser Prediger sagt«, läßt Hans Sachs über einen lutherischen Christen berichten, »man bedurff (also: brauche) nymmer betten / den heyligen dienen / fasten / beichten / wallen / Meßhoren / Vigilg / Seelmessen / Jartag stifften / Ablaß losen / «[25]. Schon begann der Rat die weitere Wirkung dieser Befreiung zu fürchten, wenn er den Predigern riet, die »Freiheit eines Christenmenschen paß verdeutschen und nicht zu gemein (zu) machen«[26].

Eng damit verbunden ist das zweite: der Antiklerikalismus. Denn wer hat die Menschen mit Bräuchen, Gesetzen und »gebot, der on maß und zal ist« belastet? Die Geistlichen, die Kirche[27]. Gegen sie wendet sich nun der Haß des Volkes als gegen blinde Blindenführer. Eines der Büchlein Greiffenbergers ›zeigt an die falschen Propheten, vor denen uns gewarnet Christus, Paulus und Petrus‹. Sachs sieht die Christen von Löwen, Wölfen und Schlangen, will sagen von Päpsten, Pfaffen und Mönchen bedroht[28]. Immer wieder konfrontiert man die Kirche der

---

22. Leider fehlt eine zusammenfassende Analyse der damals von Nürnbergern verfaßten und in der Stadt publizierten Flugschriften. Sie wäre dringend erforderlich.

23. Vgl. dazu: *Gottfried Seebaß:* Dürers Stellung in der reformatorischen Bewegung (Albrecht Dürers Umwelt. Festschrift zum 500. Geburtstag Albrecht Dürers, 1971, 101–131), besonders 105–108.

24. Vgl. die Liste der Werke Greiffenbergers bei: *Theodor Kolde:* Hans Denck und die gottlosen Maler von Nürnberg (Beitr. z. bayer. KG 8, 1902, 1–31, 49–72) (im folgenden = Kolde, Denck), besonders 12–14 (der Titel wurde gegenüber der bibliographisch genauen Angabe bei Kolde modernisiert). Die neuere, immer noch unbefriedigende Literatur zu Greiffenberger findet sich in: Andreas Osiander d. Ä., Gesamtausgabe Bd. 1, hg. von *Gerhard Müller,* 1975 (im folgenden = Osiander 1), 276–282.

25. Vgl. Hans Sachs: Die Wittenbergisch Nachtigall, hg. von *Gerald H. Seufert,* 1974 (im folgenden = Sachs, Nachtigall), 128 (aus: Ein Gespräch eines evangelischen Christen mit einem lutherischen, 1524).

26. Zitiert aus den Nürnberger Ratsverlässen nach: *Franz von Soden:* Beiträge zur Geschichte der Reformation und der Sitten jener Zeit mit besonderem Hinblick auf Christoph Scheurl II., 1855 (im folgenden = Soden, Beiträge), 158.

27. Vgl. Hans Sachs, Disputation zwischen einem Chorherrn und Schuhmacher, 1524, in: *Arnold E. Berger (Hg.):* Die Sturmtruppen der Reformation 1931 (Neudr. 1964), 280–299, besonders 291.

28. Vgl. Sachs, Nachtigall, 16–40 (Die Wittenbergisch Nachtigall 1523).

Urkirche, den Stellvertreter Christi Christus. Vor allem die Mönche sind als Muster der Heuchelei Zielscheibe der Kritik: ›Dies Büchlein zeigt an, was uns lernen und gelernt haben unsere Meister der Schrift ... die außen scheinen, wie gerecht sie sind, innen voller Heuchelei und Lüge.‹ Und Sachs sekundiert Greiffenberger mit dem Gespräch von den »*Scheinwercken der Gaystlichen / vnd jren gelübdten*«[29]. Auch hier stehen die Prediger im Hintergrund: Schärfere Töne als Osiander mit seiner Polemik gegen den Antichrist und das Mönchtum konnte man kaum anschlagen[30]. Und wir wissen von Caritas Pirckheimer, wie heftig man gerade gegen die Klöster vom Leder zog. Die Folgen blieben nicht aus: Die Ratsverlässe der Jahre 1522–1524 sind voll von Maßnahmen gegen jene, die sich Übergriffe gegen den Klerus, die Klöster, ihre Gottesdienste und Prediger erlaubt hatten[31].

Man darf diese Volksbewegung nicht in einem Rat und Patrizier ausschließenden Sinn verstehen. Auch bei ihnen nahm die Zahl der evangelisch Gesinnten ständig zu. Zu denen gehörten damals auch Willibald Pirckheimer, Christoph Fürer und andere, die sich später von der Reformation trennten. Doch ließ der Rat deswegen der Volksbewegung nicht freien Lauf. Er versuchte – und sicher nicht nur mit Rücksicht auf die in Nürnberg tagenden Reichstage und das Reichsregiment – Ausschreitungen zu verhindern, kam auch an einigen Stellen dem Reformwillen vorsichtig entgegen. Dabei war ihm die eigentliche Ursache der Volksbewegung natürlich bekannt. Hielt Spengler es doch für nötig, ihn in einer anonymen Schrift zum Schutz der evangelischen Prediger aufzufordern, deren Verhaftung auf dem Reichstag 1523 gefordert wurde. Aber hätte der Rat damals noch gegen sie vorgehen können? Die sächsischen Gesandten jedenfalls prognostizierten für diesen Fall einen Aufruhr[32]. Der Rat schützte die Prediger, schaffte Anstoß erregende, altgläubige Prädikanten aus der Stadt, weigerte sich aber stets, den Pröpsten weitergehende, reformatorische Änderungen zu erlauben. Ja, als diese im Juni 1524 – nachdem das Reichsregiment die Stadt verlassen hatte – eigenmächtig eine erste Neuordnung des Kirchenwesens nach Wittenberger Muster vornahmen, verlangte der Rat die Rücknahme. Intensiv hatte er sich bisher an den Verhandlungen über die Luthersache auf den Reichstagen beteiligt. Jetzt hoffte man auf eine Gesamtregelung durch das Speyerer Nationalkonzil und wollte bis dahin keine Neuerungen dulden. Dennoch ließ man die Pröpste unbehelligt, als sie die Rücknahme verweigerten[33].

29. Vgl. *Kolde*, Denck, 12–14, und Sachs, Nachtigall, 73–92.
30. Vgl. Osianders Vorrede zu einem Sendbrief Johann von Schwarzenbergs aus dem Jahr 1524 in: Osiander 1, 283–298, Nr. 24.
31. Das Material findet sich eingearbeitet bei *Soden*, Beiträge, und *Schubert*, Spengler.
32. Vgl. *Schubert*, Spengler, 379–383.
33. Vgl. die Analyse der Vorgänge bei *Gerhard Pfeiffer:* Die Einführung der Reformation in Nürnberg als kirchenrechtliches und bekenntniskundliches Problem (Bll. f. dt. LG 89, 1952, 112–133), sowie die Einleitungen zu den betreffenden Dokumenten der kirchlichen Reform in: Osiander 1, 142–254, Nr. 18–20.

Es war kein Vorwand, wenn man sich dafür bei Bischof und kaiserlichem Statthalter mit dem Hinweis auf drohenden Aufruhr entschuldigte. Der Gedanke der christlichen Freiheit hatte inzwischen auch im Landgebiet gezündet, dessen Bewohner, soweit sie nicht evangelische Prediger hatten, wenn sie in die Stadt kamen, wohl auch die Predigt besuchten. Möglicherweise gab es Verbindungen Nürnberger Untertanen zur Forchheimer Aufstandsbewegung im Mai 1524. Auch im Nürnberger Landgebiet wurden Bauernversammlungen gehalten, zu denen auch Handwerker aus der Stadt liefen. Es kam zu Zehntverweigerungen im Westen und Norden der Stadt. Der Rat mußte sich mit Eingaben befassen, die Ermäßigung des Zehnten auf ein Drittel forderten – mit geistlicher Unterstützung. Bald gings nicht mehr um Zehnten, sondern ums Ungeld, die Verbrauchssteuer. Daß der Rat zur Abschreckung zwei Todesurteile vollstrecken ließ, beweist den Ernst der Lage[34].

Die grundsätzliche Lösung konnte nicht länger verschoben werden, als mit dem Scheitern des Nationalkonzils die Hoffnung auf eine reichsweite Lösung schwand. Das ließ die Situation nicht zu. Kanzelpolemiken wurden trotz Verbots heftiger, im Volk gärte es, nicht mehr nur gegen die verhaßten Kleriker, sondern auch den zögernden Rat. Enge Vertraute Müntzers fanden in der Stadt und den Dörfern des Regnitztales offene Ohren[35]. Scheurl gab Anfang 1525 zu bedenken, daß man »zuletzt, wo die oberkeit nit hand wolt anlegen, müß besorgen, das Contz, rotschmid und messerer hinder sand Jacob« – dort wars am unruhigsten und dort hatten auch Müntzers Anhänger gewohnt – »aufstuend und reformacion machte«. Schon im Februar, ehe die Ratsakten den Bauernkrieg spüren lassen, gab Christoph Kress zu, »daß es seinen herrn nit mer muglich sei, wendung ze thon«. Gleichzeitig schrieb Spengler, das wisse er »eigentlich, das es ime hie nye so gleych gesehen hat, von des ungleichen predi-

34. Vgl. *Günter Vogler:* Ein Vorspiel des deutschen Bauernkrieges im Nürnberger Landgebiet 1524 (*Gerhard Heitz – Adolf Laube – Max Steinmetz – Günter Vogler [Hg.]:* Der Bauer im Klassenkampf 1975, 49–81. Die Diskussion über den Zusammenhang von Reformation und Bauernkrieg könnte m. E. ein gutes Stück vorwärtskommen, wenn eine zusammenfassende Analyse all jener Unruhen vorgenommen würde, die sich im Umkreis von Städten mit evangelischen Predigern seit 1523 ereigneten. Vgl. etwa für die Memminger Unruhen: *Peter Blickle:* Die Revolution von 1525 (Studienausgabe), 1977, 156–165; für die Unruhen um Zürich: *James M. Stayer:* Die Anfänge des schweizerischen Täufertums im reformierten Kongregationalismus (*Hans-Jürgen Goertz [Hg.]:* Umstrittenes Täufertum 1525–1975, 2. Aufl., 1977, 19–49), besonders 25–36.

35. Es handelte sich vor allem um Heinrich Schwertfeger (Pfeiffer) und Hans Hut, vgl. dazu: *Gottfried Seebaß:* Müntzers Erbe. Werk, Leben und Theologie des Hans Hut, theol. Habilitationsschrift Erlangen 1972 (masch.), 101–104 und 169–173; *Walter Elliger:* Thomas Müntzer, 1975, 587–594, wo aber mit der bisherigen Forschung, m. E. zu Unrecht, mit einem längeren Aufenthalt Müntzers selbst in Nürnberg gerechnet wird.

gens wegen zu aufrurn zu komen als itzo«[36]. Der Druck der Volksbewegung auf den Rat kann nicht hoch genug veranschlagt werden.

Bei dem gab es unterschiedliche Auffassungen darüber, wie zu Ruhe und Ordnung, das hieß einheitlicher Predigt zu kommen sei. Manche waren der Meinung, man sei viel zu nachsichtig gewesen, habe die Prediger *»dominirn«* lassen. Sie lehnten alles ab, was den Rat in weiteren Zugzwang bringen mußte. Die entschieden evangelischen Kräfte, die wir in Scheurl und Spengler hören, wollten diskussionslos den Mönchen Predigt und Seelsorge nehmen. Der Mehrheit schien ein Religionsgespräch nach Zürcher Muster der geeignete Ausweg, weil so eine Rechtfertigung der beabsichtigten Maßnahmen zu erreichen war. Daß es allein darum noch ging, bewiesen Anlage und Durchführung des Gesprächs. An dem hatte wie sonst in Oberdeutschland die Bürgerschaft maßgeblichen Anteil. Ohne ihren Druck nämlich wäre es wohl kaum dazu gekommen. Und wenn auch nur von außen, so nahm das Volk doch massiven Anteil an der Diskussion: Am ersten Tag *»sammelt sich fur das rathaus ain mercklich volck, das ende zu sehen, warteten auf die munch, hetten die gern zurissen, schrien etlich, man solt inen die munch zum venster herauswerfen, ettlich hetten gesagt, man solt sie undter die munch lassen, sie wessten recht mit inen zu disputirn«*[37]. Außerdem aber hatte man den Rat der Genannten geladen und dieser beschloß mit dem inneren zusammen nach dem Ratschlag der Juristen am Ende des Gesprächs, den Mönchen Seelsorge und Predigt zu verbieten[38].

Auch die weiteren, dem Religionsgespräch folgenden Maßnahmen, die sich gegen die Klöster richteten, die Exemtion der Geistlichen beseitigten, die Messe aufhoben, das Kirchengut dem Almosen zuschlugen, schließlich im Mai sogar die Aufhebung des blutigen und kleinen Zehnts und für die Stadtbürger manche Erleichterungen brachten, kamen den Wünschen des Volkes entgegen, wurden mit Rücksicht darauf und den inzwischen in Franken ausgebrochenen Bauernkrieg beschlossen. Tatsächlich gelang es dem Rat auf diese Weise – er hob das später immer hervor – den gerade auch im Nürnbergischen drohenden Bauernkrieg zu verhindern[38].

36. Vgl. *Gerhard Pfeiffer (Hg.)*: Quellen zur Nürnberger Reformationsgeschichte 1968 (im folgenden = *Pfeiffer*, Quellen), 199, Rschl. 23; 352, Br. 135; 355, Br. 141.

37. Vgl. *Pfeiffer*, Quellen 355, Br. 141.

38. Zum Religionsgespräch vgl.: *Gottfried Seebaß:* Der Nürnberger Rat und das Religionsgespräch vom März 1525 (JfLf 34/35, 1974/75, 467–499; im folgenden = *Seebaß*, Religionsgespräch). Zum Verhältnis des Nürnberger Religionsgesprächs zum Zürcher und zu den Religionsgesprächen im süddeutschen Raum überhaupt vgl. *Bernd Moeller:* Zwinglis Disputationen I und II (ZSavRG Kan. 56, 1970, 275–324; 60, 1974, 213–364; im folgenden = *Moeller*, Disputationen 1 und 2), besonders 255–265.

39. Vgl. *Pfeiffer*, Quellen, 217–225, Rschl. 35–37, und die Einleitungen zu den verschiedenen Ratschlägen, die der Nürnberger Rat vor seinen Maßnahmen bei den Juristen und Theologen einholte, in: Andreas Osiander d. Ä., Gesamtausgabe Bd. 2, hg. von *Gerhard Müller*, 1977 (im folgenden = Osiander 2), 101–160, Nr. 48–54, und

Bei der Herstellung einheitlicher Predigt ging es dem Rat um Friede und Eintracht in den Mauern, die Verhinderung von Zwietracht und Aufruhr. Aber das ist erst die eine Seite. Das Wohl der Stadt war damit noch nicht garantiert. Dazu bedurfte es des Segens Gottes und der rechten Haltung der Bürgerschaft zu Gott. Diesen durchaus traditionellen Gedanken haben auch die evangelischen Prediger dem Rat eingeschärft, freilich mit einer entscheidenden Änderung: An die Stelle des rechten Kultes und der Erfüllung der Kirchengebote sind die reine Predigt des Schriftwortes und die diesem gemäßen Ordnungen getreten. An der Stellung des Rates zu Gottes Wort entscheidet sich Segen und Fluch Gottes. Nur wenn er die Schriftgemäßheit von Gottesdienst und kirchlicher Ordnung garantiert, sorgt der Rat seinem Auftrag gemäß für leibliches und ewiges Heil der Bürger. »Denn solt das wort Gottes dem volck entzogen, ihr glaub geschwecht und ir seel versaumpt werden, Gott würd sy gar ernstlich ... von iren henden fordern«, mahnen die Prediger im Sommer 1524 unter Hinweis auf die deuteronomistische Beurteilung der jüdischen Könige[40]. Die Argumentation mit Segen und Fluch und das Exempel der jüdischen Könige tauchen auch später überall dort auf, wo die Theologen dem Rat die cura religionis einschärfen. Eben das machte sich der Rat mit dem Religionsgespräch zu eigen. Schon bei dessen Vorbereitung beruft er sich darauf, daß es »das furnemlichst und hochste ambt einer yden oberkeit were ..., das sie nit allain ire unterthanen im zeitlichen regiren, sonder auch und zum vordersten die hochsten fursehung thun sollen, damit ihnen das wort Gottis als das heil der selen und ainige selickait durch verstendige, cristenliche ... prediger furgetragen wurd«. Und in allen Schriftstücken, in denen der Rat später seine reformatorischen Maßnahmen, die Visitation und die Kirchenordnung verteidigt, findet sich in geradezu stereotypen Formulierungen neben der Erwähnung des Zusammenhangs von Einheit und Friede, Zwietracht und Aufruhr die Verantwortung für das ewige Heil der Bürger durch die Predigt des Wortes Gottes[41].

176–194, Nr. 59. Daß man die Durchführung der Reformation als einen Grund dafür ansah, daß Nürnberg vom Bauernkrieg weitgehend verschont blieb, beweist Spenglers Verteidigungsschrift aus dem Jahr 1528, vgl. *Gottfried Seebaß*: Apologia reformationis. Eine bisher unbekannte Verteidigungsschrift Nürnbergs aus dem Jahre 1528 (ZBKG 39, 1970, 20–74; im folgenden = *Seebaß*, Apologia), 59. Ähnliche Formulierungen ließen sich in anderen Dokumenten nachweisen.

40. Vgl. Osianders ›Grund und Ursach‹ in: Osiander 1, 245–254, Nr. 20, besonders 247.

41. Das geschieht besonders häufig in den bei Vorbereitung und Durchführung der brandenburgisch-nürnbergischen Kirchenvisitation von 1528/29 entstandenen Schriften. Sie werden in absehbarer Zeit erstmals oder verbessert publiziert in: Andreas Osiander d. Ä., Gesamtausgabe Bd. 3, hg. von *Gerhard Müller* (voraussichtlich 1978), Nr. 98 mit Beilage VI und Nr. 101. Vgl. außerdem: *Seebaß*, Religionsgespräch, 490 und 492; *Pfeiffer*, Quellen, 360–363, Br. 151; *Seebaß*, Apologia, 50 ff.

III.

Die beiden genannten Motive erklären, warum die Übernahme der Verantwortung für die Reformation der Stadt durch den Rat gleichzeitig das Ende der offenen Situation und die Konfessionalisierung bedeutete. Diese vollzog sich in den folgenden Jahren in sehr unterschiedlicher Weise:

Es war der Bauernkrieg, der den Rat zunächst zu einem relativ harten Kurs gegen die Altgläubigen brachte. Kleriker, die den Bürgereid oder die Ehe mit ihrer Konkubine verweigerten, mußten die Stadt verlassen[42]. Scharf ging man gegen die Klöster vor. Man isolierte die Konvente, indem man nur Gottesdienste bei geschlossener Kirche gestattete. In die Nonnenklöster schickte man evangelische Prediger. Weitere Maßnahmen folgten im Mai, als zwei Nonnenkonvente des Landgebiets in die Stadt flohen. Man verlangte weltliche Kleidung, untersagte Neuaufnahmen, schuf Gesprächsmöglichkeiten mit Verwandten, erleichterte den Austritt[43]. Pirckheimer und einige ältere Ratsherrn konnten nur mit Mühe die völlige Öffnung der Klöster verhindern[44]. Darüber gab es im Rat harte Auseinandersetzungen. Ein Mann wie Kress erklärte, wenn seine Schwester an einer Kutte nicht genug habe, solle sie drei anziehen, er wolle den sehen, der sie ihr auszieh[45]. Andrerseits waren es gerade Angehörige patrizischer Familien, die ihre Kinder mit Duldung des Rates gewaltsam aus dem Kloster holten[46]. Wie die Lage war, zeigt sich an der Mahnung Osianders, der Rat möge dafür sorgen, daß seine Beschlüsse nicht heimlich von seinen Gliedern sabotiert würden[47]. Dabei war es kein taktisches Argument, wenn Nützel den Klarissen vorwarf, mit ihrer Unnachgiebigkeit einen Aufruhr in Nürnberg hervorzuru-

---

42. Vgl. Osiander 2, 112–126, Nr. 50, sowie: *Bernd Moeller:* Kleriker als Bürger (Festschrift Herm. Heimpel Bd. 2, 1972, 195–224).

43. Vgl. dazu Osiander 2, 142–148, Nr. 54.

44. Vgl. *Josef Pfanner* (Hg.): Die »Denkwürdigkeiten« der Caritas Pirckheimer, 1962 (im folgenden = Pirckheimer, Denkwürdigkeiten), 75. Die Denkwürdigkeiten sind als Quelle für die Nürnberger Reformationsgeschichte noch längst nicht gebührend berücksichtigt worden.

45. Pirckheimer, Denkwürdigkeiten 75 f. Kreß' kritische Stellung zur Reformation und ihrer Durchführung im Jahr 1525 bleibt leider unberücksichtigt bei: *Jonathan W. Zophy:* Christoph Kreß. Nürnberg's foremost Reformation Diplomat, phil. Diss. Columbus/Ohio 1972.

46. Vgl. dazu: Osiander 1, 464–470, Nr. 40, und Osiander 2, 147. Daß die führenden Ratsherrn dabei aus evangelischer Überzeugung handelten, beweisen die vielen Unterredungen der Caritas Pirckheimer mit dem Pfleger ihres Klosters Caspar Nützel, bei Pirckheimer, Denkwürdigkeiten, passim.

47. Vgl. Osianders Gutachten über die weltliche Obrigkeit bei *Pfeiffer,* Quellen, 181 bis 186, Rschl. 16, und (mit anderer Datierung) in Osiander 2, 51–65, Nr. 44, besonders 51 f.

fen[48]. Tatsächlich ließ nämlich die harte Behandlung der Konvente nach, als der Bauernkrieg zu Ende war. Als Sigmund Fürer im August 1525 die Klarissen in ihren Ordenskleidern sah, sagte er: *»Es get wol hynn, dieweyl die gemayn ein wenig über euch gestillt ist, wer es aber als aufrurig als vor einem fyrten jars, so müst es also sein, das und kein anders«*[49]. Daneben mögen die Klagen des Bischofs und des Schwäbischen Bundes schärfere Maßnahmen – zum Ärger der evangelischen Prediger – verhindert haben.

Unnachsichtig aber – Osiander versäumte nicht, auf den Unterschied hinzuweisen[50] – ging man gegen die Vertreter des ›linken Flügels‹ vor, die allerdings ihre Anhänger niemals unter den Patriziern oder den ehrbaren Familien der Stadt fanden. Doch unterschied sich das Vorgehen wesentlich von dem anderer, auch protestantischer Obrigkeiten. Man versuchte zunächst, den Widerruf zu erreichen und wies Nichtwiderrufende im allgemeinen ohne weitere Strafe aus[51]. Dem Verlangen der Juristen und Theologen nach härterer Bestrafung gab man nicht nach, erlag auch nicht der Versuchung, sich dadurch bei altgläubigen Ständen beliebt zu machen[52]. Statt dessen setzte sich der Rat – im Blick auf die Evangelischen in altgläubigen Gebieten – selbst beim Schwäbischen Bund für milde Täuferbestrafung ein und verhinderte eine schärfere, gesamtprotestantische Täuferordnung[53]. Hier wirkten neben einer schon im Spätmittelalter geübten, milden Praxis Gedanken des frühen Luther nach[54].

Gegen die Vertreter der oberdeutschen Abendmahlslehre ist der Rat – von

48. Vgl. Pirckheimer, Denkwürdigkeiten 32, 43, 49, 64. Zum Bauernkrieg in Nürnberg: *Lawrence Paul Buck:* The Containment of Civil Insurrection: Nürnberg and the Peasants Revolt 1524–1525, phil. Diss. Columbus/Ohio 1971, und: *Rudolf Endres:* Probleme des Bauernkrieges in Franken (*Rainer Wohlfeil [Hg.]:* 1975, 90–115) mit der dort genannten Literatur.

49. Pirckheimer, Denkwürdigkeiten, 86.

50. Das geschah in seinem Gutachten zur Täuferbestrafung vom Juli 1528, vgl. *Hans-Dieter Schmid:* Täufertum und Obrigkeit in Nürnberg, 1972 (im folgenden = *Schmid*, Täufertum), 252.

51. Zur Praxis des Rates vgl. meinen Aufsatz: Dissent und Konfessionalisierung. Zur Geschichte des ›linken Flügels‹ der Reformation in Nürnberg (*Martin Walser*, Das Sauspiel. Szenen aus dem 16. Jh. Mit Materialien hg. v. *Werner Brändle*, 1978, 366–394); zum Verhalten des Rates den Täufern gegenüber vgl. *Schmid*, Täufertum, 215–230.

52. Vgl. *Schmid*, Täufertum, 231–264.

53. Vgl. *Hans-Dieter Schmid:* Die Haltung Nürnbergs in der Täuferfrage gegenüber dem Schwäbischen Bund und dem Schmalkaldischen Bund (ZBKG 40, 1971, 46 bis 68).

54. Vgl. *Pfeiffer*, Nürnberg, 105 f., und *Gottfried Seebaß:* An sint persequendi haeretici? Die Stellung des Johannes Brenz zur Verfolgung und Bestrafung der Täufer (BwKG 70, 1970, 40–99), besonders 42–53. In diesem Zusammenhang wäre auch darauf hinzuweisen, daß der Nürnberger Rat auch gegen Zauberer und Hexen vergleichsweise milde vorging, siehe dazu: *Hartmut H. Kunstmann:* Zauberwahn und Hexenprozeß in der Reichsstadt Nürnberg, 1970.

einer Ausnahme abgesehen[55] – niemals vorgegangen. Nur Druck und Verkauf der sie propagierenden Schriften wurde untersagt. Dafür werden zwei Gründe ausschlaggebend gewesen sein: Zum einen wollte man nicht durch ein schärferes Vorgehen die politische Verbindung zu den anderen evangelischen Städten aufs Spiel setzen, nachdem es Spengler nicht gelungen war, diese ins lutherische Lager hinüberzuziehen[56]. Zum andern müssen wir die Vorstellung von Nürnberg als lutherischer Stadt aufs richtige Maß zurückschrauben. Sicher haben sich die Prediger und maßgeblichen Ratsherrn aufgrund ihrer frühen Verbindung zu Sachsen und den Wittenbergern im Abendmahlsstreit auf deren Seite gestellt. Die Stadt war deswegen nicht einfach lutherisch. Osiander hatte schon 1524 einen gewissen rationalistischen Zug und die Ablehnung der Messe dafür verantwortlich gemacht, daß der *»gemeine, ungelerte man«* die lutherische Lehre ablehne[57]. Zwingli war wohl recht unterrichtet, wenn er von einer weiten Verbreitung seiner Lehre in Nürnberg sprach[58]. Spengler könnte also 1527 auch an seine Stadt gedacht haben, wenn er schrieb, man könne angesichts ihrer Verbreitung gegen die Sakramentierer nicht mit Gewalt vorgehen[59]. Die Juristen lehnten 1530 ein Katechismusverhör ab, weil sie ungute Diskussionen zwischen Predigern und Katechisierten erwarteten, wobei sie offenbar an die Abendmahlslehre dachten[60]. Neigungen zur oberdeutschen Form der Reformation waren sicher nicht auf den einfachen Mann beschränkt, lassen sich vielmehr aufgrund humanistischen Hintergrunds auch bei Gebildeten vermuten. Osiander verlangte noch 1526 vom Rat die Entfernung bestimmter Bilder und der Kirchenmusik[61]. Nützel hat-

---

55. Vgl. dazu: Osiander 2, 337–343, Nr. 75. Dagegen versuchte der Rat von Anfang schärfer gegen die Verbreitung karlstadtischer Lehren vorzugehen, vgl. *Günther Bauer:* Anfänge täuferischer Gemeindebildungen in Franken, 1966, 118–127. Karlstadt war allerdings auch unter Beteiligung Luthers aus Sachsen vertrieben worden.

56. Leider ist Spenglers Korrespondenz noch nicht derart gesammelt und gesichtet, daß diese Seite voll heraustreten könnte, vgl. aber die Hinweise bei *Moeller,* Disputationen 2, 257, Anm. 220.

57. Vgl. Osiander 1, 277–282, Nr. 23.

58. Vgl. Zwingli an W. Pirckheimer, in: CR 95 (Zwingli Werke 8), 240.

59. Das geschah in einem Schreiben Spenglers an Augsburg vom 30. 8. 1527, vgl. dazu *Schmid,* Täufertum, 152 f.

60. Vgl. Scheurls Gutachten über den Entwurf der brandenburgisch-nürnbergischen Kirchenordnung von 1530 in Kirchenbibliothek Neustadt/Aisch, MS 124, Produkt 8, f. 214rv, sowie ein Gutachten des Juristen Michael Marstaller zum gleichen Entwurf im Germanischen Nationalmuseum Nürnberg, Merkel-Handschriften Nr. 129 (unfoliiert). Auf diese Gutachten, die ich zusammen mit anderen aus der Merkel-Handschrift demnächst zu publizieren gedenke, hat mich dankenswerterweise Herr Dr. *Jürgen Lorz,* Igelsdorf bei Erlangen, aufmerksam gemacht.

61. Vgl. sein Gutachten über die Zeremonien vom Februar 1526, in Osiander 2, 277 bis 279 und 287 f. Schon die Schrift ›Grund und Ursach‹ zeigt, daß Osiander Zwinglis Schriften kannte, wie erstmals *Gerhard Pfeiffer* gesehen hat, vgl. Osiander 1, 209 f., Anm. 183.

te Zwingli bis 1525 sehr gelobt[62]. Dürers und Pirckheimers Verbindungen zu Schweizer Reformatoren und des letzteren verdächtige Überreaktion im Abendmahlsstreit sind bekannt[63]. Der Jurist Hepstein verlangte 1530 die Worte Sakramentslästerer und -schänder aus der Kirchenordnung zu entfernen und schlug sogar eine Disputation über die Sakramentsfrage vor[64]! Alle im Zuge der Konfessionalisierung ergriffenen Maßnahmen wurden vom Rat angeordnet und durchgeführt. Er übte die gesamte Kirchenverwaltung. Und die wurde ihm von den städtischen Theologen nicht nur zugestanden, sondern geradezu aufgedrängt. *»Dann ob wir woll«*, schrieb Osiander 1526, *»alle ungeschickte lere hinlegen und die warhait dagegen predigen mogen, desgleichen alle ungeschickte werck der kirchenpreuch, so durch unser hend gegangen, unterlassen ..., so will uns dannoch nicht gepuren, kain laster mit der that zu straffen, kain gepeu ... aufzurichten, kaines, das ergerlich oder unnutz, abzuthun, kain schule zu ordnen, kain almusen ... auszutailen, kain schedlich pild zu prechen, kain petell zu wören, sondern wir sollen und wollen solches alles ... euren E. W. als einer christlichen und von Gott eingesetzter obrigkait zu thun ... bevelhen«*[65]. Dahinter stand die Überzeugung, daß der Rat der Repräsentant nicht nur der bürgerlichen, sondern auch der christlichen Gemeinde sei. Deswegen meinte Osiander im Blick auf die Anstellung der Geistlichen: *»Dieweil aber solche wal der gemain zugehoret und sie sich und all ir anliegen, darzu leib, eer und gut einer christlichen obrigkait vertrauet, ergeben und unterworfen hatt, gepurt derselben ... auch in disem fall ... treuliche, vetterliche versehung zu thun.«*[66] Selbst ein aus Ratsmitgliedern und Theologen gebildetes Ehegericht lehnte der Lorenzer Prediger als *»unnötige neurigkeit«* ab, wollte aber deswegen die Theologen von solchen Fragen nicht ausgeschlossen wissen[67]. Nichts lag ihm ferner, als die Kirche obrigkeitlichem Willkürregiment auszuliefern. Vielmehr betrachtete er den Rat als Vollzugsorgan dessen, was er riet. Er wollte diesem zwar alle Anordnungen überlassen, aber doch *»yedesmals in disen rhatschlagen und, wie es furfelt, eur E. W. desselbigen erinnern und vermanen. Dann das gepurt uns aus pflicht und vermoge unsers ambts«* und nicht ohne drohenden Unterton mahnte er, der Rat solle sich diese Ratschläge dermaßen *»zu hertzen nemen und mit dem werck volziehen, das uns nicht von noten sey, offenlich an der cantzel darvon zu reden«*[68].

62. Das hielt ihm Caritas Pirckheimer nicht ohne Genugtuung später vor, vgl. Pirckheimer, Denkwürdigkeiten, 115.

63. Vgl. dazu: *Gottfried Krodel:* Nürnberger Humanisten am Anfang des Abendmahlsstreites (ZBGK 25, 1956, 40–50).

64. Vgl. das ungedruckte Gutachten des Nürnberger Juristen Johannes Müller zum Entwurf der brandenburgisch-nürnbergischen Kirchenordnung von 1530 im Germanischen Nationalmuseum Nürnberg, Merkel-Handschrift 129 (unfoliiert).

65. Vgl. Osiander 2, 269, 27–270, 2, Nr. 68.   66. Ebd. 271, 21–26, Nr. 68.

67. Vgl. Osianders Eingabe zur Ehegerichtsbarkeit an den Rat vom November 1525, in: Osiander 2, 195–200, Nr. 60, besonders 199, 13.

68. Vgl. Osiander 2, 269, 25–270, 14, Nr. 68.

Osiander beschrieb damit, was sich in Nürnberg ansatzweise schon vor dem Religionsgespräch herausgebildet hatte: Daß der Rat analog dem längst bestehenden Gremium seiner juristischen Konsulenten die Pröpste und Prediger als Berater in Kirchenfragen zuzog. Aber eben – und hier weicht die Wirklichkeit von Osianders Theorie ab – als Berater. Man griff auf das Gremium zurück, weil es sich bewährt hatte. Aber allein der Rat bestimmte, wann, worüber und in welcher Besetzung es zusammentrat, fühlte sich auch keineswegs an die Ratschläge gebunden. Doch vermied er offene Konfrontation und suchte, wenn möglich, den Kompromiß[69]. Das war unproblematisch, solange die Theologen untereinander und mit dem Rat einig gingen. Und das war bei den Hauptberatungsgegenständen nach dem Religionsgespräch der Fall, als es um Aufhebung des Klerikerstandes, Klosterbehandlung, Gottesdienstgestaltung, Feiertage und Stiftungsverwaltung ging. Hier wurde der Rat meist sogar erst auf Anregungen aus dem Kreis der Theologen tätig. Waren die Theologen uneins, so machte der Rat anfangs den Versuch, durch ein Wittenberger Drittgutachten zu einer Lösung zu kommen, bei Osianders Selbstbewußtsein ein aussichtsloses Unterfangen[70]. Deswegen behandelte man die Dinge lieber dilatorisch oder entschied im Sinn des Rates. Bei gegensätzlicher Auffassung zwischen Rat und Theologen setzte sich ersterer durch, letztere duldeten das mit dem Hinweis auf das drohende göttliche Gericht. So geschah's beim Eherecht, wo man trotz heftigen Widerspruchs der Prediger dem Rat der Juristen folgend bei der Tradition blieb[71].

Dies normalerweise in Absprache mit den Theologen vollzogene Kirchenregiment des Rates blieb nicht unangefochten. Verfolgungen und drohende Religionskriege als Konsequenzen intoleranter Konfessionalisierung brachten Anfang 1530 einen gebildeten Nürnberger dazu, deren beide Grundvoraussetzungen in Frage zu stellen: Unter Berufung auf die lutherische Zwei-Reiche-Lehre bestritt er die cura religionis der Obrigkeit und wollte sie auf die eigene Konfession beschränkt wissen. Die Obrigkeit sei nicht für das ewige, sondern nur für das zeitliche Heil zuständig. Damit zog er aus Luthers Lehre eine Konsequenz, die dieser selbst rundheraus ablehnte, als er zur Stellungnahme aufge-

---

69. Eine zusammenfassende Darstellung und Beurteilung der gemeinsamen Beratertätigkeit von Juristen und Theologen in Nürnberg seit 1523 steht noch aus. Einen ersten, aber nicht befriedigenden Ansatz bietet: *Jane Whitehead Gates:* The Formulation of City Council Policy and the Introduction of the Protestant Reformation in Nuremberg 1524–1525, phil. Diss. Columbus/Ohio 1975.

70. So geschah es z. B., als im Februar 1526 Schleupner und Osiander über die weitere Gestaltung des Nürnberger Kirchenwesens uneinig waren, vgl. Osiander 2, 242 bis 249, Nr. 68.

71. Vgl. die zusammenfassende, in vieler Hinsicht aber auch unbefriedigende Arbeit von *Judith Walter Harvey:* The Influence of the Reformation on Nürnberg Marriage Laws 1520–1535, phil. Diss. Columbus/Ohio 1972. Die Einleitungen zu den einschlägigen Ratschlägen, an denen Osiander beteiligt war, werden in Osiander 2, Nr. 60, 71, 73, 77, 78 und 82 ediert und bringen manche Verbesserungen zu *Harvey*.

fordert wurde. Zum andern bestritt der Unbekannte unter Hinweis auf Böhmen den notwendigen Zusammenhang von verschiedener Predigt und Aufruhr. Selbstverständlich setzte er sich nirgends durch, aber es war eine in die Zukunft weisende Stimme: Sie stellte geordnetes bürgerliches Zusammenleben über die konfessionelle Einheit der Stadt – Anzeichen einer veränderten Situation[72].

IV.

Von Anfang an gab es beim Rat die Tendenz, zum Abschluß der Kirchenreform zu kommen. Oft versuchte er von den Theologen grundsätzliche Gutachten zu erhalten, die die Beratung einzelner Fälle überflüssig machen sollten[73].

Entsprechend hatte der Rat gleich nach dem Religionsgespräch die Angabe all dessen verlangt, was noch geändert werden müsse. Die Theologen aber wollten angesichts des Bauernkrieges und der daraus resultierenden Vorwürfe gegen reformatorische Neuerungen keine weiteren Reformen vorschlagen. Als sie dann 1526 ans Werk gingen, gab es so große Meinungsverschiedenheiten, daß der Rat, da auch Melanchthons Einschaltung nicht weiterhalf, die ganze Sache sistierte. Die Reformation blieb im wesentlichen auf dem Stand von 1524 stehen[74].

Der Gedanke an eine abschließende Neuordnung kam erneut auf, als Spengler nach dem Vorbild Kursachsens und in Absprache mit Brandenburg-Ansbach eine gemeinsame Visitation betrieb, die dann 1528/29 von einer gemischten Kommission durchgeführt wurde. Dabei zeigte es sich, daß sich dank der Neubesetzung von Pfarren und Predigerstellen auch im Landgebiet allenthalben die Reformation durchgesetzt hatte[75]. Es war aber charakteristisch, daß angesichts der Klagen der Nachbarn beim Schwäbischen Bund und der bedrohlichen Lage, in die die Stadt durch ihr Verhalten in den Packschen Händeln gekommen war, im Rat die alten Fronten wieder aufbrachen und Osiander und Spengler erneut

72. Das Gutachten des Nürnberger Unbekannten und weitere darauf bezügliche Dokumente finden sich in: Johannes Brenz, Frühschriften Teil 2, hg. von *Martin Brecht, Gerhard Schäfer* und *Frieda Wolf*, 1974, 506–541. Dort ist auch die ältere Literatur genannt. Vgl. außerdem *Schmid*, Täufertum 271–309, und meinen in Anm. 51 genannten Aufsatz. Die Nürnberger Äußerungen zum Gutachten des Unbekannten werden ediert in Osiander 3, Nr. 147 und 148. Die strittige Verfasserfrage hat freilich der Bearbeiter, *Hans-Ulrich Hofmann*, auch nicht letztgültig klären können.

73. So z. B. bei dem Gutachten über die Frage, ob man die Stiftungen an die Stifter zurückerstatten müsse, vgl. Osiander 2, 176–194, Nr. 59, so auch bei den späteren Überlegungen zur Bestrafung der Täufer, vgl. *Schmid*, Täufertum, 182–204. Dabei ging die Initiative freilich nicht nur und immer vom Rat aus.

74. Vgl. die Einleitung zu Osianders Gutachten über die Zeremonien, Osiander 2, 242–249, Nr. 68.

75. Zur Visitation vgl. den kurzen Abriß ihrer Geschichte von *Simon* in: *Emil Sehling (Hg.):* Die evangelischen Kirchenordnungen des 16. Jahrhunderts Bd. 11, 1961, 113–125. Die Texte werden in verbesserter Form und mit weiterführenden Einleitungen ediert in Osiander 3, Nr. 96–98 mit den entsprechenden Beilagen.

zur Einigkeit mahnen mußten[76]. Doch waren verschiedene Ratsherren nicht mehr bereit, die Politik mitzutragen; sie schieden aus.

Wie sehr sich die Situation inzwischen geändert hatte, zeigte sich, als man nach Abschluß der Visitation an die Abfassung der Kirchenordnung dachte.

Den Theologen ging es in erster Linie um eine, die Erfahrungen der letzten Jahre einbringende Neuordnung des gottesdienstlich-kirchlichen Lebens. Der stellte Osiander – gut reformatorisch – eine große Einleitung über die christliche Freiheit voran, die jedes statisch-abschließende Verständnis der Kirchenordnung verhindern sollte[77].

Ganz anders Lazarus Spengler. Ihm war es um eine Lehrnorm für die Landgeistlichen zu tun. Denen hatte man bisher, wenn's nötig schien, Predigthilfen zukommen lassen – eine Predigt Osianders über die Freiheit im Bauernkrieg, eine Schrift desselben über die Täufer[78]. Jetzt wollte man Grundlegendes. Und der Tenor war klar: Gesetz und Ordnung – angesichts des Visitationsergebnisses wohl ein verständliches Interesse der Obrigkeit. *»Ob es dan guet sey, das die pfarrer auff dem landt dem groben volck, das doch, wie menigklich bekennen muß, … ungezogen, frey und unpendig worden ist, als es nye gewest, vyl von der cristenlichen freyhait predigen und nit vil mer das gesetz und desselben straff stattlich treyben, wie dann die sächsisch ordnung auch darauff reychlich gegründet ist, das bedenkt wol. Wollt Gott, die unverstendigen unbeschaidenen prediger, für die sollich visitationsordnung am meysten dienen muß, hetten von sollicher freihait bißhere beschaidner geprediget.«*[79] Spengler ließ deswegen von Osianders Kollegen heimlich einen zweiten Entwurf ausarbeiten – Anlaß für

---

76. Vgl. Osianders Gutachten über die weltliche Obrigkeit in Osiander 2, 51–65, Nr. 44, wo Osianders Neubearbeitung seiner älteren Schrift (vgl. oben Anm. 47) von 1528 im textkritischen Apparat berücksichtigt ist. Vgl. außerdem seine neue Vorrede in Osiander 3 und *Seebaß*, Apologia, 29–31 und 72.

77. Osianders Entwurf, der in der bisherigen Literatur (vgl. Anm. 75) nicht genügend gewürdigt worden ist, wird ediert in Osiander 3, Nr. 126.

78. Vgl. die beiden Schriften in Osiander 2, 79–100, Nr. 47, und Osiander 3, Nr. 94. Die Predigt aus der Bauernkriegszeit jetzt auch in: *Adolf Laube – Hans Werner Seiffert (Hg.):* Flugschriften aus der Bauernkriegszeit, 1975, 293–308; die Schrift gegen die Täufer wurde bereits publiziert von *Georg Andreas Will:* Beyträge zur Fränckischen Kirchen=Historie etc., 1770, 229–320 (druckgleich mit: *ders.:* Beyträge zur Geschichte des Anabaptismus in Deutschland, 1773, 229–320). In diesem Zusammenhang muß darauf aufmerksam gemacht werden, daß der Rat trotz seiner verschiedenen Maßnahmen gegen die Verbreitung von Schriften mit oberdeutscher Abendmahlslehre und seiner Mahnungen an die städtischen Prediger, in lutherischem Sinn über das Abendmahl zu predigen (vgl. *Bauer*, Gemeindebildungen, 126), keine gedruckte ›Belehrung‹ für die Pfarrer über die Zwinglianer veröffentlichen ließ.

79. Vgl. Spengler an Osiander, März 1530, gedruckt bei: *Urban Gottlieb Haußdorff:* Lebensbeschreibung Eines Christlichen Politici, nehmlich Lazari Spenglers etc., 1740 (im folgenden = *Haußdorff*, Spengler), 281–290, besonders 284 f. Das Schreiben wird auch ediert in Osiander 3, Nr. 134.

ein tiefgehendes, nie wieder geheiltes Zerwürfnis zwischen den beiden bestimmenden Männern der Nürnberger Reformation[80].

Tatsächlich hatte sich im Volk eine Wandlung vollzogen. Bauernkrieg und Konfessionalisierung hatten der evangelischen Bewegung Schwung und Raum genommen. Gottesdienstbesuch und Sakramentsempfang nahmen rapide ab, so daß sich in der Stadt schon 1526 das Problem der Messen ohne Kommunikanten von ganz neuer Seite stellte[81]. Auf dem Land waren die Verhältnisse noch schlimmer. Der Lorenzer Propst beklagte, daß Druckmittel wie Beichte und Begräbnisversagung fehlten. Vor allem der Jugend mangelte es an der geringsten Katechismuskenntnis. Gleichzeitig zeigte sich vor allem bei den Sakramenten die Macht der Tradition: Das Volk lief zur Elevation in die Kirche und sofort wieder hinaus[82]. Die Taufe wurde weiterhin direkt nach der Geburt als Nottaufe vollzogen und nicht selten zusätzlich die Konditionaltaufe verlangt, was entsprechende Klärungen forderte[83]. Und die Ernsten im Volk stieß das Theologengezänk ab. Meister Sachs klagte darüber, daß die Theologie voller Irrsal, Schwärmerei, voller Opinion und Meinung stecke, statt Gottes Wort in Einigkeit vorzutragen[84].

Doch scheint Spengler eine Festschreibung des Erreichten nicht nur im Blick auf das Volk, sondern auch den Rat gewünscht zu haben. Seine besten Freunde im Rat, die gleich ihm einen religiösen Umbruch erlebt hatten, starben allmählich weg (zB Nützel). Und Spengler vermochte sich nicht mehr in gewohnter Weise im Rat durchzusetzen[85]. Auch das zeigte die Arbeit an der Kirchenordnung.

Im Blick auf die erwähnten Zustände bei Jugend und Bevölkerung verlangten die Theologen mit Nachdruck die Kirchenzucht ermöglichende Anmeldung zum Abendmahl und das Recht zum Sakramentsausschluß. Ihnen stimmten Spengler und – mit gewissen Kautelen – ein Teil der Juristen zu[86]. Hepstein und

---

80. Spengler gehörte zu denjenigen in Nürnberg, denen nicht entging, daß es zwischen der Theologie Osianders und der Luthers durchaus Unterschiede gab, wie sich in der Frage der Messe ohne Kommunikanten, der Täuferbestrafung, der Konditionaltaufe und der Privatabsolution zeigte, vgl. dazu *Gottfried Seebaß: Das reformatorische Werk des Andreas Osiander*, 1967 (im folgenden = Seebaß, Osiander), 231–235, 254–262, sowie *Schmid*, Täufertum 247–255 und 258–264.

81. Vgl. dazu Osiander 2, 284–286, Nr. 68, und 375–381, Nr. 80.

82. Vgl. die ungedruckten Gutachten des Juristen Valentin Kötzler und des Propstes Hektor Pömer zum Entwurf der brandenburgisch-nürnbergischen Kirchenordnung aus dem Jahr 1530 im Germanischen Nationalmuseum, Merkel-Handschrift 129 (unfoliiert).

83. Vgl. *Gottfried Seebaß: Die Vorgeschichte von Luthers Verwerfung der Konditionaltaufe nach einem bisher ungedruckten Schreiben Andreas Osianders an Georg Spalatin vom 26. Juni 1531 (ARG 62, 1971, 193–206).

84. Vgl. das Zitat bei *Pfeiffer*, Nürnbergs Gemeinde, 60.

85. Vgl. den in Anm. 79 genannten Brief Spenglers an Osiander bei *Haußdorff*, Spengler, 287 f.

86. Vgl. dazu: *Seebaß*, Osiander, 236–238.

Scheurl aber warnten den Rat, er ›gürte sich das Schwert ab und gebe es andern, wenn er den Predigern das Sendgericht einräume‹. Die früheren Erfahrungen hätten gezeigt, daß *dy zwo obrigkeiten, dy zway schwert* über dem Bann *ineinanderwachsen* müßten. Man solle sich hüten, *ein aigne kirchen, jurisdiktion und tribunal* aufzurichten[87]. Alle Einwände Spenglers und selbst die Drohung der Theologen, eine Freiwilligkeitskirche aufzurichten, nützten nichts. Der Rat entschied gegen die Theologen. Und es half auch nicht, daß Osiander die Möglichkeit zur Kirchenzucht indirekt sichern wollte dadurch, daß er die allgemeine Absolution aus der Kirchenordnung strich und nur die private beließ. Die Sache wurde vom Volk bemerkt, der Rat verlangte Wiedereinführung. Und er befand sich dabei durchaus in Übereinstimmung mit der Bevölkerung, die offen aussprach, man sei zwar Untertan des Rates, nicht aber der Prediger[88]. Daher nützte es auch nichts, daß Osiander die Sache auf die Kanzel brachte. Der Rat sah's zwar nicht gern, aber Unterstützung aus der Bevölkerung kam nicht. Die verspottete den Kampf um die Privatabsolution beim Fastnachtsumzug und bedrohte den Lorenzer Prediger[89]. Die Zustände waren derart, daß Osiander und Linck immer wieder an Weggang aus Nürnberg dachten, sich dann aber, von Luther zum Bleiben ermahnt, wissenschaftlichen Arbeiten widmeten[90].

Auch in der Folgezeit zeigte sich, daß der Rat keinen Ansatz kirchlicher Organisation duldete. Er setzte niemals die vorgesehenen Superattendenten ein, sondern beaufsichtigte das Kirchenwesen durch einen Gesamtkirchenpfleger. Er ließ die Propststellen, die in den dreißiger und vierziger Jahren vakant wurden, unbesetzt und übte selbst die pfarrherrlichen Rechte aus[91]. Ebensowenig gestattete er, als zum erstenmal Geistliche angestellt werden mußten, die keine bischöfliche Weihe mehr erhalten hatten, den von Osiander vorgeschlagenen, schlichten Ordinationsakt nach Apg 1. Der Rat allein entschied nach Prüfung der Theologen über Anstellung und Versetzung – mehrfach Anlaß zu Auseinandersetzungen mit den Theologen[92]. Die Kirchenordnung verstand der Rat als abschließende Regelung. Änderungen daran ließ er nicht zu. Nur noch höchst selten brauchte das alte Beratergremium zusammenzutreten.

Politische Rücksichtnahme bestimmte zunehmend die Religionspolitik des Ra-

---

87. Vgl. das in Anm. 60 genannte Gutachten Scheurls, f. 211 v–217 v.

88. Berichtet im Gutachten Scheurls (vgl. Anm. 60), f. 215 rv.

89. Vgl. dazu: *Wilhelm Möller:* Andreas Osiander, 1870 (Neudr. 1965), 188 f., und *Bernhard Klaus:* Veit Dietrich, 1958 (im folgenden = *Klaus,* Dietrich), 166 f.

90. Vgl. Luther an Osiander vom 19. 9. 1532, WAB 6, 364. Zu Linck vgl. *Jürgen Lorz:* Das reformatorische Wirken Dr. Wenzeslaus Lincks in Altenburg und Nürnberg (1523–1547), theol. Diss. Erlangen 1975 (masch.), 296–299. Osiander arbeitete seitdem verstärkt an seiner ›Evangelienharmonie‹, vgl. *Seebaß,* Osiander 73 f.; Linck widmete sich der Übertragung einer italienischen Chronik, vgl. *Lorz,* 275–279.

91. Vgl. *Pfeiffer,* Nürnbergs Gemeinde, 50.

92. Vgl. Osianders Gutachten über die Zeremonien in Osiander 2, 273, 6–24, Nr. 68, und *Seebaß,* Osiander, 265–270.

tes. So hatte Scheurl eindringlich davor gewarnt, die Kirchenordnung offiziell im Namen des Rates erscheinen zu lassen[93]. Und tatsächlich war dieser nicht bereit, nachdem die Verhandlungen der Schmalkaldener über eine gemeinsame Kirchenordnung gescheitert waren, für sich allein einen solch weitreichenden Schritt zu tun. Die Kirchenordnung erschien als ein Werk der Theologen, das der Rat mit empfehlender Anordnung seinen Pfarrern weiterreichte[94]. Die gleiche Vorsicht zeigte sich in der sonstigen Kirchenpolitik. Der Rat weigerte sich standhaft, der Religionsfrage wegen irgendwelche Druckmittel gegen Kaiser und Reich anzuwenden, von einem Bündnis gegen den Kaiser ganz zu schweigen. Obrigkeitsverständnis und reichsstädtische Tradition standen dagegen[95]. Der Rat stand den Konzilsplänen und vor allem den kaiserlichen Religionsgesprächen stets aufgeschlossen gegenüber. Aus diesem Grund verzichtete man schließlich darauf, Osiander zu solchen Zusammenkünften abzuordnen[96].

Wie wenig Einfluß die Theologen noch hatten, zeigte sich in den entscheidenden Tagen des Interims. Des Rats beiderseitige Unterstützung der Gegner im Schmalkaldischen Krieg zahlte sich politisch aus, aber auch er wurde gezwungen, das Interim anzunehmen. Doch versagten die Theologen bei dessen Aufrichtung ihre Mitarbeit. Der Rat führte schließlich über ihre Köpfe hinweg und gegen die klaren Äußerungen aus der von den Predigern unterrichteten Bevölkerung die brandenburgisch-ansbachische Interimsregelung ein[97]. Damit war eine letzte Möglichkeit der Kirchenhoheit des Rates Wirklichkeit geworden, die zwar keineswegs einfach die folgenden Jahre prägte, die aber doch derart gravierend war, daß die beiden führenden Theologen der Stadt sie nicht ertrugen. Veit Dietrich hatte der Rat schon vor den Verhandlungen vom Predigtamt suspendiert[98], Osiander verließ im November 1548 heimlich die Stadt[99]. So bedeutet das Interim einen Einschnitt, mit dem meines Erachtens das Thema Stadt und Kirche in Nürnberg im Reformationszeitalter endet.

93. Vgl. das in Anm. 60 genannte Gutachten Scheurls, f. 197 r–201 r.
94. Vgl. *H. Westermayer:* Die brandenburgisch-nürnbergische Kirchenvisitation und Kirchenordnung 1528–1533, 1894, 89 und 110 f.
95. Vgl. die in Anm. 8 genannte Arbeit *Barons* sowie *Adolf Engelhardt:* Die Reformation in Nürnberg Bd. 2, 1937 (MVGN 34; im folgenden = *Engelhardt,* Reformation 2), 267–292.
96. Vgl. *Engelhardt,* Reformation 2, 346–402, und *ders.:* Die Reformation in Nürnberg Bd. 3, 1939 (MVGN 36), 25–50, sowie die treffende Charakterisierung der Nürnberger Politik durch *Pfeiffer,* Nürnberg, 164–167.
97. Vgl. die ausführliche Darstellung bei *Klaus,* Dietrich, 249–299. Die Stellung der Theologen hat eingehend untersucht: *Gerhard Pfeiffer:* Die Stellungnahmen der Nürnberger Theologen zur Einführung des Interims (Humanitas – Christianitas. Festschrift Walther von Loewenich, 1968, 111–133).
98. Vgl. *Klaus,* Dietrich, 261–269.
99. Vgl. dazu *Seebaß,* Osiander, 101–110, sowie *Martin Stupperich:* Das Augsburger Interim als apokalyptisches Geschehnis nach den Königsberger Schriften Andreas Osianders (ARG 64, 1973, 225–245).

Martin Brecht

Die gemeinsame Politik der Reichsstädte
und die Reformation[1]

Den Reichsstädten wird bekanntlich in den Arbeiten von Moeller, Hall, Dikkens, Ozment und anderen eine immer bedeutendere Rolle in der Reformationsgeschichte eingeräumt. Dies geschieht fast durchweg aufgrund einer Beschäftigung mit einzelnen Städten und ihren politischen, sozialen, wirtschaftlichen und religiösen Strukturen. Wenn aber die Behauptung von der Bedeutung, die die evangelische Reichsstadt für die Reformation gehabt haben soll, nur einigermaßen zutrifft, dann muß man die in den bisherigen Untersuchungen nahezu ganz unterbliebene Frage nach der politischen Rolle dieser Städte in der frühen Reformation stellen und das heißt nach ihrer Rolle in der Reichspolitik. Hierbei handelt es sich um ein weithin noch unentdecktes Kapitel der Reformationsgeschichte. Nebenbei stößt man mit dieser Frage in den politischen Äußerungen der Städte auf klare Angaben über die primär religiöse Motivation ihres Handelns, die nicht beiseite geschoben werden können.

Konnten die der Reformation zuneigenden Städte ihr geistiges, finanzielles und bevölkerungsmäßiges Gewicht im Reich zur Geltung bringen oder blieb die Stadtreformation ein vorwiegend kulturelles, religiöses Phänomen? Die Frage ist gewiß komplex, denn schon vor der Reformation war die politische Position der Städte im Reich keineswegs stabil. Ein weiteres Problem ist, inwiefern es überhaupt ein gemeinsames Handeln und Verhalten der Städte gab. Bis 1529 wird man davon reden können und zwar deshalb, weil die gemeinsame Politik der Städte vor allem bestimmt wurde durch jene drei großen Kommunen Straßburg, Nürnberg und Ulm samt ihren Satelliten, die sich schon früh und sehr bewußt für die Reformation entschieden hatten. Den Führern der evangelischen Reichsstädtepolitik war ihre Aufgabe eigentlich durchweg Gewissenssache und sie dienten ihr durchdrungen von einer religiösen Verantwortung. Nach dem, was sich erkennen läßt, haben die anderen an der Reformation nicht unmittelbar interessierten Städte die Politik einer entschlossenen Minderheit aus einer hergebrachten Solidarität der Städte untereinander zunächst mitgetragen.

Eine selbständige Religionspolitik der Reichsstädte gab es seit dem Nürnberger Reichstag 1524. In jenem Jahr sind in einigen Städten die ersten Entscheidungen für die Reformation gefallen. Als der Reichstagsabschied die Einhaltung des Wormser Edikts wieder einigermaßen verbindlich machte, haben die Städte

---

1. Dieses Kurzreferat gibt in groben Strichen die Grundgedanken eines Aufsatzes wieder, der 1977 in der Zeitschrift der Savignystiftung für Rechtsgeschichte, Kan. Abt. erschienen ist.

aufgrund von Nürnberger und Straßburger Vorschlägen mit ihrer Protestation dagegen einen Schritt unternommen, dessen Bedeutung für die Reformationsgeschichte bisher m. E. nicht genügend erkannt worden ist. Maßstab für Predigt und Handlungen sollte die Schrift sein. Gott ist vor dem Kaiser zu gehorchen. Aufgrund der Nürnberger Protestation haben Ulm und Nordhausen evangelische Prediger angestellt. Die Protestation hat darüberhinaus die Politik der Reichsstädte im Jahr 1524 und auch später noch bestimmt. Als für die Städte der Nürnberger Abschied dann doch verbindlich gemacht wurde und ihnen Sanktionen des Reichsregiments drohten, haben sie sich im Juli auf dem Städtetag in Speyer neu abgestimmt. Sie blieben dabei: Die Norm für die Predigt sollte das schriftgemäße Evangelium sein. Nachdem das in Nürnberg für den Herbst projektierte Nationalkonzil in Speyer vom Kaiser verboten und wiederum die Befolgung des Wormser Edikts gefordert worden war, kamen die Städte im Dezember in Ulm erneut zu einem Städtetag zusammen. Dessen Hauptergebnis war ein Schreiben der Städte an den Kaiser: Den Städten geht es nicht um Luther, aber dem Evangelium muß man anhängen. Das darf durch Mandate von Kaiser, Reich und Kurie nicht verboten werden. Im Zeitlichen will man dem Kaiser gehorsam sein. Die Motive, aus denen die Städte handeln, sind Gottes Ehre, die Nächstenliebe, die Verkündigung der göttlichen Wahrheit und die Mehrung der Wohlfahrt im Reich. Außerdem wurden in Ulm Maßnahmen abgesprochen, falls gegen eine Stadt wegen der Religionsfrage mit der Acht vorgegangen werde. Seit dem Nürnberger Reichstag von 1524 bildeten die evangelischen Reichsstädte den zweiten wichtigen evangelischen Block im Reich neben Kursachsen. Ihre gemeinsame Politik war 1524 wesentlich durch religiös-reformatorische Gesichtspunkte bestimmt.

In die theologische Fundierung der Reichsstadtreformation gewinnt man Einblick durch die an sich für das nicht zustandegekommene Speyrer Nationalkonzil erarbeiteten und dann auf dem Ulmer Städtetag vorgelegten theologischen Gutachten der Städte, in denen eine der frühesten Stufen evangelischer Bekenntnisbildung erhalten ist. Überliefert sind die Gutachten von Konstanz, Nürnberg, Hall, Nordhausen, Windsheim und wahrscheinlich auch von Straßburg. Sie alle gehen vom Schriftprinzip aus, dies jedoch nicht pauschal, sondern sofort zentriert durch die Rechtfertigungslehre. Von daher wird dann die bisherige Auffassung von den Sakramenten, Amt und Kirchengebräuchen kritisiert. Konkret gefordert wird zunächst durchweg die Freigabe der evangelischen Predigt, gelegentlich kommen weitere Einzelforderungen hinzu. Lediglich Konstanz argumentierte ausgehend von den Gravamina weniger theologisch und legte statt dessen schon einen kompletten Neuordnungsvorschlag für das Kirchenwesen vor. In ihrer frühesten Phase scheint die Reichsstadttheologie doch erheblich von Luther beeinflußt gewesen zu sein und nicht vorwiegend von Zwingli, wie immer wieder behauptet wird. In den Anfängen ist eine Differenz zwischen lutherischer und oberdeutscher Stadtreformation nicht zu erkennen.

Der Bauernkrieg war dem Zusammenhalt der Städte in Sachen der Reformation nicht eben förderlich. Aber im Zusammenhang mit dem Speyrer Reichstag 1526 wird die gemeinsame Reformationspolitik der Städte sofort wieder erkennbar und zwar bereits in der ersten Phase, als Kursachsen und Hessen noch nicht auf dem Reichstag vertreten waren. Wieder trieben die Städte eine religiös motivierte Politik; das gilt übrigens auch noch weithin für den zweiten Speyrer Reichstag. Die Städte verwiesen sofort auf ihre Nürnberger Protestation und die Unmöglichkeit der in der Proposition geforderten Durchführung des Wormser Edikts. Sie waren erneut zu Protestation und Appellation entschlossen. Außerdem drangen sie energisch auf Abstellung der Mißbräuche. Darauf insistierten sie gerade auch in jenem entscheidenden Moment, als Erzherzog Ferdinand mit der Nebeninstruktion den Reichstag von der Religionsfrage abdrängen wollte, und durchkreuzten so die kaiserliche Politik. Auf Straßburgs Vorschlag hin wurde ein Ausschuß mit der Religionsfrage befaßt. Von den Städten stammte die bei ihnen geläufige Idee einer Gesandtschaft an den Kaiser zu dessen Unterrichtung über die religiöse Lage im Reich. So haben die Städte zusammen mit Kursachsen und Hessen wesentlich dazu beigetragen, daß es zu jenem wichtigen Beschluß kam, der die Verantwortung für reformatorische Maßnahmen wesentlich den einzelnen Reichsständen überließ und der die Rechtsgrundlage für die Einführung der Reformation in manchen Territorien und Städten geworden ist. In der Folgezeit war die gemeinsame Reformationspolitik der Städte auf den Städtetagen und den Bundesstädtetagen des Schwäbischen Bundes von dem einen Interesse geleitet, die Speyrer Regelung zu erhalten. Das ist zunächst auch weithin gelungen. Dabei zeigte sich aber eine Gruppe kleinerer Reichsstädte immer weniger gesonnen, die evangelische Politik der Städte mitzutragen; sie verfolgte vielmehr eine katholisch-habsburgische Politik.

Für die gemeinsame reformatorische Städtepolitik wurde der zweite Speyrer Reichstag von 1529 folgenreich. Zwar haben auch diesmal die evangelischen Städte ihren konstruktiven Beitrag geleistet. Zuerst hat man wohl in Nürnberg an eine Protestation und Appellation gedacht. Aber als es um die Annahme des das Wormser Edikt wieder in Kraft setzenden Mehrheitsbeschlusses ging, zerbrach die Solidarität der Städte, wobei es zwischen der bewußt evangelischen und der bewußt katholischen Gruppe eine Reihe schwankender Kommunen gab, die sich dann teils der Protestation zunächst anschlossen, teils von ihr Abstand nahmen. Daß die protestierenden Städte ein großes Risiko eingingen, war klar. Äußere Vorteile konnten sich nur die dem Kaiser gehorsamen Städte versprechen.

Der Speyrer Abschied und die Protestation dagegen haben dann dazu geführt, daß die Bündnisbildung bei den Protestanten, die seit 1525 im Gespräch war, in Gang kam. Dabei ging es um zwei parallele Projekte: das protestantische Fürstenbündnis mit Nürnberg, Ulm und Straßburg und das oberschwäbische Städtebündnis unter der Führung Ulms, das möglicherweise ausweitbar war auf die Schweiz. Aber nicht genug damit, daß die Solidarität der Städte zerbrochen war, hatte es sich schon in Speyer 1529 angedeutet, daß die zwinglianische Abschaffung der Messe in Straßburg zum Spaltpilz für das große protestantische Bündnis werden konnte. Nunmehr (nicht früher) wirkte sich der innerprotestantische theologische Konflikt politisch aus. Trotz dem Marburger Religionsgespräch lehnten die Lutheraner Anfang Dezember 1529 in Schmalkalden ein Bündnis mit Straßburg und dann auch mit Ulm ab, weil diese beiden Städte die Annahme eines lutherischen Bekenntnisses, der sog. Schwabacher Artikel, verweigerten. Außerdem gab es grundsätzliche Bedenken (u. a. auch bei Nürnberg) über die Berechtigung des Widerstandes. So kam zunächst überhaupt kein protestantisches Bündnis zustande. Die einzelnen protestantischen Stände, gerade auch die Städte, mußten sehen, wie sie sich mit dem Kaiser arrangierten. Am schlimmsten wurde dadurch die Ulmer Reformationspolitik getroffen, die jetzt zeitweise völlig aus dem Ruder lief und ein klägliches Bild abgab, weil sie sich nicht mehr von ihren religiösen Prinzipien, sondern von taktischen Gesichtspunkten leiten ließ. Im Lauf des Augsburger Reichstags 1530 tat sich ein Teil der Städte mit Kursachsen, Hessen und Brandenburg-Ansbach zusammen. Getrennt davon blieb die oberdeutsche Städtegruppe. Dazwischen gab es unter den Städten einige isolierte Einzelgänger. Was es auf diesem Reichstag eigentlich nicht gab, war ein gemeinsames Handeln der Städte. Erst der rauhe Augsburger Abschied hat die protestantischen Städte und Fürsten zum großen Teil wieder im Schmalkaldischen Bund zusammengebracht, wobei Straßburg und Ulm die führenden Bundesstädte waren, während Nürnberg sich nunmehr abseits hielt. Die Städte gerieten dabei alsbald wieder in den Sog des Luthertums. Reichspolitisch erscheint der städtische Zwinglianismus als Episode. Zwar haben Straßburg, Nürnberg oder Magdeburg je für sich und auf ihre Weise auch später noch einen bedeutenden Anteil an der Reformationsgeschichte. Aber neben den Territorien haben die evangelischen Städte gemeinsam nie mehr die große Rolle in der Reformationsgeschichte gespielt – vollends nicht nach den Eingriffen Karl V. in die Stadtverfassungen nach dem Schmalkaldischen Krieg – wie in den 20er Jahren, als sie eine entscheidende, bisher wohl unterschätzte Kraft in der deutschen Reformation waren.

Kurt Maeder

Die Bedeutung der Landschaft für den Verlauf des reformatorischen Prozesses in Zürich (1522–1532)

Einleitung

In den zahlreichen Untersuchungen und Darstellungen zum Thema ›Reformation in Zürich‹ findet man kaum substantielle Beiträge zu unserer Fragestellung. Das Interesse der Forschung richtete sich beinahe ausschließlich auf die Stadt Zürich und die dort in Erscheinung tretenden Hauptakteure des Geschehens, nämlich auf Zwingli und seinen Freundeskreis einerseits, auf den Rat als städtische Obrigkeit andererseits[1]. Während die spektakulären Ereignisse im Zusammenhang mit den beiden Zürcher Disputationen die Aufmerksamkeit der Geschichtsschreibung voll in Anspruch nehmen, geschieht auf der Landschaft nichts von auch nur annähernd vergleichbarer Bedeutung. Tatsächlich, die Reformation scheint ein ausschließlich städtisches Ereignis zu sein. In der Stadt werden die Initiativen ergriffen, in der Stadt werden die Entscheidungen gefällt. Die Landschaft spielt die Rolle des Statisten. Eine ernsthafte Beachtung findet die Landschaft erst ab 1524/25, als die Bauernunruhen die städtische Obrigkeit in Zugszwang versetzen und die Landbevölkerung sich als besonders anfällig für die täuferische Agitation erweist. Aber auch diese beiden Umstände vermochten die Aufmerksamkeit der Geschichtsschreiber nicht auf längere Zeit für die Belange der Landschaft zu gewinnen. Diese blieb, was sie schon vorher war: ein Nebenschauplatz ohne besondere Attraktion. Die einzige neuere Arbeit, die sich dem Problem »Reformation und Landschaft« widmet, trägt den Titel »Annahme und Durchführung der Reformation auf der Zürcher Landschaft in den Jahren 1519 bis 1530«[2]. Allein schon durch diese Formulierung beweist der Autor, daß er sich die traditionelle Optik zu eigen gemacht hat, die mit dem Problem »Reformation und Landschaft« keine Probleme hat.

In seinem Forschungsbericht Stadt und Reformation weist Hans-Christoph Rublack ganz am Schluß darauf hin, daß die Rolle der städtischen Territorien innerhalb des Prozesses der städtischen Reformation systematisch untersucht

---

1. Vgl. *Leonhard von Muralt:* Renaissance und Reformation (Handbuch der Schweizer Geschichte Bd. 1, 1972, 431–526).

2. *Peter Heinrich Huber:* Annahme und Durchführung der Reformation auf der Zürcher Landschaft in den Jahren 1519 bis 1530, Diss. phil. I Zürich, Zürich 1972.

werden müßte. Meine nachfolgenden Ausführungen möchten für den Fall Zürich einen Beitrag in dieser Richtung leisten. Dabei beschränke ich mich bewußt auf die direkt und offenkundig mit der Reformation verbundenen und durch diese manifest gewordenen Probleme. Der tieferliegende Konflikt zwischen städtischer Obrigkeit und untertäniger Landschaft, der seit Jahrzehnten unterschwellig vorhanden ist und als potentieller Krisenherd jederzeit akut werden könnte, soll bewußt und vielleicht auch etwas künstlich aus der folgenden Betrachtung ausgeklammert bleiben.

Die Landschaft in der Anfangsphase der Reformation

Ungefähr zur gleichen Zeit, da in Zürich mit dem Fastenbruch bei Froschauer die Debatte um den Leutpriester am Großmünster und dessen Predigt zu einem erstrangigen Politikum wurde, erfaßte die Unruhe vereinzelt auch die Landschaft. Während in der Stadt aber zunächst Fragen der kirchlichen Tradition und Disziplin am Maßstab des Evangeliums geprüft wurden, also Fastengebot, Priesterehe, Bilderverehrung, Messe im Vordergrund der Auseinandersetzung standen, richteten sich die Erwartungen auf der Landschaft sofort auf eine neue Freiheit, die das Evangelium dem armen Manne bringen würde. Selbst wenn man auf der Landschaft keine genaue Kenntnis über das wesentlich reformatorische Anliegen haben konnte, wußte man doch soviel, daß der Großmünsterpfarrer mit dem lautern Evangelium gegen die alte Ordnung der Mönche und Pfaffen zu Felde zog. Jene Kreise, die sich der neuen Predigt entgegenstellten, waren für die Bauern identisch mit solchen Personen oder Instanzen, die Zehntabgaben bezogen oder anderweitige Leistungen beanspruchten. War es da nicht einleuchtend, daß sich sensibilisierte Leute auf der Landschaft mit dem vermeintlich in der Stadt gefährdeten Leutpriester solidarisierten und die eigenen Hoffnungen mit dessen Erfolg verbinden mußten? Im April 1522 mußte ein Mann vor dem Rat verwarnt werden, weil er zu einem Einfall der Landschaft in die Stadt geraten und gesagt hatte, »*die sach stuende uf denen uf dem land, damit der lütpriester möcht bliben*«[3]. Bekanntlich erwies sich diese Einschätzung der Lage als völlig falsch. Zwingli wurde von der Obrigkeit nie bedroht oder in seiner Predigt ernsthaft eingeschränkt. Vielmehr gewann er den Rat schon früh zum Partner und Protektor der kirchlichen Erneuerung. Mit Sicherheit hat Zwingli nie an ein Zusammengehen mit der Landschaft, also an eine revolutionäre Aktion zur Durchsetzung der Reformation gedacht. Spätestens Ende 1523 mußte für jeden informierten Beobachter klar geworden sein, daß die Obrigkeit und Zwingli als Konsequenzen des Evangeliums nicht das gleiche erwarteten wie die Bauern der Zürcher Landschaft. Angesichts der sich dort häufenden Fälle von versuchter und vollzogener Zehntverweigerungen erklärte sich Zwingli schon im Spätsom-

3. AZürcher Ref Nr. 238.

mer 1523 gegen diese Praxis und befürwortete die Aufrechterhaltung der bestehenden Ordnung[4]. Die Allianz zwischen Reformator und Obrigkeit war derart eng und für beide Teile von so existentieller Bedeutung, daß sich Zwingli jedes Liebäugeln mit den Bauern versagen mußte. Mit der Aufhebung der Klöster als geistliche, nicht aber als ökonomische Institutionen, demonstrierte die Obrigkeit eindrücklich, daß sie mit der kirchlichen Veränderung nicht eine materielle Besserstellung der bäuerlichen Untertanen anstrebte. Von der Stimmung auf der in ihrer Erwartung enttäuschten Landschaft lassen sich keine einheitlichen und repräsentativen Eindrücke gewinnen. Aktenkundig werden eben nicht Gefühle und Gedanken, sondern nur handfeste Verletzungen der geltenden Rechtsordnung, wobei die unruhige Zeit vielleicht auch diesbezüglich eher großzügig verfahren mußte. Lokale Manifestationen des Unwillens, besonders gegen Person und Haus des Pfarrers gerichtet, kamen zwar relativ häufig vor, mußten aber die Obrigkeit noch kaum ernsthaft beunruhigen. Kritisch wurde die Lage erst mit dem Sturm auf die Karthause Ittingen, einer Aktion zürcherischer Bauern, die ohne Wissen der Obrigkeit durchgeführt wurde und Zürichs Beziehungen zu den übrigen eidgenössischen Orten noch um einige Grade verschlechterte. Der sogenannte Ittinger Sturm war zwar nicht gegen die eigene Obrigkeit gerichtet, bedeutete aber gleichwohl den Auftakt zu einer Phase der gefährlichen Konfrontation zwischen städtischer Obrigkeit und untertäniger Landschaft[5].

Das Jahr 1525 als kritische Phase

Die beiden Zürcher Disputationen hatten die kirchliche und politische Lage in der Stadt Zürich weitgehend geklärt und damit auch konsolidiert. Völlig anders dagegen lagen nach 1523 die Verhältnisse auf der Landschaft, wo durch Unsicherheit und Enttäuschung eine kritische Situation entstanden war. Die Krise von 1525 hatte nicht eine einzige, klar bestimmbare Ursache; vielmehr entstand die krisenhafte Lage durch das Zusammentreffen und den kumulativen Effekt verschiedener Faktoren, die in gleicher Richtung wirkten, nämlich auf eine massive Belastung des Verhältnisses zwischen schon reformierter Stadt und Herrschaft einerseits und einer weitgehend desorientierten untertänigen Landschaft anderseits. In aller Kürze sollen hier vier der wichtigsten Aspekte dieser Krise von 1525 beleuchtet werden.

4. Vortrag Zwinglis vor dem Rat betreffend Zehnten: AZürcherRef 425 (September 1523). Vgl. dazu auch ebd. 426.
5. Über den Ittinger Sturm vgl. Heinrich Bullingers Reformationsgeschichte, hg. von *J. J. Hottinger* und *H. H. Vögeli*, Bd. 1, 1838, 180 ff. (zit.: Bullinger); Johannes Stumpfs Schweizer- und Reformationschronik 1. Teil, hg. von *Ernst Gagliardi, Hans Müller* und *Fritz Büsser*, 1952, 203–233 (zit.: Stumpf); Die Chronik des Laurencius Bosshart von Winterthur, 1185–1532, hg. von *Kaspar Hauser*, 1905, 103–106.

1. Die Durchsetzung der Reformation

Auf der Zweiten Zürcher Disputation, zu der sich auf Befehl der Obrigkeit auch die gesamte Geistlichkeit der Landschaft einzufinden hatte, wurde der reformatorische Kurs für Stadt und Land verbindlich erklärt. In der Folge begann die systematische Durchführung der Beschlüsse bezüglich Bilder, Priesterehe, Sakramente etc. Damit wurde grundsätzlich jedermann im zürcherischen Herrschaftsbereich direkt mit der Reformation konfrontiert[6]. Jetzt wußte jedermann aus eigenster Anschauung, was es mit dem Evangelium auf sich hatte. Für alle jene, die sich nicht schon vorher positiv mit dem kirchlichen Reformprogramm auseinandergesetzt hatten und die Veränderungen grundsätzlich bejahten, trat die Reformation als obrigkeitliche Maßnahme in Erscheinung. Eine allfällige Ablehnung der kirchlichen Neuerung durch einzelne oder ganze Dorgenossenschaften bedeutete Widersetzlichkeit gegen die Obrigkeit. Die Tatsache, daß die Reformierung der Zürcher Landschaft keine katholischen Märtyrer produziert hat, sollte nicht zur Annahme verleiten, die kirchliche Veränderung hätte keine Opposition gefunden. Widerstand manifestierte sich zwar kaum offen und direkt, nährte aber die latente Unzufriedenheit und konnte bei anderer Gelegenheit und unter anderem Vorwand in Erscheinung treten.

2. Die Hoffnungen auf das »wahre« Evangelium

Jene Kreise, die sich von der freien Predigt des Evangeliums eine wesentliche Verbesserung ihrer ökonomischen Lage erhofft hatten und durch die Aussagen mancher Pfarrer in dieser Richtung bestärkt worden waren, mußten nun erkennen, daß das Evangelium in der Stadt etwas anderes bedeutete als in den Köpfen der Bauern[7]. Allerdings fiel es weiterhin schwer, sich mit dieser enttäuschenden Einsicht endgültig abzufinden. So erklärte beispielsweise die Gemeinde Männedorf im Juni 1525 gegenüber den gnädigen Herren von Zürich: *»Und uf sömlichs so ist unser demüetig pitt und beger nachmals, ir wellind dem helgen Evangelium nachgan und dasselbig strax verkünden lan und dasselbig üfnen, wie ir von anfang uns zuogesagt hand, in hoffnung, es werde mängem bidermann etlichs durch das gotswort abgan, darmit jetz der arm mann beschwert ist.«* Und weiter geht es mit der Feststellung: *»... aber uns will bedunken, der eigennutz syge noch nit erloschen und welle dem gmeinen mann wenig abgan und sygind etlich prädicanten in unser Herren gebieten, die habint anfangs des helig Evangelium verkündt, die fahind jetz an hindersich zuofen.«*[8] Die Enttäuschung der Landschaft macht sich aber nicht nur in Worten Luft. Verschiedentlich kam es nun auch zu

---

6. AZürcherRef 436; Bullinger 1, 135–137.

7. Besonders illustrativ für diese Problematik ist der Konflikt zwischen Pfarrer Gregor Lüthi und der Gemeinde Richterswil einerseits und dem Schaffner der Johanniterkomturei Wädenswil anderseits. Vgl. dazu Stumpf 1, 178 f.; AZürcherRef 427.

8. AZürcherRef 744.

Spontanaktionen gegen Pfarrhäuser und Klöster[9], wobei vor allem Weinkeller und Vorratskammern geplündert wurden. Diese Unternehmungen waren zwar primär Heischezüge einer mutwilligen Jungmannschaft und erst sekundär revolutionäre Aktionen mit ernsthaften Absichten. Angesichts der Bauernunruhen im nördlichen Nachbargebiet reagierte die Obrigkeit sehr empfindlich, und die Landschaft erhielt die Möglichkeit, ihre Wünsche und Beschwerden in schriftlicher Form vorzutragen[10].

3. Die Frage der eidgenössischen Gesinnung

Als besondere Gefahr für die Zürcher Obrigkeit erwies sich die immer deutlicher akzentuierte Feindschaft der Fünf Orte, die eine relativ geschlossene antireformatorische Linie verfolgten. Auf der Landschaft betrachtete man diese zunehmend schärfer geführte Kontroverse zwischen Zürich und den katholischen Eidgenossen mit größter Besorgnis. In zahlreichen Antworten der Gemeinden auf eine entsprechende Anfrage der Obrigkeit wurde der dringende Wunsch geäußert, alles zu tun, um eine weitere Verschlechterung der Beziehungen zu den Eidgenossen zu verhindern[11]. Während für die Landschaft, insbesondere für jene Gebiete, die im gefährdeten Grenzraum lagen, ein elementares Sicherheitsbedürfnis im Vordergrund stand, mußte die Stadt noch einen anderen Aspekt im Auge behalten. Von seiten der katholischen Orte wurde immer Zürich für den Streit zwischen den Eidgenossen verantwortlich gemacht. Die dabei angeführten Argumente mußten trotz der immer wieder unternommenen Gegenbeweise Zürichs in den Ohren der zürcherischen Untertanen einigermaßen glaubhaft getönt haben. Wie schon vor knapp hundert Jahren im Alten Zürichkrieg, wäre es demnach wieder die Stadt Zürich, die sich uneidgenössisch verhielt und damit die Spaltung und vielleicht gar den Untergang der Eidgenossenschaft verursachte[12]. Die Gefahr, daß es den Fünf Orten gelingen könnte, die Stadt Zürich in den Augen ihrer untertänigen Landbevölkerung als Urheberin aller Unruhe in der Eidgenossenschaft darzustellen und zugleich die Loyalität der Untertanen gegenüber der Obrigkeit mit einem Appell zur Solidarität gegenüber den Eidgenossen zu unterlaufen, sollte bis zur Wende von 1531 mehr oder weniger akut bleiben.

4. Die Täuferfrage

In diese schon reichlich gärende Situation hinein wirkte nun auch noch die Täuferfrage. Gerade zu dem Zeitpunkt, da die landschaftliche Agitation und Fru-

---

9. AZürcherRef 696. 699; Stumpf 1, 253 ff.

10. AZürcherRef 702. 703. 710. 729.

11. AZürcherRef 589. Die Antworten der Landgemeinden auf eine entsprechende Loyalitätsforderung der Obrigkeit ebd. 256–264.

12. Zu dieser Problematik vgl. auch *Kurt Maeder:* Die Via Media in der Schweizerischen Reformation. Studien zum Problem der Kontinuität im Zeitalter der Glaubensspaltung, 1970, 170–177.

stration ihren Höhepunkt erreichten, artikulierten die Täufer Erfahrung und Stimmung zahlreicher Bauern: Mißtrauen oder offene Ablehnung der in obrigkeitlichem Auftrag wirkenden Geistlichen, die durch ihre Konformität nicht gerade an Glaubwürdigkeit gewonnen hatten; noch größeres Mißtrauen gegenüber einer wenig kompromißwilligen Obrigkeit; schließlich aber auch eine Hoffnung, daß es doch noch wahre Verkünder der evangelischen Botschaft gebe. Nochmals soll hier die Gemeinde Männedorf zu Wort kommen: »... *so habent wir vernommen, daß unser Herren von Zürich etlich prädicanten uss iro gericht und piet schickend, und aber dieselbigen vermeinend, si habint nüt anders predigot, dann das helig gottswort: das wüssind si mit der helgen geschrift ze bewisen. Das uns beduret. Haruf, gnädigen lieben Herren, ist unser demüetig pitt an üch: wer der syg, prädicanten ald puren, die von Gott erlüchtet sygind, das helig Evangelium ze verkünden, damit das helig gottswort an tag köme ...«*[13] Man darf ohne Risiko feststellen, daß die Täuferbewegung auf der Zürcher Landschaft einen nicht unwichtigen Beitrag zur Entfremdung zwischen christlicher Obrigkeit und untertäniger Bauernschaft geleistet hat.

Beruhigung im Zeichen der politischen Erfolge Zürichs (1526–1531)

Trotz der eben genannten Konfliktsmomente ist es 1525 nicht zu einer umfassenden Aufstandsbewegung der Zürcher Landschaft gekommen. Ein besonderer Erfolg der Obrigkeit war zweifellos auch die Verhinderung eines engeren politischen Zusammenschlusses der Landschaft im Sinne einer landständischen Organisation und Repräsentation. Selbst wenn man aber das taktische Geschick der Zürcher Führungsschicht angesichts der Krise von 1525 anerkennt, muß anderseits festgehalten werden, daß keines der grundsätzlichen Probleme wirklich gelöst worden ist. Die Konfliktsherde wurden unter Kontrolle gebracht, das Verhältnis zwischen Stadt und Landschaft aber nicht entspannt. In dem Maße aber, wie das reformierte Zürich im eidgenössischen Raum politische Erfolge errang, konnte es auch gegenüber der Landschaft wieder sorgloser und konsequenter vorgehen. Die intensive Mandattätigkeit und besonders die Einrichtung der Synode 1528 sind Manifestationen der obrigkeitlichen Entschlossenheit, die Lage wieder vollumfänglich unter Kontrolle zu bringen[14]. Auf die in der Anfangszeit der Reformation und im Krisenjahr 1525 intensiv praktizierten Volksanfragen wurde jetzt gänzlich verzichtet. Die Herrschaft der Stadt schien gefestigter denn je, bis im Spätherbst 1531 der Zweite Kappeler Krieg eine radikale Wende brachte.

13. AZürcherRef 744.
14. AZürcherRef 1383; Bullinger 2, 3–6.

Die Herrschaftskrise nach Kappel (1531/32)[15]

Zürich hatte seit 1529 eine aggressive Politik gegenüber den katholischen Orten betrieben und sich dabei nie um die Meinung der untertänigen Landschaft gekümmert. Als am 9. Oktober 1531 die Fünf Orte Zürich den Krieg erklärten, verhielten sich die zürcherischen Untertanen loyal und befolgten den Marschbefehl, obwohl dieser innereidgenössische Krieg sehr unpopulär war. Nichts wies darauf hin, daß die Landschaft sich in diesem Augenblick der größten Gefahr von der Sache der Stadt distanzieren würde. Erst nach zwei massiven Niederlagen und angesichts einer offenkundigen militärischen und politischen Führungsschwäche Zürichs, regte sich der Widerstand der Landschaft. Die massiven Auflösungserscheinungen im zürcherischen Heer überstiegen das normale Maß eidgenössischer Disziplinlosigkeit und wurden begleitet von einer politischen Agitation, die schon rasch zu konkreten Forderungen der Landschaft gegenüber der Obrigkeit führte. Die katholischen Orte ihrerseits nützten die günstige Lage aus, um mit Vertretern der Zürcher Landschaft in Verhandlungen zu treten. Unter einem vielfältigen Druck der friedenswilligen Landschaft und in Ermangelung einer eigenen entschlossenen Führungskonzeption, schloß Zürich am 16. November 1531 mit den Fünf Orten Frieden. Damit hatte sich die Stadt zwar vor einem offenen Abfall ihrer Untertanen bewahrt, jedoch um den Preis einer schweren Verärgerung ihrer reformierten Bundesgenossen. Das dergestalt isolierte Zürich war in einer schwachen Position, als die Vertreter der Landschaft am 28. November dem Rat einen Forderungskatalog vorlegten, worin Mitsprache der Landschaft bei Bündnisschlüssen und Kriegserklärungen, Einschränkung der politischen Aktivität der Prädikanten und Bestrafung der für den Krieg Verantwortlichen verlangt wurden. Schon wenige Tage später, am 9. Dezember 1531, konnten die Vertreter des Landes einen durch den Stadtschreiber redigierten Text in Empfang nehmen, der im Detail der Formulierung etwas gemildert war, in der Sache aber die Forderungen der Bauern vollumfänglich enthielt. Mit dem »Kappeler Brief« hatte die Landschaft einen Erfolg erzielt, der ihr 1525 versagt geblieben war. Die gewaltige Machtsteigerung der Stadt, die diese durch die Förderung der Reformation und durch die Zusammenarbeit zwischen Obrigkeit und der von Zwingli geführten Kirche in den letzten Jahren erfahren hatte, wurde abrupt gestoppt und teilweise rückgängig gemacht. Noch einmal hatte die landschaftliche Reaktion einen Erfolg erzielt in ihrem langen und hartnäckigen Kampf gegen den modernen Obrigkeitsstaat.

Zum Schluß: Wer die Entwicklung der Reformation in Zürich verfolgt, stellt fest, daß Reformation zunächst tatsächlich ein städtisches Ereignis war, von städ-

---

15. Zum folgenden Abschnitt vgl. *Kurt Maeder:* Die Unruhe der Zürcher Landschaft nach Kappel (1531/32) oder: Aspekte einer Herrschaftskrise (Zwingliana XIV, 1974/75, 109–144); ferner *Helmut Meyer:* Der Zweite Kappeler Krieg. Die Krise der Schweizerischen Reformation, 1976, 140 ff.

tischer Initiative getragen wurde und städtischen Interessen diente, daß das große Schlagwort Evangelium aber auch auf der Landschaft vernommen wurde und dort Erwartungen weckte, die den städtischen Herrschaftsinteressen nicht konform sein konnten. Weil es der Stadt nicht gelungen war, mit der untertänigen Landschaft einen tragfähigen Konsens in bezug auf Gehalt und Konsequenz des reformatorischen Programms zu erreichen, versagte die Landschaft im entscheidenden Moment der Stadt die notwendige Unterstützung und verhinderte dadurch die Verwirklichung jener Pläne, die auf eine umfassende Umgestaltung der kirchlichen und politischen Verhältnisse in der Eidgenossenschaft und vielleicht auch darüber hinaus gezielt hatten. Einsicht: Im Fall Zürich war Reformation ein städtisches Ereignis, das von der Landschaft entscheidend mitbestimmt wurde.

René Hauswirth

Stabilisierung als Aufgabe der politischen und kirchlichen Führung in Zürich nach der Katastrophe von Kappel

1. *Stabilisierung* ist ein Merkmal von *Spätphasen* historischer »Ereignisse« (nicht: historischer »Epochen«). Wenn man die Reformation als europäisches Groß-Ereignis betrachtet, so begann in der Eidgenossenschaft die Spätphase ausgesprochen früh. Die Art des Phasenübergangs, bestimmt durch die Katastrophe des Zweiten Kappelerkrieges, verlieh der Stabilisierung der Reformation namentlich in Zürich einen ziemlich defensiven Charakter (was etwa für Bern keineswegs zutrifft).

2. In seiner Aufzählung von gelösten und offenen Fragen hat Herr Rublack neben dem Hinweis auf Spätphasen auch auf die *Rolle des Rates* und das *Verhalten der Führungsschichten* aufmerksam gemacht. Die Bedeutung der Ratsbehörden ist an sich geläufig, mindestens was die Anfangszeit anbelangt. Politische Entscheidungsträger standen seit jeher im Mittelpunkt historischer Betrachtung und sie sind mit den konventionellen Methoden relativ leicht zu erfassen. Ratsprotokolle und Ratserlasse gehören zu den am besten erhaltenen Quellengattungen. Der zweite Gesichtspunkt »Verhalten von Führungsschichten« ist eher noch ein wenig Neuland. Die Rolle des Rates im Theatrum mundi wird natürlich erst dann durchsichtig, wenn es gelingt, seine Tätigkeit auch als eine »Verhaltensweise der Führungsschicht« zu begreifen. Politische und Sozialgeschichte zu integrieren ist aber forschungs- und darstellungsmethodisch alles andere als einfach.

3. *Selbstbeschränkung im politischen Handeln* ist ein Verhalten, das in der Eidgenossenschaft zwischen 1460 und 1531 als durchaus ungewöhnlich, atypisch zu gelten hätte. Wer die Herzöge von Österreich und von Burgund besiegt hatte, brauchte eigentlich niemanden mehr zu fürchten. Die Ermahnungen des Waldbruders Niklaus von der Flüh im Jahre 1481 haben die Zeitgenossen wohl erschüttert, man kann sogar sagen bleibend beeindruckt, aber eben doch nicht über den Tag hinaus gebessert. Die Erscheinungen überbordender Vitalität und rücksichtslosen Strebens nach Geld und Macht – z. B. bei Hans Waldmann in Zürich – vermögen noch heute zu schockieren.

Erst die Erfahrung mehrerer Katastrophen leitete eine gewisse, bloß teilweise Wandlung ein. Ein Pensionenverbot der Tagsatzung vom Jahre 1503 wurde freilich nie ratifiziert und trat somit nie in Kraft[1]. Die Niederlage von Marignano (Melegnano) bei Mailand 1515 setzte der selbständigen Großmachtspoli-

1. Eidgenössische Abschiede Bd. III/2, 1015.

tik ein Ende und führte zur Option für Frankreich. Darin lag wenigstens eine gewisse außenpolitische Selbstbeschränkung. Aber auch so gab es noch Niederlagen zu erleiden: Die hohen Verluste von Biccocca 1522 und Pavia 1525 trafen das Söldnertum empfindlich, ganz besonders in Bern, wo ohne diesen Rückschlag die Gegner Zwinglis und der Reformation sich kaum so schnell hätten verdrängen lassen.

In Zürich war man dank dem Fernbleiben vom französischen Soldbündnis von 1521 von diesen Niederlagen nicht mehr betroffen. Im Gegenteil: die Reformation Zwinglis erzeugte hier für einige Jahre ein Kraftgefühl und Sendungsbewußtsein besonderer Art – mitsamt dem Machtstreben, das solchen Zuständen innewohnt. Hier war es erst die innere und äußere Katastrophe des Zweiten Kappelerkrieges von 1531, die eine Katharsis bewirkte.

Die Eidgenossen beider Glaubensparteien hatten also Erfahrungen hinter sich, die sie zu Selbstbeschränkung in der Politik veranlaßten. Soweit es sich dabei um eine bloß kasuistische (um nicht zu sagen: opportunistische) Selbstbeschränkung handelte, die sich allein am Risiko orientierte – wie etwa die Option für Frankreich – wäre sie für die Reformationsgeschichte kaum von spezifischem Interesse. Im reformierten Zürich läßt sich indessen eine Selbstbeschränkung nachweisen, die nicht bloß kasuistisch, sondern normativ zu verstehen ist.

4. *Normen und politisches Denken.* Normen sind notwendiges Integrationselement aller menschlichen Verbände. Ich verwende den Begriff hier im engeren Sinn: als formulierte Wertvorstellung, Imperativ, Leitbild. Das Bewußtmachen, Erörtern und Differenzieren solcher Normen überschneidet sich weithin mit dem, was als »soziales Denken«, »politisches« und »religiöses Denken« bezeichnet wird und konventioneller Gegenstand geistesgeschichtlicher Betrachtung ist.

Im Jahrhundert nach den Burgunderkriegen, von Diebold Schilling d. J. bis Josias Simler, entstanden zahllose Chroniken und Staatshandbücher, die – obwohl bis auf wenige Ausnahmen ungedruckt – in den Führungsschichten der eidgenössischen Orte deutliche Resonanz erzielten. Alle diese Werke waren nicht einfach »Geschichte« oder Topographie, sie sollten vielmehr zeigen, daß der im Lauf des Geschehens gewachsene gegenwärtige Zustand mit den geltenden Normen, d. h. mit den göttlichen und den vornehmsten menschlichen Satzungen übereinstimmte.

Innerhalb der Führungsschicht in Zürich selbst zirkulierten zahllose handschriftliche Sammlungen aller Verfassungsdokumente, Pflichtenhefte, Zeremonienprogramme, Ämterlisten. Eines der besten dieser politisch-juristischen Instrumente ist das von Heinrich Bullinger um 1539 begonnene und nachgeführte Manual. Besonders hervorzuheben als Zeugnis eines kritischen normativen Denkens ist ferner eine annalistische Chronik, die der Säckelmeister Bernhard Sprüngli der Jüngere (nicht der Ref. Chron.) für die Jahre 1531 bis 1567 anlegte[2]. Sie unterscheidet sich von den üblichen Chroniken durch den Standort

2. Zentralbibliothek Zürich, Manuskript J 35.

des Verfassers und den Gegenstand: Sprüngli gibt vom Jahr 1549 an, da er in den Kleinen Rat eintrat, fast ausschließlich Ratsverhandlungen wieder, manchmal fast eher in der Art eines Journals oder Protokolls als einer erzählenden Chronik. Er propagiert nicht ein erwünschtes Ergebnis – nämlich, die Eidgenossenschaft und ihre Orte seien normgemäße Staatswesen und nicht etwa Aufrührer – sondern er zeigt, wie er und seine Ratskollegen mühsam um die Einhaltung von Normen gerungen haben und dabei Konflikten nicht immer ausweichen konnten.

5. *Explizite Normen.* Evangelische Christlichkeit war selbstverständliche Norm. Zur Stabilisierung hatte sie insofern beizutragen, als der konfessionelle Gegner auf keinen Fall ermutigt werden durfte. Daher war nicht allein die Messe abgeschafft, sondern auch auswärtiger Messebesuch verboten; es war nicht bloß die Predigt eingeführt, sondern der Besuch geboten. Im Spital z. B. hatten Fleischgerichte – wenn man sie sich schon einmal leisten konnte – am Freitag auf den Tisch zu kommen.

Für den Zustand des Gemeinwesens und das Verhalten der Führungsschicht sind aber auch nichtreligiöse Normen von Bedeutung. Zwingli selber ging hier voraus. Johannes Stumpf schildert es so (an jener Stelle seiner Reformationschronik, wo er bei der Meldung von Zwinglis Tod einen kurzen Lebensrückblick einschiebt): *»Syn allerhöchster flyss ist gewesen, alle frömbde fürsten zu (v)erleyden, das bluotgeld (die Pensionen) abzestellen, mencklichen zur handarbeit zuo ziehen, hoffart hinzulegen, übermuot zuo temmen, tyranny uszuorütten und ein fromm, ersam folck in der Eidgnoschaft nach dem Exempel irer altforderen zuo pflanzen ...«*[3] Es ist ein *sozialkonservatives Leitbild,* das uns hier entgegentritt. Handwerkliche Arbeit für alle, dafür Kampf gegen die Symptome schnellverdienten Reichtums: Hoffart, Übermut und Tyrannei (d. h. rechtswidrige Machtausübung). Die Gesellschaft sollte möglichst nivelliert sein: soziale Isonomie sozusagen. Zwingli wußte natürlich aus Erfahrung, daß dieser Kampf bloße Symptomtherapie blieb, wenn nicht das zu seiner Zeit in der Eidgenossenschaft wirksamste Mittel schnellen Reich- und Reicherwerdens unterbunden wurde: Das Beziehen von fürstlichen Pensionen durch Magistratspersonen, das wiederum ausschließlich auf der Gewährung des Reislaufens beruhte.

Das Zustandekommen des Reislauf- und Pensionenverbotes in Zürich im Jahre 1522, das später noch verschärft wurde, und fast noch mehr seine strikte Durchsetzung während mehr als zwei Generationen – in erster Linie durch Abstinenz vom französischen Soldbündnis – bestimmen das Bild des patriotischen, zwinglisch-puritanischen und rechtschaffenen Zürich. Schon zu Beginn der Reformation, erst recht aber nach der Katastrophe des Zweiten Kappelerkrieges war es wesentliches Element des politischen Selbstbewußtseins, die Norm, die das Gemeinwesen besonders auszeichnete. Demgegenüber sind andere Äußerungen

3. Johannes Stumpfs Schweizer- und Reformationschronik 2. Teil, hg. von *Ernst Gagliardi u. a.,* 1955, 198.

von Sittenstrenge, etwa die Mandate gegen Kleiderluxus und Festivitäten keineswegs charakteristisch und auch eher unpolitisch. Einem Zeitgenossen konnte freilich beides zusammen als Einheit erscheinen. Der unbekannte katholische Verfasser eines politischen Gedichts aus den Jahren 1607/8 »Der alte und der neue Prophet des Schweizerlandes« greift Zürich der Reformation wegen äußerst heftig an, zwingt sich jedoch ihm gegenüber als einzigem der angesprochenen Orte und Zugewandten der Eidgenossenschaft zur Feststellung: *»Wilt vorus from und erbar sein, / Zerschneidst drum nit die kleider dein, / Ja, wilt dich auch von fromkeit wegen, / in keiner fursten punt begeben.«* Dagegen lautet die durchgehende Anklage gegen die Angehörigen der eigenen Konfession auf Käuflichkeit und zu enge Bindung an fremde Herren[4].

Man pflegt mit Recht ein gewisses Mißtrauen gegenüber Lobsprüchen, selbst wenn sie von Gegnern stammen. Immerhin kommt auch ein Mann wie Jean Bodin zu einem überraschend positiven Urteil. Der Verfasser der »Six livres de la république« von 1576 betrachtet Zürich und Bern noch als die einzigen Aristokratien in der Schweiz – Aristokratie hier im alten Wortsinn (wie auch république): Gemeinwesen, die von weisen und edelgesinnten Männern regiert werden, während in allen andern Orten Habsucht und Korruption herrschten. Bodins Urteil war nichts anderes als das etwas vergröberte Bild, das sich aus den zahlreichen Berichten der französischen Gesandten, der Ambassadoren, ergeben mußte. Dabei traf gerade für Zürich die Bezeichnung »Aristokratie« im politischen Sinn gar nicht zu.

Neuere sozialgeschichtliche Forschungen über Luzern bestätigen das Negativbild dieser Profilierung: Um die Jahrhundertmitte herrschte in Luzern eine Oligarchie, deren führende Familien sich in verfassungswidriger, konspirativer Weise gegenseitig absicherten und so die französischen Pensionen – die als erlaubte öffentliche Pensionen (im Unterschied zu schlichter Bestechung) eigentlich an die ganze Gemeinde hätten gehen sollen – fast allein unter sich aufteilten[5]. Natürlich floß ein Teil des Segens letzten Endes schon wieder den eigentlichen Empfängern zu, nämlich in Form von zusätzlichen Käufen, Aufträgen, Darlehen, Vorschüssen und Geschenken, aber erst nachdem oder indem das Geld die Mühle des oligarchischen Systems antrieb. So gelangte der als »Schweizerkönig« bekannte Söldneroberst Ludwig Pfyffer zu dem damals kaum faßbaren Vermögen von etwa 230 000 rh. Gulden[6] – zu einer Zeit, da der vermutlich reichste Zürcher, der Eisenhändler Thomann, bloß über etwa 40 000 G. verfügte[7]. Dabei war Luzern nur etwa halb so groß wie Zürich – mit entsprechend geringeren ökonomischen Chancen.

4. Mitteilungen der Antiquarischen Gesellschaft in Zürich 44 (130. Neujahrsblatt), 1966, 4, Vers 237 ff.
5. *Kurt Messmer*, in: *Messmer-Hoppe: Luzerner Patriziat*, 1976, 77 ff.
6. ebd. 189.
7. *Paul Guyer*: Verfassungszustände der Stadt Zürich, 1943, 99.

6. Die *konsequente Durchsetzung* des Reislauf- und Pensionenverbotes in Zürich bedurfte steter Anspannung und Aufmerksamkeit. Die Reisläuferei entsprach eben – man kann das nüchtern feststellen – einer geschichtlichen Disposition. Die fortgesetzten Bündnisanträge der französischen Könige, die steten Werbungen in der katholischen Nachbarschaft, der Türkenkrieg, Schmalkaldischer Krieg und Fürstenaufstand, dann die Religionskriege in Frankreich hielten das Problem stets aktuell. Die Stadt samt ihrem Herrschaftsgebiet war zuwenig isoliert, als daß Reislauf und Pensionen ganz aus der öffentlichen Diskussion hätten verschwinden und stillschweigend zu einem Tabu werden können. Wer im Zürcher Rat schon nur einen Antrag stellte, der auf Abschaffung jener Verbote zielte, machte sich strafbar; doch den anderen Eidgenossen konnte man nicht verwehren, um den Beitritt zum französischen Bündnis zu werben.

Wie stellte sich das Problem der Durchsetzung innenpolitisch? Hauptnutznießer des Reislauf- und Pensionenwesens war im allgemeinen die Schicht der junkerlichen Grundrentner, eine quasi-adelige Formation, homines novi, die es dem älteren Adel gleichtaten und sein Sozialprestige übernahmen – und gerade durch den Solddienst zu Diplomen und Titeln gelangten, die sie auch de jure nobilitierten. Es liegt in der Natur der Sache, daß solche Leute auch beim »gemeinen Mann« Sympathien finden konnten. Die Volksbewegung nach dem Zweiten Kappelerkrieg hatte das deutlich gezeigt. Die Kriminalisierung des Reislaufens in Zürich schuf daher einen latenten Konflikt mit einer nicht genau faßbaren, weil nicht artikulierten, aber auch nicht ignorierbaren sozialen Gruppe. Einen offenen Konflikt möglichst zu vermeiden, war ein Gebot der Staatsräson und daher wurden Grenzfälle nicht hochgespielt, sondern durch Kompromisse erledigt, die jeweils mit einer verbalen Verschärfung der Verbote verbunden waren. Man war sich der Gefahr der »Erosion« von Satzungen durch Kompromisse bewußt. Keine Kompromisse hingegen gab es in jenen Fällen, wo Geschenke an führende Magistraten zu beurteilen waren, an Leute also, die einerseits das Gemeinwesen repräsentierten und andrerseits schon allein durch ihre Stellung einem »Oligarchieverdacht« unterlagen. Gerade hier wird der normative Charakter der Politik sichtbar: Von Kompromissen profitiert nicht der ohnehin Stärkste, er unterliegt vielmehr nivellierender Strenge, sondern allenfalls ein Mann im zweiten oder dritten Rang. Bei den ganz kleinen Sündern wiederum, die durch ihre Zahl zu einer Gefahr werden konnten, war Strenge aus präventiven Gründen angezeigt.

Daß überhaupt Ausnahmen und Kompromisse vorkamen, sollte nicht schlechterdings unter einem Korruptionsverdacht interpretiert werden. Es ist immer auch eine Frage der Elastizität und damit der Lebensfähigkeit eines sozialen Gebildes, wie es die Ratsbehörde einer frühneuzeitlichen Stadt eben ist[8]. Entscheidend ist die Kontrolle über oligarchische Entwicklungsmöglichkeiten. Dar-

---

8. Z. B. Fall Wunderlich: Indulgenz des Rates gegenüber dem Sohn eines Mitgliedes offen dargelegt! Staatsarchiv Zürich, Ratsbuch B VI. 256, fol. 187, 4. 8. 1547.

um mußte 1552 der Bürgermeister Hans Haab nahezu 1000 Gulden – ein wirkliches Vermögen – auf den Tisch legen, als er von einer erfolgreichen diplomatischen Mission aus der Freigrafschaft Burgund zurückkehrte – er durfte bloß einen Gulden Spesen pro Tag verrechnen – während ein Ratskollege zweiten Ranges, der Zunftmeister Wegmann, als Gesandter zur Tessiner Verwaltungstagsatzung 50 Gulden über die Spesen hinaus behalten durfte. Dieser Betrag entspricht immerhin einem Jahreseinkommen, etwa eines Landsknechts oder eines Handwerksgesellen. Innerhalb weniger Jahre sollte sich diese Gegenläufigkeit noch dreimal wiederholen[9].

Die Pensionensatzung und die im Lauf der Durchsetzungspraxis beigefügten Verschärfungen bildeten zuletzt ein Netz von beängstigender Enge. Die Gefahr des Ausweichens, der Umgehung, der Ausnutzung von Lücken und Unklarheiten führte zu einem System juristischer Sicherungen, das jede diplomatische Beweglichkeit zu lähmen drohte. Am stärksten kam das zum Ausdruck in einem Beschluß vom August 1552, künftig einem Gesandten den ganzen Satzungstext *in buosen zu stossen*«, d. h. unter das Wams, auf die Brust zu geben, damit er Geschenke gleich an Ort und Stelle ausschlagen konnte, ohne persönlich unhöflich zu sein. Man spürt hier den geradezu verzweifelten Willen des Gesetzgebers, in dieser einen Versuchung die menschliche Natur und die herrschende Sitte der Zeit zu bezwingen.

7. Zwischen diesem ethischen Rigorismus und der notorischen Passivität in der Außenpolitik der Bullingerzeit besteht nun ein enger, unmittelbarer Zusammenhang. Denn jede diplomatische Aktivität über das Leisten guter Dienste hinaus hätte zu einer noch tieferen Verstrickung in jene Versuchungen führen müssen. Es hätte eine Selektion stattgefunden zugunsten jener junkerlichen Grundrentner, die einerseits die besten Voraussetzungen für außenpolitische Aktivität mitbrachten, andrerseits aber auch aus dieser Aktivität Nutzen ziehen wollten. Die mit aktiver Außenpolitik unter den Bedingungen der frühen Neuzeit untrennbar verbundene Kriegsbereitschaft mußte ferner potentielle Reisläufer und Möchtegern-Söldnerführer begünstigen. Wenn man über die Grenzen seiner legitimen Herrschaft hinaus Einfluß auszuüben gedachte, so durfte man ja nicht die Leute unterdrücken, auf deren Fähigkeiten im Ernstfall das letzte Mittel der Politik beruhte. Diesen Sachzwang haben die Untersuchungen von Schaufelberger[10] und Braun[11] über den Zweiten Kappelerkrieg evident gemacht. Und es gilt umgekehrt, daß die Kriminalisierung des Reislaufens langfristig die Qualität möglicher Söldner und ihrer Führer verschlechterte. Das zeigen eine Reihe

---

9. Vgl. *René Hauswirth:* Zur politischen Ethik der Generation nach Zwingli (Zwingliana XIII/5, 1971, 305–342), bes. 335 ff.

10. *Walter Schaufelberger:* Kappel – die Hintergründe einer militärischen Katastrophe (Schweiz. Archiv f. Volkskunde 51, 1955).

11. *Rudolf Braun:* Zur Militärpolitik Zürichs im Zeitalter der Kappelerkriege (Zwingliana X/9, 1958, 537–573).

von Fällen aus der Zeit des Schmalkaldischen Krieges und der Hugenotten-kriege. – Soweit die Selbstbeschränkung in der Politik auf Grund einer ausge-sprochen evangelischen Norm.

Bei allen damit zusammenhängenden Maßnahmen ist die *sozialkonservative Tendenz* zur Nivellierung auf eine solide Mitte hin unverkennbar. Sie läßt sich auch bei der Wahl von Magistraten und bei dem vielberedeten Zusammenhang von Vermögen und Amt nachweisen. Was man als den natürlichsten Lauf der Dinge akzeptieren würde, daß nämlich die Reichsten auch die Mächtigsten seien, traf in zweierlei Hinsicht nicht zu:

a) Reiche Bürgermeister und Oberstzunftmeister (ihre Stellvertreter) wurden regelmäßig kompensiert durch deutlich weniger reiche Amtkollegen, auch wenn dabei an sich fähige, aber leider zu reiche Kandidaten übergangen werden muß-ten. Im übrigen war die konstitutionelle Stellung des Rates gegenüber dem Bür-germeister sehr stark.

b) Reichtum konnte eine politische Karriere nur dann fördern, wenn der Kan-didat irgendwelche persönliche Qualifikation aufwies. Umgekehrt war es mög-lich, einen unwürdigen Ratskollegen auszuschließen, auch wenn er reicher war als der Bürgermeister selber.

Einen Vermögenszensus für Magistraten gab es nicht – bloß von einem Säk-kelmeister verlangte man aus Gründen der Haftung den Nachweis eines größe-ren pfändbaren Vermögens. Ein Vermögen oder Renteneinkommen spielte inso-fern eine Rolle, als ein empirisch feststellbares »elitäres Existenzminimum« vor-handen sein mußte, wenn ein Bürger Ratsherr wurde. Dieses »elitäre Existenz-minimum« liegt mit ca. 500 Gulden (bzw. 25 Gulden Jahresrente als Ergänzung eines Handwerker-Einkommens) überraschend tief. Beträge in dieser Höhe wur-den nämlich wiederholt als »*Armuot*« oder »*Armüetli*« bezeichnet.

8. Ein allgemeinerer Aspekt normativ geprägter Politik ist die *Legitimität*. Hier ist der Zusammenhang mit der Reformation eher negativer Art: Die Ab-schaffung traditioneller und die Begründung neuer Formen, Rechte und Pflichten erfolgte zwar unter Berufung auf die Heilige Schrift und somit auf eine Legi-timität höherer Ordnung (etwa in der beliebten Formel »Man muß Gott mehr gehorchen als den Menschen«, oder in der pejorativen Verwendung des Begrif-fes »Menschensatzung«); aber die reformierende Obrigkeit geriet dennoch im-mer wieder in ein »Legitimitätsdefizit«, wenn sie nun selber ausgesprochene Menschensatzungen aufstellte. Das gilt vor allem für politische Maßnahmen wie die Nivellierung der Ratsvertretung der Konstaffel auf die Größe einer Zunft, die Praxis eines sogenannten »Heimlichen Rates« oder die Eingriffe in die Fürst-abtei St. Gallen – nicht zu reden von der Außenpolitik überhaupt. Dieses Le-gitimitätsdefizit war ein wesentlicher Grund für die später gerügte Überbean-spruchung des Großen Rates der Zweihundert in der Ära Zwingli. Es lag darin ein Abweichen von einem Grundmuster, das nach 1531 wieder uneingeschränkt in Geltung stand: dem Streben nach unbestrittener Legitimität.

Noch ganz im Schatten größerer Ereignisse hatte Zürich sich am Wormser

Reichstag 1521 von Karl V. eine Reihe von Privilegien erteilen bzw. bestätigen lassen, durch die letzte Lücken der lokalen Justizautonomie geschlossen wurden[12]. Der Kaiser legitimierte die alleinige Rechtssetzungskompetenz der Zürcher Obrigkeit. – Aber damit ist erst die äußere – oder, wenn man will: die obere – Seite des Problems berührt. Die Frage der Legitimität stellte sich nämlich auch im Innern, zwischen Obrigkeit und Volk in Stadt und Land. Josias Simler, Lehrer an der Stiftsschule, sagte es den angehenden Prädikanten und Magistraten in seiner Vorlesung zum Zweiten Buch Mose: Die Gesetze der Res publica müssen mit dem im Herzen der Menschen eingeborenen Gefühl für Recht und Billigkeit übereinstimmen[13]. Dieser Consensus communis ist auch für die Obrigkeit verbindlich. Wichtig ist nun, daß sich Verfahrensmuster entwickeln ließen und institutionelle Ansätze bestanden, um den Consensus communis immer wieder zu überprüfen, z. B. durch die Entsendung von Ratsdelegationen an die Gemeinden oder durch Volksanfragen. Die Rechtssetzung erfolgte in der Bullingerzeit denkbar behutsam und politische Aktionen außerhalb unbestrittener Legitimität gab es keine. Freilich wurde damit auch weniger »regiert« als bloß »verwaltet«. Dann wird aber auch die Frage einer »Theokratie« völlig gegenstandslos. Wenn irgendeine Etikette anzuhängen ist, dann müßte man von einer »Nomokratie« sprechen. Ein hervorragendes literarisches Zeugnis dafür stammt von Bullinger selbst: das Drama von Lukretia und Brutus, entstanden 1526 oder -27 in Kappel.

Ein weiterer Ansatz zu einer Normenkontrolle bestand im Recht der Geistlichkeit, bei Bürgermeister und Rat »Fürträge und Bedenken« anzubringen, wenn die Norm, daß das Gemeinwesen ein christliches Gemeinwesen zu sein habe, verletzt schien. Aus den Arbeitspapieren einer denkwürdigen Grundsatzdiskussion im Rat geht ferner hervor, daß die Idee einer Normenkontrolle auch auf politischer Ebene diskutiert wurde, wie schon ein halbes Jahrhundert vorher nach den Waldmannischen Unruhen. – Im Dezember 1541 nahm der Große Rat die Revision der Ratsordnung an die Hand, nachdem angeblich der Kleine Rat, dessen 50 Mitglieder auch einen Teil des Großen Rates der Zweihundert bildeten, sich säumig gezeigt hatte. Die Verfasser des ersten Revisionsentwurfes richteten an die »Zweihundert«, wo die »Burger« den Kleinen Rat hätten majorisieren können, die Aufforderung: »... was die verwaltung des regiments betrifft, sollent ir myn herren (das ist der gesamte Große Rat) den herren Burgermeistern, Obristen Meistern, Räten, Zunftmeistern, Richtern und Amptlüthen ernstlich hie inn diser stuben sagen und bevälchen, dass sy den ordnungen gelebend, geflyssentlich horzue gangend, jeder das, (was) im bevolchen wirt, zum trüwlichsten und zu rechter zyt verwalte, hierin syn bests und nemlich das

12. *René Hauswirth:* Zur Realität des Reiches in der Eidgenossenschaft im Zeitalter der Glaubenskämpfe (Festgabe Leonhard von Muralt 1970, 152–161), bes. 154 f.

13. *Hans Schäppi:* Josias Simlers Rechts- und Staatsgedanke. Diss.-Mskr. (ungedruckt) Zürich 1969, bes. 22 f., 65 ff., 81.

thuoge, das ihn eyd und ehr wyset und er von göttlicher und christenlicher ge-
horsame, ouch siner pflichten wegen schuldig ist und nach dem er gedenkt, Gott
und uns, der oberkeyth darumb rechnung und antwort zegeben.«[14]

9. Hier ist ganz offensichtlich eine dualistische Struktur des Großen Rates anvisiert, und damit rückte die Möglichkeit offener Konflikte ziemlich nahe. Demgegenüber war jedoch die formale Einigkeit und Integrität des Großen Rates als Gesamtbehörde ein zu wichtiger Wert, namentlich im Hinblick auf seine Eigenschaft als Herrschaftsträger. Aus diesem Grund hatte jener quasi progressive, den Konflikt riskierende Entwurf keine Chance. Die prachtvoll-konkrete Formel *»hie inn diser stuben sagen und bevälchen«* (vergleichbar jener oben zitierten Weisung *»die satzung inn buosen stossen«*) wurde gestrichen, und was blieb, war eine fromm-harmlose Selbstermahnung. Damit hatte die zu jenem Zeitpunkt keineswegs »elitäre« Gruppe der »Burger« im Großen Rat darauf verzichtet, sich kraft ihrer Mehrheit von etwa 3 : 1 eine Machtposition gegenüber den Herren des Kleinen Rates aufzubauen. Auch bei der Besetzung von Kommissionen: die »Bürger« waren ehemalige oder potentielle Ratsherren. Der gleiche Grund (neben anderen) dürfte ferner Bullinger dazu bewogen haben, von seinem Recht auf »loyale Opposition« zurückhaltender Gebrauch zu machen, als etlichen seiner geistlichen Amtsbrüder lieb war.

Bullinger schätzte es, weder polemisch noch konspirativ vorgehen zu müssen, wenn das »Ministerium«, die Vertretung der verbi divini ministri, an der Willensbildung des Gemeinwesens teilnahm. Die nüchtern-konziliante Art und Weise, die aus den Konfessionsverhandlungen und der Korrespondenz bekannt ist, gilt auch für den Verkehr mit der politischen Führung. Das hat ihm im Jahre 1535 die Kritik der Synode eingetragen – hinter der ein Temperament wie Leo Jud stecken könnte: *»... ist ze millt mit sinem predgen; soll etwas dapferer (ru-cher, herter) und rässer sin, insonders das die händel desz radts antrifft.«*[15]

In der zentralen Frage von Reislauf und Pensionen freilich haben die Pfarrer nicht gezögert, in der Kanzelpredigt »Normenkontrolle« zu üben, als in den Jahren 1549 und 1564 die anderen Eidgenossen (außer Bern) ihr Bündnis mit Frankreich erneuerten und auch Zürich zum Beitritt einluden.

Zusammenfassung:
Die nach einer militärischen und politischen Katastrophe notwendige Stabilisierung wurde im reformierten Zürich in besonderem Maße angestrebt

1. durch forciertes Einhalten sozialkonservativer Normen und Vermeiden sozialer Polarisierung (namentlich innerhalb des Großen Rates der Zweihundert),

---

14. Staatsarchiv Zürich, Ordnungen A 43.2, Nr. 63.
15. Staatsarchiv Zürich, Kirchensachen E II.1, fol. 197 ff. – Die Stelle war schon dem Bullinger-Biographen *Carl Pestalozzi* bekannt; er zitierte sie 142, aber mit einer irrigen Lesart, die wohl dem allgemeinen Bild, das man sich von der sogenannten »Staatskirche« machte, entsprungen sein dürfte, nämlich »Händel des Rechts« statt: *»des radts«,* womit das Urteil um einiges harmloser wurde.

2. durch behutsame Legitimität, namentlich auch hinsichtlich der Landschaft, und

3. durch behutsame Wahrnehmung der Normenkontroll-Funktion seitens der führenden Geistlichen.

Im ganzen ergibt sich so in den etwa vier Jahrzehnten[16] nach dem Zweiten Kappelerkrieg ein Bild normativer Selbstbeschränkung im politischen Handeln.

16. Im Lauf der 1560er Jahre erreichte der vom Säckelamt thesaurierte Betrag einen Umfang, zu dessen Verwaltung die Erfahrung »miner Herren« nicht mehr ausreichte. Das war eine der Voraussetzungen für den von *H. C. Peyer:* Von Handel und Bank im alten Zürich, 1968, 19–28 geschilderten Finanzskandal um Heinrich Lochmann. Damit begann das sozialkonservative und normative Konzept zu zerbröckeln.

Hans-Christoph Rublack

Reformatorische Bewegungen in Würzburg und Bamberg

Im Schatten des Interesses für »Stadt und Reformation« liegen die landsässigen Städte, obwohl doch Wittenberg als ein Quellort der Reformation eine solche Stadt war. Eine zweite erst jüngst wieder von Brecht[1] und Scribner[2] beachtete Gruppe ist ebenfalls für die Thematik erheblich: die Städte, in denen reformatorische Bewegungen scheiterten. Es wäre an solchen Fällen zu überprüfen, ob Faktoren vorhanden waren, die andernorts den Erfolg der Reformation förderten, oder ob gerade die Elemente dort fehlten, die in den Reformationsstädten die Durchsetzung reformatorischer Lehre begünstigten. Die fürstbischöflichen Residenzen im Süden des Reiches, die im folgenden behandelt werden, vereinigen aus beiden Städtegruppen jeweils einen Sektor: es sind nicht-autonome Städte, in denen die Reformation sich nicht durchsetzte. Für diese fürstbischöflichen Residenzen fielen zudem weltliche Obrigkeit und geistliche Gewalt zusammen. Welche Chancen hatten die reformatorischen Bewegungen? Wie artikulierten und entwickelten sie sich gegenüber der Identität von Krummstab und Schwert? Welche Bedeutung hatte der Grad der Autonomie städtischer Verfassungen? Indem wir nach der Affinität zwischen städtischer Autonomie und Reformation fragen, beschreiben wir das Thema »Stadt und Kirche« nicht in seiner ganzen Breite, die auch die Beziehungen der stadtbürgerlichen Gesellschaft in ihrer Differenzierung zu den verschiedenen geistlichen Institutionen und Gruppen von Klerikern umfassen müßte. Die Beschreibung erfaßt zunächst die fränkischen geistlichen Residenzen Würzburg und Bamberg, die danach mit den nicht-autonomen Bischofsstädten im Süden des Reiches verglichen werden[3].

Im Gefolge Commendones besuchte Fulvio Ruggieri 1562 Würzburg. Er notierte in seinem Reisebericht summarisch: *»Il vescovo è padrone assoluto di questa città.«*[4] Dies kennzeichnet die Würzburger Verfassungsverhältnisse inso-

---

1. *Martin Brecht:* Die gescheiterte Reformation in Rottweil (BwKG 75, 1975, 5–22).

2. *Robert Scribner:* Why was there no Reformation in Cologne? (Bull. of the Institute of Hist. Research 49, 1976, 217–241).

3. Vgl. *Hans-Christoph Rublack:* Gescheiterte Reformation. Frühreformatorische und protestantische Bewegungen in süd- und westdeutschen Residenzen, 1978. Die Untersuchung erfolgte als Teil der Forschungen des Teilprojekts »Stadt in Spätmittelalter und Reformation in Süddeutschland« des Sonderforschungsbereichs 8 »Spätmittelalter und Reformation« der Universität Tübingen.

4. *Adam Wandruszka (Hg.):* Nuntius Commendone 1560 (Dezember) – 1562 (März) (Nuntiaturberichte aus Deutschland 2. Abt., 2. Bd.), 1953, 158.

weit richtig, als nach dem Aufstand im »Bauernkrieg«[5] Fürstbischof Konrad III. von Thüngen für Würzburg eine Stadtordnung erließ, deren Zweck laut Präambel war, Würzburg solle in Zukunft *in schuldiger verpflichter gehorsam pleibenn und erhalten werden*«[6]. Ruggieri übersah zwar die Rechte des Domkapitels völlig und erkannte auch die Reste städtischer Selbstverwaltung nicht. Im ganzen trifft er doch das Ergebnis der Verfassungsentwicklung in Würzburg nach dem Scheitern der Autonomiebestrebungen infolge der Schlacht bei Bergtheim im Jahre 1400[7], als auch die im 16. Jahrhundert zu verfolgende Tendenz, die Julius Echter von Mespelbrunn (1573–1617) wesentlich weiter förderte. Der Fürstbischof beanspruchte als Landesherr grundsätzlich das Satzungsrecht und besetzte die städtischen Gerichte[8]. Das wichtigste Herrschaftsinstrument lag in der Möglichkeit, die Zusammensetzung des Rates zu kontrollieren: alternierend besetzten Fürstbischof und Domkapitel vakant gewordene Sitze aufgrund einer Liste von drei vom städtischen Rat vorgeschlagenen Kandidaten. Das Domkapitel kontrollierte über den »Oberrat« die Wirtschaft, Gesundheitswesen und öffentliches Verhalten, war also für die »Polizei« zuständig[9]. Der Oberrat war seit 1499 zusammengesetzt aus vier Domherren, je einem Kapitelsherren der drei Würzburger Stifte und aus drei vom städtischen Rat, dem Unterrat, Gewählten sowie drei Vertretern der wichtigsten Gewerbe Würzburgs, den Weinbauern, den Bäckern und Metzgern und einem Vertreter der Gemeinde. Der fürstbischöfliche Oberschultheiß hatte im Oberrat nur dann Stimmrecht, wenn in dem 7 : 7-Verhältnis eine Patt-Situation entstand. Was dem städtischen Unterrat blieb, war die Wahl der Bürgermeister, periodisch für ein Jahr, und die Besetzung der Pfleger- und Finanzverwaltungsämter, dies jedoch auch nicht unbestritten. Für die Bürgermeister wurde 1528 in einer neuen Ordnung ihre Einsetzung ebenfalls dem Landesherrn vorbehalten, für die Besetzung der städtischen Ämter ein Bestätigungsrecht in Anspruch genommen.

Diese Entmündigung der Bürgerschaft verschärfte das, was vor 1525 üblich gewesen war. Selbstverwaltung im Sinne originärer Autonomierechte war das

5. *Hans-Christoph Rublack:* Die Stadt Würzburg im Bauernkrieg (ARG 67, 1976, 76–100).

6. Würzburg Staatsarchiv Hist. Saal VII, fasc. 22, 316 (Ausfertigung). Kopial Würzburg Staatsarchiv liber diversarum formarum 27, f. 145–149; Würzburg Stadtarchiv Ratsakten 206 und Ratsprotokolle 10, f. 25r–27v. Datiert: 28. November 1525. – Vgl. demnächst *Hans-Christoph Rublack:* Landesherrliche Stadtordnungen und städtische Gravamina der Stadt Würzburg im 16. Jahrhundert (Würzb. Diöz. Gesch. Bl. 39, 1976).

7. Dazu zusammenfassend *Karl Trüdinger:* Stadt und Kirche im spätmittelalterlichen Würzburg, 1978.

8. *Hans-Christoph Rublack* (wie Anm. 6).

9. Dazu *Hermann Hoffmann:* Würzburgs Handel und Gewerbe im Mittelalter, Phil. Diss. Würzburg 1938, Kallmünz 1940, 156–159; *ders. (Hg.):* Würzburger Polizeisätze, Gebote und Verordnungen des Mittelalters, 1125–1495, 1955, 9 f., sowie *H.-Chr. Rublack* (wie A. 6).

nicht. Im weiteren Verlauf des 16. Jahrhunderts bewegte sich der Würzburger Rat im Spielraum zwischen nachlässiger Praxis der Landesherren und des Domkapitels einerseits und dem dezidierten Versuch des Fürstbischofs, die landesherrlichen Rechte zu straffen, wie es Julius Echter, im übrigen auch gegenüber dem Domkapitel, erfolgreich gelang.

Reformatorisch bestimmte Regungen werden vor 1525 im Bereich der städtischen Organe, etwa gar als Widerstand gegen den Bischof, nicht sichtbar. Die reformatorische Bewegung in Würzburg setzte an anderen Gruppen an: unter seinen humanistisch vorgebildeten Räten hob Fürstbischof Konrad von Thüngen 1523 zwei reformatorisch Gesinnte aus, Johann Apel und Friedrich Fischer, die ihr Konkubinat zur rechtmäßigen Ehe erklärt hatten. Ihnen sprang ein Domherr, Jakob Fuchs d. Ä., mit einer Flugschrift bei, die den Bruch des Zölibats aufgrund der Heiligen Schrift rechtfertigte. Die Affäre endete mit Ausweisung der Räte, Fuchs setzte sich auf sein Bamberger Kanonikat ab. Der Fall kennzeichnet sowohl die Haltung des Fürstbischofs als auch der Stadt. Ersterer wurde aktiv, als das kanonische Recht verletzt war. In der Stadt zeigte sich keine Resonanz: Apel und Fischer wurden aus der Kanzlei durch die Stadt auf den Marienberg geführt, ohne daß die Bevölkerung sich etwa zu ihren Gunsten protestierend zusammenrottete.

Ein zweiter Ansatzpunkt reformatorischer Regungen lag in der Domprädikatur. Vom Sommer 1520 bis zur Fastenzeit 1525, nur 1522 etwa für ein halbes Jahr unterbrochen, ist von der Kanzel des Würzburger Doms reformatorisch gepredigt worden. Es gab zwar jeweils Schwierigkeiten mit dem Domkapitel und sowohl Speratus als auch Gramann (Poliander) gaben die Prädikatur auf. Sie wurden aber nicht, wie Apel und Fischer, des Landes verwiesen. Der Landesherr und Fürstbischof griff nicht ein. Hinzu kam die Predigt des Kartäuserpriors Georg Koberer, auch er reformatorisch gesinnt. Seine Bibliothek aus der Zeit von 1517 bis 1524/25 enthält zu 61 % reformatorische Schriften: 40,5 % Lutherdrucke, 7,2 % Melanchthonschriften und 8,7 % Schriften von Wittenbergern, d. h. Bugenhagens, Jonas' und auch Karlstadts, er besaß 4,5 % Zwinglischriften – alle wichtigen der Jahre 1522–24. Nach Luther bildeten Schriften des Erasmus mit 15,3 % den zweitgrößten Bestand. Georg Koberer war ein Gelehrter. Sein Interesse an Kommentaren der Heiligen Schrift ist hervorstechend. Er war zweifellos Lutheraner. Schriften, die gegen Luther und die Reformation polemisierten, besaß er nicht. Er bezog ab 1520 vermehrt Lutherschriften. Von allen bei Benzing aufgeführten Lutherschriften der Jahre 1520–24 besaß Koberer etwa 1/5 (21 %), wobei zu berücksichtigen ist, daß die gesamte Publizistik Luthers Sendschreiben und Einzeldrucke von Predigten umfaßte, die für Nichtbetroffene nur von geringerem Interesse sein konnten[10]. Lutherschriften waren für Interessenten in Würzburg ohne weiteres zugänglich. In der Bibliothek Polianders befanden sich

10. Vgl. *H.-Chr. Rublack* (wie oben A. 3), Exkurs 3 verzeichnet die von Koberer benutzten, zwischen 1517 und 1524/25 erschienenen Ausgaben der Titel.

nicht nur zehn Schriften Luthers gleichen Titels mit solchen aus Koberers Besitz, sondern auch ein Exemplar der »Formula Missae«, das Koberer und Poliander gemeinsam zugeeignet war[11].

Reformatorische Predigt und Schriften bildeten in Würzburg Ansätze einer Prädikantenbewegung, wie wir sie andernorts als erste Phase der Reformation kennen. Daß die Predigt des Speratus, Polianders und Koberers wirksam war, läßt sich 1525 im städtischen Aufstand in Würzburg nachweisen[12]. Die Autoritätskrise vom April/Mai 1525 förderte weitere reformatorisch gesinnte Kleriker zutage, die Würzburg verlassen mußten, oder denen nachher der Prozeß gemacht wurde.

In den Akten des städtischen Magistrats, den erhaltenen Ratsprotokollen, schlägt sich eine reformatorische Bewegung nicht nieder, außer in einem bemerkenswerten Fall: 1524 beriet der Rat eine Ordnung eines gemeinen Kastens. Der erhaltene Entwurf[13] übernimmt weitgehend die Kitzinger Kastenordnung von 1523, auf Würzburger Verhältnisse angepaßt. Am wichtigsten erscheint die glatte Übernahme der veränderten Motivation zum Almosengeben: »dweyl dann Auch die heylig geschryfft außweyst das aus Christennlicher und Bruderlicher Lieb | Niemandt seinem negstenn soll betheln lassen ...«. Abweichend von der 1490 für Würzburg erlassenen Bettelordnung, die das Almosenspenden als verdienstliches Werk bezeichnete, war nun das Almosengeben Ausfluß der Nächstenliebe unter Berufung auf die Heilige Schrift. Der Entwurf von 1524 änderte lediglich die in der Kitzinger Vorlage vorgesehenen Eingriffe in Stiftungsvermögen. Der Anlauf zur Übernahme der Kitzinger Kastenordnung – sie ist nicht verwirklicht worden –, deren Bettelverbot in dem Würzburger Entwurf wieder erscheint, ist freilich kein eindeutiges Zeugnis für das Wirken einer reformatorisch gesinnten Minorität im Rat. Städtisch-genossenschaftliche Motive könnten die Übernahme nahegelegt haben. Immerhin wurde ein Text diskutiert und gedieh zum Reinkonzept, der markant vom Denken der alten Kirche abwich. Die Anpassungen beweisen überdies, daß man zwischen Neuerungen aus evangelischem Geist und in Würzburg praktikablen Einrichtungen zu unterscheiden vermochte.

Reformatorische Predigt mochte Bewußtseinsveränderungen hervorgerufen haben. Deren Verbreitung läßt sich nicht feststellen. Und überdies hatte der Fall Fischer/Apel deutlich die gesetzten Schranken markiert: an Verwirklichungen reformatorischer Gesinnung, die kanonisches Recht brachen, war in der geistlichen Residenz nicht zu denken. So bewarb sich denn Poliander, als er »sich Inn eelichen standt zubegeben gefalln« hatte, Anfang 1525 um die Stadtpfarrei in

11. *Otto Clemen:* Reformationsgeschichtliches aus drei Sammelbänden der Königsberger Stadtbibliothek (ZKG 49, N. F. 12, 1930) 165.

12. *H.-Chr. Rublack* (wie oben A. 5) 98.

13. Würzburg Stadtarchiv Ratsakten 1907.

Kitzingen[14]. In der Frühphase der Reformation blieb die Würzburger Predigtbewegung auf Innerlichkeit beschränkt, unpolitisch. Sie verband sich auch im
Aprilaufstand 1525 weder mit der Partizipationsbewegung noch mit den Bestrebungen des Magistrats, die auf Stärkung der Rechte innerhalb der Landschaft
zielten. Die frühreformatorischen Ansätze in Würzburg gingen mit der Niederlage des Aufstandes 1525 unter. Danach verhinderte die politische und religiöse
Kontrolle, daß reformatorische Ideen eindrangen. Die Domprädikatur wurde
mit altgläubigen Predigern besetzt. Die Zensur der Buchdrucker und die Kontrolle der Buchführer griff präzise zu. Die Effizienz der Zensur illustriert ein
Vorfall von 1527 sehr gelungen: auf dem Würzburger Kilianimarkt kam sie einer
Spielkartenverkäuferin aus Nürnberg auf die Spur, die Spielkarten vertrieb, die
auf dem Herzdaus Adam und Eva mit einer Überschrift »das wort Gottes
pleibt Inn ewigkeit Isa [Jesaja] 40« zeigten[15]. Da auf dem gleichen Markt auch
ein Wiener Buchführer im Auftrag des Nürnberger Vogel auftrat, nahm man die
Würzburger Buchführer in Eid, sich der Bücherzensur zu unterwerfen[16]. Für
1526 notierte der Kitzinger Schulmeister Johannes Beringer in seiner Chronik
neun öffentliche Widerrufe lutherischer Kleriker in Würzburg[17]. Wie wirksam
die Kontrolle des Landesherrn war, läßt sich an der Bekämpfung der Täuferbewegung im Hochstift nachweisen. Konrad von Thüngen gelang es, durch scharfe
Maßnahmen die Täuferbewegung zu unterdrücken[18].

Zwischen dem Tod Konrads von Thüngen 1540 und dem Regierungsantritt
Julius Echters von Mespelbrunn 1573 war das Hochstift von äußeren und inneren Gefahren bedroht (Markgräflerkrieg, Grumbachsche Fehde), die eine kirchliche Lage begünstigten, die den Nuntius Gropper 1574 zu der pointierten Aussage führte, das Würzburger Bistum, d. h. das Hochstift, gleiche einer Ruine[19].
Die römische Instruktion für Gropper bezeichnete den Vorgänger Julius Echters,
Friedrich von Wirsberg, als »optimum senem in medio haereticorum fortiter pro
religione pugnantem«[20]. Zieht man die Überzeichnungen ab, so trifft das »in
medio haereticorum« auch für seine Residenzstadt zu. 1559 schon machte sich
die Stärke des städtischen Protestantismus bemerkbar: als erster Punkt der Beschwerden der Stadt Würzburg bei Regierungsantritt Friedrichs von Wirsberg
erschien die Forderung, den Protestanten ein feierliches kirchliches Begräbnis

14. Kitzingen Stadtarchiv Registraturbuch 1523–1525, f. 385–387 (11. 2. 1525).
Das Antwortschreiben des Kitzinger Rates wird demnächst ediert in Dieter Demandt,
H.-Chr. Rublack: Stadt und Kirche in Kitzingen, 1978.
15. Würzburg Staatsarchiv liber diversarum formarum 25, p. 604 f.
16. Würzburg Staatsarchiv Standbuch 962, f. 110v.
17. Nürnberg Staatsarchiv Ansbacher AA-Akten Nr. 868, p. 37.
18. Einzelheiten H.-Chr. Rublack (wie A. 3).
19. Wilhelm Eberhard Schwarz (Hg.): Die Nuntiatur-Korrespondenz Kaspar Grop-
pers, 1898, 91.
20. Ebd. 45.

nicht zu verweigern[21]. Diese auch von der Ritterschaft 1564 und dem Landtag im März 1566 übernommene Forderung erscheint noch bei Regierungsantritt Julius Echters 1573 an der Spitze der städtischen Gravamina. Zum gleichen Zeitpunkt legte die Wahlkapitulation für Julius Echter fest, daß nur noch katholische Bürger zu Ratsherren zu ernennen seien. Denn schon zwei Jahre zuvor, 1571, hatte Friedrich von Wirsberg beanstandet, daß auf der ihm vom Unterrat präsentierten Kandidatenliste nur Lutherische stünden[22]. In der Tat waren Protestanten nicht nur in das landschaftliche Amt der Obereinnahme, wie Ernst Schubert[23] nachgewiesen hat, eingedrungen, sondern auch in den städtischen Rat. Dennoch wurde auch 1573 an der bisherigen Praxis nichts geändert. Gerade in diesem Jahr wurden zwei der prominentesten Würzburger Protestanten, Philipp Merklein und Balthasar Rüffer, in den Rat gesetzt. Das Domkapitel rang sich danach zu dem Votum durch, *ein nachfragens zu haben, Ob ausserhalb diser Person besser Catholische zubekommen sein möchten*[24]. Die gegenreformatorischen Bemühungen konnten hier in Würzburg an den gegebenen verfassungsrechtlichen Eingriffsmöglichkeiten ansetzen. Trotzdem gerieten Bischof und Domkapitel in ein Dilemma: 1575 mußte wiederum ein Protestant, Konrad Müller, eingesetzt werden, *wiewol ein meinung, das man Catholische darzu befürdern solt, weil man aber deren nit haben könt, müst man andere, so darzu qualificirt geprauchen*[25]. Zur Verwaltung der städtischen Pflegen und Ämter, die Abrechnungen erforderten, waren Ausbildungen notwendig, die selbst bei der reduzierten Bedeutung der Selbstverwaltung nicht beliebig zu rekrutieren waren. Trotz der in die Wahlkapitulation eingeschriebenen Verpflichtung begann erst 1583, also zehn Jahre nach dem Regierungsantritt, Julius Echter mit einem dezidierten neuen Kurs. Unter Übergehung der Verfassungspraxis setzte er einen katholischen Ratsherren ein, der nicht auf der Kandidatenliste des Unterrats gestanden hatte. Hier meldete der Unterrat, vertreten durch Konrad Müller, den Anspruch auf Gleichbehandlung der Angehörigen der römischen Kirche und der Augsburgischen Konfession an[26].

Dieses Jahr eröffnet nun den bis 1587 laufenden Konflikt zwischen städtischem Unterrat und dem Fürstbischof. Der Konflikt erstreckte sich nicht nur auf die konfessionelle Materie, so etwa den von Ernst Schubert eingehender dargestellten Streit um den sogenannten lutherischen Friedhof[27], sondern erfaßte die

---

21. Vgl. zu den Gravamina *H.-Chr. Rublack* (wie oben A. 6).

22. Würzburger Stadtarchiv Ratsprotokolle 13, f. 46r.

23. *Ernst Schubert:* Protestantisches Bürgertum in Würzburg am Vorabend der Gegenreformation (ZBKG 40, 1971, 69–82); *ders.:* Gegenreformationen in Franken (JfLf 28, 1968, 275–307). Wiederabgedruckt in: *Ernst Walter Zeeden (Hg.):* Gegenreformation, 1973, 222–269.

24. Würzburg Staatsarchiv Domkapitelsprotokolle 29, f. 148v.

25. Würzburg Staatsarchiv Domkapitelsprotokolle 31, f. 16or.

26. Würzburg Stadtarchiv Ratsprotokolle 14, f. 25v–26r.

27. Vgl. *Schubert*, Bürgertum (wie oben A. 23).

städtische Verwaltung der Armenfürsorge ebenso wie die Kontrolle der Türken-steuerveranlagung. Gleichzeitig setzte die religiöse Disziplinierung der Ratsher-ren und der Bürgerschaft ein: 1585 beanstandete Julius Echter, daß nur wenige Ratsherren trotz seiner Aufforderung in der Kreuzwoche den Bettag und die Wallfahrten besucht hätten. Der Rat solle von Haus zu Haus den Bürgern ge-bieten, solche Bettage und Wallfahrten fleißig und andächtig zu besuchen. Inner-halb von vier Jahren drückte Julius Echter sowohl die Selbstverwaltung auf eine neue Stufe der Subalternität wie er auch die Stadt von Protestanten säu-berte. Zwei Episoden beleuchten scharf Zielsetzung und Charakter dieser Kam-pagne, ebenso die Möglichkeiten, die die städtische Selbstverwaltung bot, um die Angriffe abzuwehren. Im Konflikt um die Einsichtnahme des Landesherren in die Steueranlageprotokolle fiel das Wort Julius Echters: *Er were unser herr, ließ Ime nicht an das hefft greiffen. Er woll einmal ainem oder zweien, do fur Ime kumen weisen, waß der unterschied zwischen unterthanen und obrigkait sey.*[28] Beim Neujahrsempfang 1585 baten die Vertreter des städtischen Magi-strats, Bürgermeister und Stadtschreiber, diesen Vorfall nicht als Ungehorsam zu verstehen, sondern ihn *alein gemainer menschlichen blodigkeit* zuzuschrei-ben[29]. Er erwarte Gehorsam, entgegnete Echter, und hoffe, daß man verstehen lerne, wenn der Weise sage: *ira regis sicut rugitus leonis*[30].

Die zweite Episode ist bekannt: Am 19. März 1587 berief der Fürstbischof den gesamten Unterrat in die Kanzlei. Er ermahnte die Ratsherren als Bischof, in der Osterzeit das Sakrament sub una zu empfangen, sich so der katholischen Kirche einzuverleiben und sich *wie einem fromme Christ gepurt gehorsamblich* zu verhalten. Die Zweifelnden wolle er durch den Weihbischof, durch Jesuiten und Priester belehren lassen, Dissidenten aber als Ungehorsame behandeln. Bei gleicher Gelegenheit, und dies ist wiederum ein Hinweis auf die den geistlichen Zielsetzungen katholischer Reform und Gegenreformation parallel laufenden weltlichen Ziele, die Landesherrschaft zu straffen, teilte er dem Rat mit, er habe eine Polizei-, Almosen- und Steuerordnung beschlossen[31]. Im Lauf des Jahres 1587 schieden die prominentesten protestantischen Ratsherren aus dem Rat aus. Sie verließen wie andere Protestanten Würzburg. Die Abwehr der Zentra-lisierungsabsichten des Fürstbischofs in bezug auf Almosenstiftungen, die bisher der Rat zu verwalten hatte, lief noch sich steigernd bis Ende 1587 fort. Konkret traf der Landesherr auch bei diesen Eingriffen in die städtische Selbstverwaltung die Protestanten, die weitgehend die Pflegschaften der Armenfürsorge innehat-ten.

Wir sehen also zwei Verbindungspunkte zwischen Stadt und protestanti-scher Bewegung: einmal suchten die protestantischen Ratsherren in den städti-

28. Würzburg Stadtarchiv Ratsprotokolle 14, f. 92v.
29. Ebd. f. 94v.
30. Prov. 19,2 und 20,2 – den Nachweis danke ich Dr. *Heinz Scheible,* Heidelberg.
31. Würzburg Stadtarchiv Ratsprotokolle 14, f. 240v–242r.

schen Positionen eine Verteidigungsbasis. Sie bot jedoch keinen Halt gegen den Zugriff eines Landesherrn, der seine Herrschaftsinstrumente nutzen und ausbauen wollte. In seiner doppelten Zielsetzung waren Stadt und Protestantismus verbunden: trotz der bereits vorhandenen Kontrollmöglichkeiten verschärfte Julius Echter die politische Disziplinierung und erzwang die konfessionelle Konformität.

Die Auseinandersetzung um den lutherischen Friedhof vor dem Pleichacher Tor ist nicht nur darum von Bedeutung, weil sie den Konflikt zwischen Landesherrn und städtischem Magistrat verschärfte. Sie zeigt auch, wie sich das bürgerliche Gemeinschaftsbewußtsein gegenüber konfessioneller Separation durchzusetzen versuchte. In der Verweigerung des kirchlichen Begräbnisses sahen die Bürger eine soziale Diskriminierung. Genau dies beabsichtigte Julius Echter, wie seine Diözesanrelation von 1590 belegt: »*Ne etiam aliquis honor post mortem hereticis tribueretur, qui in vita ad nullam admittebatur functionem publicam ...*«[32]. Anderseits konnte er nicht ausschließen, daß der Friedhofsbau als protestantische Gottesdienststätte benutzt würde. Für Würzburg, wo nur von Arkaden und vom Bau eines Beinhauses gesprochen wird, ist dies zwar nicht nachweisbar. Es ließe sich aber sehr wohl denken, daß das, was in anderen mainfränkischen Friedhöfen noch heute zu sehen ist, sich ebenfalls hätte entwickeln können. In Sommerhausen, Marktbreit und Mainbernheim, Marktsteft, Repperndorf, Wiesenbronn, Buchbrunn und Sickershausen findet sich der Friedhofstyp, der Arkaden mit Freikanzel verbindet. Ernst Kemmeter, Stadtarchivar von Kitzingen, interpretiert die Funktion des Bautyps so: »Kanzel und Arkade vertreten also gleichsam die Stelle der Kirche, in der bisher der Gottesdienst beim Begräbnis gehalten wurde.«[33] Wie wichtig die soziale Repräsentation durch Friedhofsbauten gerade den Würzburger Protestanten war, zeigt sich auch darin, daß der nach Kitzingen ausgewanderte protestantische Ratsherr Georg Reumann eine Ausgestaltung des dortigen Friedhofs finanzierte.

Dort geben Inschriften Zeugnis konfessioneller Haltung. So über dem neuerbauten Tor des Kitzinger Friedhofs: »*Heil und leben gibt Christi blut / Freyer will und werkh hie nichts thut ...*« oder auf dem Epitaph der Reumanns: »*Auff Jesu verdient Sie haben traut / allein, darumb Sie auch wohl baut / Christi todt, begrebnus und verstandt (urstendt) / Ihr bester Trost war biß ans endt.*«[34] Das ausgeprägt konfessionell lutherische Bewußtsein dieses Würzburger Protestanten wird darin deutlich, daß in Reumanns Testament gesagt wird, er sei »*dieser*

---

32. *Joseph Schmidlin:* Die Diözesan-Relation des Fürstbischofs von Würzburg, Julius Echter, nach Rom (1590) (Würzb. Diöz. Gesch. Bl. 7, 1940, 24–31).

33. *Ernst Kemmeter:* Friedhofarkaden und -kanzeln (Im Bannkreis des Schwanbergs 1966. Heimat-Jahrbuch aus dem Landkreis Kitzingen, 48–59). Zu Marktbreit vgl. *Otto Selzer:* Die Friedhofhalle Marktbreit und ihre Grabdenkmäler, 1968. – Herrn Dr. *Ernst Kemmeter* ist für seinen Hinweis herzlich zu danken.

34. Würzburg Universitätsbibliothek HS M. ch. f. 263, f. 367r, 368v.

Calvinischer abscheulichen Sect ... von Herzen feind gewesen«[35]. Es enthält die Bestimmung, daß die Stiftungen für den Fall, daß Kitzingen katholisch werde, nach Schweinfurt zu übertragen seien. Seine drei Töchter sollen enterbt werden, wenn sie in das gottlose Papsttum zurückkehren.

Als wertvollstes Zeugnis verzeichnet dieses Testament die Bibliothek Reumanns und seiner Frau Barbara Weyer. Er besaß, obwohl Laie und ohne Universitätsausbildung, 191 Bände, neben juristischen Handbüchern und Hausbüchern zu 74 % Theologica[36]. Dies allerdings in charakteristischer Zusammensetzung: Bibelausgaben, Bekenntnisschriften und exegetische Werke bilden ungefähr ⅕ der Bibliothek, ¼ sind Andachtsbücher, 10 % sind Postillen und Predigten. Die lutherische Erbauungsliteratur der Frühorthodoxie ist in ihren hervorragenden Vertretern vorhanden. Wir können annehmen, daß im Hause Reumann eine Privatfrömmigkeit bewußt lutherischer Prägung gepflegt wurde. Georg Reumann war Eisen- und Tuchhändler, fürstbischöflicher Rat, offenbar als Münz- und Wirtschaftsexperte, in den städtischen Ämtern tritt er 1573 als Unterrat auf, 1587 entsetzt, 1581 und 1585 in den Oberrat entsandt. Er war auch Pfleger des Bürgerspitals. Die Verbindung von städtischem und landschaftlichem Amt zeigt sich bei ihm darin, daß er 1577 Obereinnehmer der Landschaft war. In stärkerem Maße in städtischen Ämtern eingesetzt war Philipp Merklein, den das Domkapitel als Rädelsführer beim Friedhofsbau bezeichnete. Er war Bürgermeister 1576 und 1584 und hatte die Pflegschaften mehrerer karitativer städtischer Einrichtungen inne, daneben war er Pfleger der »Bürgerkirche«, der Marienkapelle. Er entzog sich einer Ausweisung, indem er im Juli 1587 ins Bad nach Kissingen reiste. Endgültig emigrierte er nach Schweinfurt, dem Zielort vieler Würzburger Protestanten.

Daß sich die frühreformatorische Bewegung von der protestantischen Bewegung in der zweiten Hälfte des 16. Jahrhunderts schon durch ihr konfessionelles Bewußtsein unterschied, dürfte deutlich geworden sein. Allerdings wird man nicht annehmen dürfen, alle Protestanten in Würzburg hätten gleich ausgeprägtes konfessionelles Bewußtsein gehabt wie ihre führenden Vertreter. Es handelte sich aber doch nicht um eine Bewegung des Nikodemismus, und, soweit sich der Kern der Würzburger Protestanten ausmachen läßt, nicht um eine Kelchbewegung. Dies, obwohl als entscheidender Differenzpunkt von beiden Seiten die communio sub utraque bzw. sub una zu bestimmen ist. Diese beiden Bewegungen, die frühreformatorische und die protestantische, sind auch deshalb zu unterscheiden, weil sich eine Kontinuität zwischen ihnen nicht nachweisen läßt. Die protestantische Bewegung setzte etwa ein Vierteljahrhundert nach dem Abbrechen der frühreformatorischen Ansätze ein. Dieser Würzburger Protestantismus,

---

35. Kitzingen Stadtarchiv Testament Reumann-Weyer, f. 80.

36. Das Inventar ist durch *Erwin Freund* im Rahmen der Arbeiten des Teilprojekts Z 2 des SFB 8 bibliographisch erschlossen und wird als Anhang zu Exkurs 5, der das Verzeichnis kommentiert, in Verf. (wie oben A. 3) veröffentlicht.

wiewohl konfessionell ausgeprägt, ist nicht aggressiv gewesen. Bei allem Willen, Lebensäußerungen, die er für legitim hielt, auch verwirklichen zu dürfen, war er darauf bedacht, bürgerlichen Frieden zu wahren. Gewalt wurde angewandt von seiten des Landesherrn und Bischofs, der die protestantische Minorität auswies oder zur Konversion zwang. Daß dies reichsrechtlich als auch territorialrechtlich legal war, braucht nicht betont zu werden, ebensowenig, daß protestantische Landesfürsten ebenso auf konfessionelle Konformität zielten.

Seit der Schlacht bei Bergtheim im Jahre 1400 entwickelten sich die Autonomierechte der Stadt Würzburg rückläufig. Für Bamberg markiert der Ausgang des Muntäterkrieges 1430–1437/40[37] den Beginn der abfallenden Linie. Allerdings geht diese Entwicklung, dies ist eine Bamberger Besonderheit, von einem gewissermaßen niedrigeren Niveau aus. Es war überhaupt erst einmal die Einheit der in den Siedlungen Bambergs lebenden Bürger unter einem Rat herzustellen. Die stiftischen Immunitäten bildeten eigene Rechts- und Verwaltungseinheiten[38]. Die Selbstverwaltungsrechte waren geringer ausgebildet als in der civitas als der eigentlichen Stadt Bamberg, deren Stadtherr der Bischof war. Jedoch lockte Bürger des Stadtgerichts der niedrigere Steuersatz und sie wanderten in die Immunitäten ab. So stieg die Ungleichheit der doch von gleichem Schicksal betroffenen Bamberger. Wie infolge des Hussiteneinfalls 1429/30[39], erzeugte das Spannungen, die sich dann im Muntäterkrieg entluden. Außer der vordringlichen Forderung, alle Niedergerichte zusammenzulegen und die Verwaltungstätigkeit des Rates auf die ganze Stadt auszudehnen, traten in diesem insgesamt ein Jahrzehnt dauernden Konflikt Bestrebungen auf, die auf ein erhöhtes Maß an Autonomie abzielten. Dazu gehörten Selbstbesteuerung, auch die Lösung von dem Bestätigungsrecht des Bischofs bei der Ratssetzung. All dies konnten Bischof und Domkapitel verhindern, der status quo ante wurde restauriert, und der Rat blieb in seiner Zusammensetzung vom Fürstbischof abhängig. Das Domkapitel erwirkte ein Mitregierungsrecht in der zweiten Hälfte des 15. Jahrhunderts[40]. Gegen dieses, nicht gegen den Landesherrn richteten sich die politischen Forderungen des städtischen Aufstands von 1525[41]. Wie im Muntäterkrieg trat der Rat als selbstverständliches, handlungsfähiges Organ der Bürgerschaft hervor. Er nahm die im Muntäterkrieg abgebrochene Entwicklung wieder auf und dehnte 1525 die Forderung des »Mitleidens« auf die exemten Geistlichen aus.

Die Autonomiebewegung war in Bamberg weniger ausgeprägt, schärferes Pro-

37. *Anton Chroust (Hg.):* Die Chroniken der Stadt Bamberg Bd. 1, 1907.

38. *Alwin Reindl:* Die vier Immunitäten des Domkapitels zu Bamberg (Bericht des Historischen Vereins ... Bamberg 105, 1969, 213–509).

39. *Johann Looshorn:* Das Bisthum Bamberg von 1400–1556, 1900, 216.

40. *Siegfried Bachmann:* Die Landstände des Hochstifts Bamberg (Bericht des Historischen Vereins ... Bamberg 98, 1962) 39.

41. *Rudolf Endres:* Probleme des Bauernkriegs im Hochstift Bamberg (JfLf 31, 1971, 91–138).

fil als in Würzburg zeigt die frühreformatorische Bewegung. Doch die Grundzüge gleichen sich: Luthersympathisanten im Klerus, in Bamberg der Hofkaplan des Bischofs und der Domdekan[42], Verbreitung von Flugschriften[43] und reformatorische Predigt. Reformatorische Gesinnung wurde toleriert, doch gegen Johann Schwanhausen ging der Fürstbischof 1524 vor, indem er das durch den Reichsabschied 1523 festgelegte Verfahren[44] anwandte. Die Vertreibung Schwanhausens liegt in zeitlicher Nähe zu zwei Ereignissen: Um Ostern 1524 begann man, während der Predigt Almosen zu sammeln, das Geld wurde unter die Armen verteilt, im Dom und in den zwei Pfarrkirchen sollten Almosenstöcke aufgestellt werden. Der Schritt von Schwanhausens Predigt, die eine antihierarchische und, eingebettet in die positive Darlegung reformatorischer Lehre, eine sozialkritische Spitze hatte, zur Praktizierung der Lehre war damit getan[45]. Zweitens begann das Verfahren kurz nach dem Aufstand in Forchheim, so daß sich ein Zusammenhang von Herrschaftssicherung und Gegenreformation nahelegt.

Der Bamberger Aufstand im April 1525 ist auf die Vertreibung Schwanhausens zurückbezogen: Die Predigt des Wortes Gottes und die Wiederberufung des Prädikanten waren erstrangige Forderungen. Außer der Gleichartigkeit des Verlaufs der Aufstände in den beiden fränkischen Bischofsresidenzen[46] bildete sich in keinem der Artikel die religiöse Frage zur Begründung der politischen und sozialen Forderungen aus. In Bamberg finden sich später als in Würzburg, nämlich erst Mitte Mai, weitergehende Vorstellungen zur Reform kirchlicher Institutionen[47]: Die Aufhebung von nichtparochialen Einrichtungen in den Gemeinen Nutzen ist auch hier angestrebt. Anders als in Würzburg folgt jedoch der antiklerikale Klostersturm der »Wort-Gottes«-Bewegung[48]. Auch war nach dem Bauernkrieg die fürstliche Reaktion weniger scharf: eine neue Stadtordnung ist nicht erlassen worden. Doch sicherten zwei Mandate 1526 und 1527 Herrschaft und kirchliche Ordnung und in beiden Städten stellte sich das gleiche Ergebnis her: die frühreformatorische Bewegung hatte nur dann eine Chance zur Entwicklung, solange der Landesherr Gegenmaßnahmen suspendierte.

Trotz des Scheiterns der frühreformatorischen Bewegung setzte eine protestantische Bewegung in den 5oer Jahren ein. Das benachbarte Walsdorf, dessen

---

42. *Otto Erhard:* Die Reformation der Kirche in Bamberg unter Bischof Weigand 1522–1556, 1898. *Werner Zeissner:* Altkirchliche Kräfte unter Bischof Weigand von Redwitz (1522–1556), 1975.

43. *Karl Schottenloher:* Die Buchdruckertätigkeit Georg Erlingers in Bamberg von 1522–1541 (1543), 1907.

44. RTA JR Bd. 3, 1901, 447–452.

45. *Otto Erhard:* Johann Schwanhäuser, der Reformator Bambergs (Beitr. z. bayer. KG 3, 1897) 16; *Endres* (wie A. 41) 108; *Looshorn* (wie A. 39) 570.

46. *H.-Chr. Rublack* (wie A. 5) 96 f.

47. *Chroust* (wie A. 37) 2, 1910, 28 ff.

48. Zu Würzburg *Verf.* (wie A. 5).

Patrone die protestantischen Herren von Crailsheim waren, bot Gelegenheit zum Predigtbesuch – wie ja die protestantische Bewegung, schon gar nicht im Gemenge Frankens, keine auf die Städte beschränkte Erscheinung war.

Nach ersten Ansätzen, vor allem unter Fürstbischof Ernst von Mengersdorf (1583–1591), ging der ehemalige Würzburger Dompropst Neithart von Thüngen methodisch und in aller Schärfe gegen die Protestanten in Stadt und Stift vor. Das Verfahren Julius Echters stand in Bamberg Modell, sowohl in der Verbindung von Visitation und Gegenreformation, als auch in der Nutzung weltlicher Herrschaftsinstrumente. Das Domkapitel wandte sich dagegen, das Konfliktmodell auf Bamberg zu übertragen, und begründete eine Alternativstrategie[49]: die Anordnung Ernsts von Mengersdorf, nur katholische Paare trauen zu lassen, habe sich schon bewährt. Auf diese längerfristig angelegte Rekatholisierung durch Unterbindung von protestantischen Familiengründungen und von Mischehen, verbunden mit Einwanderungsverbot für Protestanten, ließ sich Neithart von Thüngen nicht ein. Er ging 1596 gegen den Bamberger Rat vor, »*Weiln dan Bey den gemeinen Mann nichts zuuerrichten, es were dann der Rath zuuor richtig*«[50]. Sieben der 27 Ratsherren ließ der Fürstbischof zur Erbhuldigung am 27. Juli 1596 nicht zu, drei weitere konvertierten und erschienen 1597 wieder im Rat. Wie in Würzburg hatten diese protestantischen Ratsherren die wichtigsten Pflegschaften karitativer städtischer Einrichtungen inne. Auch der Stadtschreiber erhielt seinen Abschied[51]. Ein weitergreifender Konflikt um städtische Selbstverwaltungsrechte fand nicht statt. Doch wie in Würzburg nutzte der Fürstbischof die verfassungsmäßigen Möglichkeiten um einzugreifen und ging zuerst gegen die städtische Führungsschicht vor.

Für Bamberg läßt sich die Zahl der Protestanten präziser ermitteln, wenigstens für die Pfarrei St. Martin, die den größten Teil der civitas und das Gebiet östlich des rechten Regnitzarmes umfaßte, und für das Jahr 1596. Eine Kollektenliste, die den abweichenden Konfessionsstand vermerkt[52], verzeichnet 2018 erwachsene Personen, männliche und weibliche Haushaltsvorstände. 14 % dieser »haushabigen« Personen waren Lutheraner. Die Zahl der lutherischen Frauen übersteigt die der lutherischen Männer um 80 %. 21 % aller Ehen waren entweder rein lutherisch (7 %) oder Mischehen, davon 11 % aller Ehen mit weiblichem lutherischem Ehepartner. Der erhöhte Anteil lutherischer Frauen ist auch bei den

49. Bamberg Staatsarchiv Rep. B 86/21, f. 405r–v (5. 4. 1596), f. 408–409v (9. 4. 1596), f. 432r–433r (432r, v doppelt gezählt) (17. 5. 1596).
50. Ebd. f. 440r (6. 6. 1596).
51. Bamberg Stadtarchiv B 22, Nr. 11 und B 4, Nr. 34; Bamberg Stadtarchiv Historischer Verein Rep. 3, 1186, Nr. 11; Bamberg Stadtarchiv Historischer Verein Rep. 2, 1, Nr. 21, f. 71v–72r: Johannes Großmann war 17 Jahre lang Stadtschreiber: »*Wann aber mutationes und verendrung furgefallen, er auch sein heußlich wesen weiters anzustellen, und sich an andrer ortten zubegeben in vorhabens*« sei.
52. Bamberg Ordinariatsarchiv Nr. 439. Die Liste wird demnächst eingehender ausgewertet.

Witwen nachweisbar: es waren 14 % der Witwen, gegen 2 % bei Witwern. Da die Liste von Haus zu Haus geht, kann man die Verteilung der lutherischen Bewohner auf die Stadt eruieren. Die Quartiere der Innenstadt sind wesentlich stärker gemischtkonfessionell als die Außenbezirke. Die Konzentration der Protestanten in der inneren Stadt indiziert jedoch keine Segregation: auch in Bamberg wohnten Protestanten und Katholiken nebeneinander.

Die Abwesenheit von Konflikten, worauf das Domkapitel ausdrücklich abhob[53], bis hin zum widerstandslosen Ausscheiden aus den Ämtern, unterstreicht, daß sich ein friedlicher modus vivendi der Konfessionen herausgebildet hatte, den die stadtbürgerliche Gesellschaft tolerierte, den die tridentinisch orientierte Gegenreformation zerstörte. Zweimal scheiterten reformatorische Bewegungen auch in Mainz und Salzburg. Die Vertreibung der protestantischen Ratsmitglieder in Salzburg 1588 durch Erzbischof Wolf Dietrich von Raitenau kommentierte der Nuntius am Kaiserhof, Puteo, so: der Erzbischof »è entrato con gran fervore nella strada de vescovo di Herbipoli«[54]. In Passau war die Säuberung 1586 vollzogen worden, in Mainz kam man allem Anschein nach mit energisch betriebenen Konversionskampagnen aus[55]. Wenig berührt von reformatorischen Bewegungen blieb Freising, ganz unberührt Eichstätt, für beide Residenzen gilt die Notiz Ruggieris in bezug auf Freising, die Stadt sei »molto pacifico et cattolico«, eine »città episcopale piccola et bella«, die »obedisce in tutto al vescovo«[56].

Als ein Ergebnis des Durchgangs durch die süddeutschen geistlichen Residenzstädte mit minderer Selbstverwaltung läßt sich festhalten: der Erfolg der Gegenreformation, das Scheitern der frühreformatorischen wie der protestantischen Bewegungen ist mitbedingt durch die mangelnde Autonomie der Stadt. In den 20er Jahren im Stadium der Predigtbewegung erstickt, in der zweiten Hälfte des 16. Jahrhunderts als Minorität gewaltsam beseitigt, boten autonome Rechte keinen Rückhalt für Widerstand. Ob sich Gegenreformation mit geistlichem Frühabsolutismus verband, wie in Würzburg und Salzburg, oder ob eine solche Kombination nicht erkennbar ist, wie in Bamberg, die Protestanten emigrierten widerstandslos.

Im Gegenbild bestätigt dieses Ergebnis der sogenannte Trierer Reformationsversuch[57].

Dort war die strada de vescovo di Herbipoli bereits mit Erfolg 1559 ange-

53. Bamberg Staatsarchiv Rep. B 86/21, f. 409v.

54. *Joseph Schweizer (Hg.):* Die Nuntiatur am Kaiserhofe: Antonio Puteo in Prag 1587–1589 (Nuntiaturberichte aus Deutschland II, 2. Hälfte), 1912, 323.

55. *Jakob Schmidt:* Die katholische Restauration in den ehemaligen Kurmainzer Herrschaften Königstein und Rieneck, 1902, 11.

56. *Wandruszka* (wie A. 4) 163.

57. *Richard Laufner:* Der Trierer Reformationsversuch vor 400 Jahren (Trierisches Jahrbuch 11, 1960, 18–41); *Hansgeorg Molitor:* Kirchliche Reformversuche der Kurfürsten und Erzbischöfe von Trier im Zeitalter der Gegenreformation, 1967.

wandt worden. Der Protestantismus drang nach 1525 ein. Er traf neben einer überall hervortretenden antiklerikalen Haltung einzelner Bürgergruppen auf das Bestreben, die städtischen Autonomierechte zur vollen Reichsstandschaft weiterzuentwickeln. Der Konflikt um Kaspar Olevian und den fast eruptiv zutage tretenden Protestantismus in Trier fand die Autonomiebewegung als Plattform vor und aktualisierte sie. Auf die Rechte der Stadt berief man sich immer dann, wenn der Landesherr gegen die Protestanten vorging, indem er in die städtische Verfassung eingreifen wollte. Die Autonomiebewegung bildete die Basis der Solidarität der Bürgerschaft. Dies nutzte die protestantische Minderheit. Im Verlauf des Konflikts wird jedoch deutlich, daß die städtische Freiheit und die Einheit der Bürgerschaft hinter der Verteidigung der Wahrheit zurücktreten mußte[58]. Das Heil der Stadt und das konfessionell definierte Seelenheil waren nicht identisch. Protestantismus und Autonomiebewegung sind funktional einander zugeordnet, nicht essentiell. Die Dissoziation von Streben nach Reichsstandschaft und reformatorischer Lehre wird auch darin deutlich, daß der Rat der Stadt Trier nach Austreibung der Protestanten einen jahrelangen Prozeß gegen den Kurfürsten führte, in dem schließlich 1580 der Reichshofrat gegen die Stadt entschied.

Wir fassen einige Ergebnisse zusammen:

1. Von acht fürstbischöflichen Residenzstädten West- und Süddeutschlands blieb nur eine von den reformatorischen Bewegungen völlig unberührt. Die Bilanz von »geistlicher Residenzstadt und Reformation« ist für die Gruppe der landsässigen Städte jedoch negativ: überall scheiterten sowohl die frühreformatorischen als auch die protestantischen Bewegungen. Eine Gemeindeorganisation gelang nirgends.

2. Frühreformatorische Bewegungen waren in den Residenzstädten festzustellen, wo im Spätmittelalter Autonomiebewegungen gescheitert waren. Dies gilt für Würzburg, Salzburg und Mainz, mit Modifikationen auch für Bamberg. In denselben vier Bischofsstädten schließen sich frühreformatorische und politisch-soziale Forderungen in den städtischen Aufständen im Zusammenhang des Bauernkrieges zusammen.

3. Die protestantischen Bewegungen politisierten sich nicht aus sich selbst. Trotz ausgeprägten konfessionell-lutherischen Charakters verwirklichten sie sich in einem friedlichen modus vivendi. Politisiert wurden sie, wenn überhaupt, durch die Gegenreformation, die zugleich gegen die Reste der Selbstverwaltung der Magistrate und die in diese eingedrungenen Protestanten vorging. Nur für Trier läßt sich die Politisierung der protestantischen Bewegung nachweisen. Dort fand sie Anschluß an eine ansteigende Autonomiebewegung. In den übrigen Fällen boten die Selbstverwaltungsrechte kaum einen Rückhalt.

58. *Julius Ney:* Die Reformation in Trier 1559 und ihre Unterdrückung Bd. 1–2, 1906/07, hier Bd. 2, 44.

4. Die protestantischen Bewegungen drangen zwischen dem Scheitern des Bauernkriegs und dem Einsetzen der tridentinischen Gegenreformation, einer Periode des »salutary neglect«[59], in die Bürgerschaft der Residenzen ein.

5. Der Protestantismus etablierte sich in bedeutenden Minderheiten, die in den nachweisbaren Fällen bei 10 bis 14 % der Bürgerschaft lag. Obwohl er in die städtischen Führungsschichten tief eindrang, war er keine reine Elitebewegung.

Fünf abschließende Bemerkungen, die ihrem Sinn nach Fragestellungen sind, seien angefügt.

1. Es fällt auf, daß die protestantischen Bewegungen in den geistlichen Residenzen erst um die Zeit des Augsburger Religionsfriedens quellenmäßig faßbar werden. Sie treten also auf in einer Zeit, wo die Konfessionalisierung reichsrechtlich stabilisiert wird. Der Augsburger Religionsfrieden hatte also trotz seines inhärenten landeskirchlichen Prinzips offenbar konträre Wirkungen: er ermutigte die protestantischen Minoritäten in katholischen Territorien, die versuchten, freilich vergeblich, sich auf das Reichsrecht zu berufen.

2. Die faktische Stabilisierung der Konfessionen vollzog sich in diesen Städten und den Territorien nicht primär als unmittelbare Folge der reichsrechtlichen Fixierung, sondern erst eine gute Zeit, etwa eine ganze Generation, später. In diesen 30 Jahren zwischen dem Augsburger Religionsfrieden und dem jeweiligen Einsetzen der tridentinisch orientierten Gegenreformation haben sich in den geistlichen Residenzen die Nonkonformisten lutherischer Konfession nicht nur halten, sondern offenbar auch entfalten können. Auch das Luthertum zeigte Dynamik. Erst die tridentinische Reform in ihrer Verbindung mit der Energie der Landesfürsten entwickelte die praktikablen Methoden, die nach der Scheidung der Geister auch die Personen schied.

3. Dabei ist ein praktizierter bürgerlicher modus vivendi zerstört worden. Abgesehen von Trier, so betonten wir, verhielten sich die Protestanten in den betreffenden Residenzen apolitisch. Der Frieden des politisch-sozialen Körpers der Stadt wurde nicht gefährdet. Im Gegenteil belegt etwa der Konflikt um den Würzburger Friedhofsbau, daß die protestantischen Bürger an der Einheit der bürgerlichen Gesellschaft festhalten wollten. Die Herstellung der konfessionellen Einheit war für die Bürger der Städte, für ihr Zusammenleben ein schmerzhafter Prozeß. In keinem der beobachteten Fälle hat sich der städtische Magistrat aktiv gegenreformatorisch betätigt. Hier gab es keine Ratsgegenreformation.

4. Für Würzburg und Bamberg ist zu belegen, daß die protestantische Elite besonders in der Verwaltung der Sozialfürsorge engagiert war. Dies weist auf die soziale Dimension sowohl der städtischen Genossenschaft als auch auf das soziale Ethos der Reformation hin. Die reformatorischen Eliten interpretieren also die städtische Genossenschaft nicht als Herrschaftsinstrument, sondern als soziale Verantwortung.

59. *Edmund Burke:* Speeches and Letters on American Affairs, 1961, 89.

5. Der Vorgang der Stabilisierung der Konfessionen, hier am Beispiel der protestantischen Minoritäten demonstriert, zeitigte menschliche Kosten: Bei Anpassung und Konversion verstörte Gewissen, bei Exilierung gestörte soziale Beziehungen und bei den weniger Wohlhabenden ruinierte wirtschaftliche Existenz. Dies waren Kosten, die weder glatt interkonfessionell zu verrechnen noch mit einem Gewinn, etwa der Ausbildung des modernen Staates, zu bilanzieren sind. Der Historiker, der nach Ranke die Beschönigung des Unrechten zu hassen hat[60], wird der Versuchung widerstehen, mit dem leicht heroisch getönten Begriff des »Zeitalters der Glaubenskämpfe« zu verdecken, daß auch dieses Zeitalter eines der Unterliegenden und Gewalt Leidenden war.

60. Leopold von Ranke: Vorlesungseinleitungen. Hg. von *Volker Dotterweich/W. P. Fuchs*, 1975, 296.

Klaus-Joachim Lorenzen-Schmidt

Die Geistlichen der schleswig-holsteinischen Städte vor der Reformation und ihre Stellung in den Stadtgemeinden*

Bei meiner Beschäftigung mit den sozialen und wirtschaftlichen Hintergründen der Reformation in den schleswigschen und holsteinischen Städten bin ich recht bald auf die Frage gestoßen, welche sozialen Gruppen und Schichten ein Interesse an der Durchsetzung der »neuen Lehre« haben konnten. Die recht große Zahl der städtischen Weltgeistlichen fiel dabei besonders ins Auge, da zu vermuten war, daß ein Teil der Stadtkleriker aus dem Bürgertum selbst stammte und im Verlauf des reformatorischen Prozesses möglicherweise in einen Interessenkonflikt geraten konnte: Denn waren sie einerseits Teil der bürgerlichen Gesellschaft – nicht in rechtlicher Hinsicht, wie es Bernd Moeller zusammenfassend dargestellt hat[1], wohl aber in sozial-psychologischer –, gehörten sie doch andererseits zur Institution Kirche. Zu welcher Gruppe sollten sie sich loyal verhalten?

Dieses Problem ist bisher kaum behandelt worden; auch nicht in solchen Untersuchungen, die explizit den Problemkreis »Stadt und Kirche« thematisierten[2]. Denn hier ging es vorrangig um das Verhältnis zwischen den Institutionen Stadt und Kirche, nicht um das Verhältnis zwischen Klerikern und Bürgertum.

Die Stadtgemeinden, vor allem die Ratsgremien der Städte, nahmen in Schleswig und Holstein die reformatorischen Anregungen recht früh auf (Krempe und Husum bereits 1522) und hatten ein unmittelbares Interesse an der Veränderung der kirchlichen Situation, die durch Grund- und Geldbesitz, aber auch durch Aufsicht über die Schulen und das Armenwesen weit in das bürgerliche Leben hineinwirkte.

Meine Fragestellung war infolgedessen: War der Klerus der Städte der Herzogtümer familiär mit dem Bürgertum seiner Wirkungsstätten verbunden und könnten sich diese Beziehungen im Hinblick auf den reformatorischen Prozeß ausgewirkt haben?

Die Quellenlage ist für diese Frage nicht besonders günstig, weil über die Einzelheiten der Durchsetzung der »neuen Lehre« nur sporadische Informatio-

* Ich verdanke die Anregung, über dieses Problem nachzudenken, Herrn Prof. Dr. *Erich Maschke*, Heidelberg. – Die ausführliche Darstellung mit den Namen der Geistlichen wird in einem Organ der Landesgeschichte – vermutlich den Schriften des Vereins für Schleswig-Holsteinische Kirchengeschichte, 2. Reihe – veröffentlicht.

1. *B. Moeller:* Kleriker als Bürger (Festschrift für Herm. Heimpel, Bd. 2, 1972, 195 bis 224).

2. Vgl. die Arbeiten von *Natale, Lindenberg, Vogelsang* und *Kiessling*.

nen zu erhalten sind[3]. So ist es beinahe völlig ausgeschlossen, etwas über die Haltung einzelner Personen zu den Vorgängen in Kirche und Gesellschaft zu erfahren. Dafür haben wir für einzelne Städte recht umfangreiches Quellenmaterial, das prosopographisch verarbeitet werden kann und damit eine notwendige Grundlage für eine Analyse der vorliegenden Art darstellt[4].

Methodisch bin ich so vorgegangen, daß ich die Daten, die ich über die Zusammensetzung der Bevölkerung der Städte erreichen konnte und die sich z. B. in Schoß- und Bedelisten, Registern, Stadtbüchern und Bruderschaftsakten finden lassen, mit den Informationen konfrontierte, die über die in den Städten anzutreffenden Geistlichen auffindbar waren. Nicht immer ließen sich mit diesem Verfahren Familienbeziehungen einwandfrei ermitteln. Es mußte also zwischen »sicherer« und »wahrscheinlicher« familiärer Identität unterschieden werden.

Da nicht für alle Städte ausreichendes Material vorliegt, wurden die Städte Schleswig, Kiel, Rendsburg, Itzehoe, Wilster und Krempe ausgewählt, die ein recht breites Spektrum der in den Herzogtümern vertretenen Stadttypen der frühen Neuzeit bieten.

Insgesamt lassen sich zwischen etwa 1490 und etwa 1540 – im Jahre 1542 wird die Reformation in beiden Herzogtümern verbindlich durch Landtagsbeschluß durchgesetzt – 289 Kleriker feststellen. Der Löwenanteil fällt allein auf die Stadt Schleswig, die Sitz eines Domkapitels war und daher eine umfängliche Domgeistlichkeit aufwies.

Von den 157 Klerikern Schleswigs stammen wahrscheinlich oder sicher 23 (d. i. 14,6 %) aus dem Bürgertum der Stadt selbst, davon 2 (d. i. 1,3 %) aus Ratmannen-Familien. Der weitaus größere Teil stammt aus dem gesamten Domsprengel; mehrere Geistliche können als aus dem westlichen Gebiet (Nordfriesland) kommend ermittelt werden.

Kiel, Rendsburg und Krempe haben sehr hohe Anteile von aus den Städten selbst hervorgegangenen Geistlichen: Zwischen 46,9 % in Krempe und 64,4 % in Kiel gehören wahrscheinlich oder sicher Bürgerfamilien an. In Kiel und Krempe ist die familiäre Nähe zur Ratmannen-Schicht besonders hoch; sie beträgt um 15 %. In Itzehoe und Wilster kommen nur etwa 1/4 der Kleriker aus dem Bürgertum ihrer jeweiligen Wirkungsstädte (25 und 22,2 %). Nur in Itzehoe und Rendsburg lassen sich noch Verbindungen zu Ratmannen-Familien (6,3 bzw. 5,6 %) feststellen.

Insgesamt konnten nur 31,5 % (d. i. 91) der Gesamtzahl auch als Bürgersöhne identifiziert werden.

Sicher hängt die Intensität der bürgerlichen Beteiligung an der Besetzung von Kleriker-Stellen von der Zahl der vom Bürgertum innegehabten Patronate ab.

---

3. *E. Feddersen:* Kirchengeschichte Schleswig-Holsteins Bd. 2, 1938, 7.

4. Ich habe so die Bevölkerung Schleswigs, Rendsburgs, Kiels und Krempes ganz, die Itzehoes und Wilsters teilweise aufgenommen.

In Kiel wußte der Rat recht früh Patronatsrechte über Vikarien an sich zu bringen; ähnliches ist aus Rendsburg und Krempe bekannt. In Itzehoe hatte das Kloster, das keine eigene Kirche besaß, einen erheblichen Einfluß auf die Besetzung der Stellen und konnte so – ähnlich wie der Landesherr an verschiedenen Orten – seine Protégés an Pfründen bringen.

Die rechtliche Stellung der Geistlichen in den Städten mit Lübischem oder mit dem jütischen Low verwandtem Recht bestimmte nur teilweise ihre ökonomische Lage. Zwar waren sie exempt und damit von städtischen Pflichten (Steuer- und Wachtpflicht) und städtischer Gerichtsbarkeit befreit, doch wurden andere Bestimmungen wie z. B. das Hausverkaufsverbot zur »toten Hand« oft genug durchbrochen. Nur aus Schleswig wissen wir, daß Geistliche häufig zu den kommunalen Lasten beitrugen; sie zahlten hier in der Regel pro anno den Festbetrag von 8 Schilling, was dem Schoßbetrag eines mittleren Handwerkers mit Hausbesitz entsprach.

Anders zeigt sich die ökonomische Stärke von Klerus und kirchlichen Institutionen auf den Rentenmärkten der Städte. Es liegen dafür nur Quellen aus Kiel und Krempe vor, weil die Rentebücher anderer Städte verloren sind. In diesen beiden Städten sieht es so aus, daß zwischen 1488 und 1530 die Kirche mit Anteilen zwischen $1/4$ (in Krempe) und $1/2$ (in Kiel) am Kreditverkehr sowohl in der Höhe des Umsatzes wie in der Zahl der Geschäfte beteiligt ist. $1/4$ bis $1/2$ des bürgerlichen Kapitalbedarfs wurde also von der Kirche, den geistlichen Personen und Institutionen gedeckt[5].

Der recht hohe Anteil der Bürgerkinder an der städtischen Weltgeistlichkeit am Vorabend der Reformation hat vermutlich in den Städten Schleswigs und Holsteins dazu geführt, daß hier die »neue Lehre« ohne größere Komplikationen eingeführt werden konnte. Das Ratsinteresse an der Reformierung des kirchlichen Lebens tritt uns in einzelnen Stellungnahmen, vor allem in Auseinandersetzungen um Vikarien und Kirchenländereien, dann auch um Patronate und die Beibehaltung bereits evangelischer Prediger (Krempe, Wilster, Husum) entgegen. Rat und ratstragende Schichten haben dann wohl entsprechenden Einfluß auf die Geistlichen genommen, so daß diese sich willig dem Interesse ihrer Familien anschlossen und – bei der geringen Radikalität der Maßnahmen in den Städten – überwiegend ungeschmälert in ihren Einkünften davonkamen.

So bleibt auch ohne ausschöpfende Kenntnis der tatsächlichen Gruppenbeziehungen und der Qualität der Kommunikation wie auch ohne unmittelbaren Einblick in das spezielle Reformationsgeschehen der Eindruck bestehen, daß der insgesamt friedliche und gemäßigte Verlauf der Reformationsdurchsetzung besonders auch auf die familiäre Verbindung vieler Geistlicher mit dem Bürgertum und der Ratsschicht zurückzuführen ist.

5. Meine Untersuchung: Die Rentenmärkte von Kiel und Krempe 1488–1560. Ein Vergleich ihres Umfanges und ihrer Dynamik, wird erscheinen in den Mitteilungen der Gesellschaft für Kieler Stadtgeschichte. Ich bereite eine Untersuchung zum selben Problem für Hamburg (1470–1570) vor.

Heinz Schilling

Reformation und Bürgerfreiheit
Emdens Weg zur calvinistischen Stadtrepublik*

Für das Thema »Stadt und Kirche im 16. Jahrhundert« ist die ostfriesische Territorialstadt Emden in mehrfacher Hinsicht von Interesse:

1. wegen des Verlaufes ihrer Kirchen- und Reformationsgeschichte, der ganz aus dem Rahmen des deutschen Protestantismus fällt[1];

2. weil sie über mehrere Jahrzehnte eines der wichtigsten und geistig wie politisch aktivsten Zentren des nordwesteuropäischen Reformiertentums bildete – erinnert sei nur an die Emdener Synode von 1571;

3. da sie zu den wenigen deutschen Städten zählt, in denen der Calvinismus auf Dauer zur Herrschaft gelangte, wobei sich diese Besonderheit aufhebt, wenn man – was mit guten Gründen geschehen kann – die Geschichte Emdens in dieser Epoche an diejenige der niederländischen Städte heranrückt, und schließlich

4. aufgrund der Tatsache, daß hier – wenn ich richtig sehe – an einziger Stelle innerhalb des Reiches die Dynamik calvinistischer Reformation in eine Revolution einmündete, die das Verfassungsleben der Stadt und des Territoriums grundlegend veränderte.

Vor allem der zuletzt genannte Punkt scheint die nachfolgenden Erörterungen festzulegen auf das vielbehandelte Problem Calvinismus und Demokratie[2] oder auf Calvinismus und Kapitalismus bzw. bürgerliche Revolution. An anderer Stelle gedenke ich auszuführen, wie wenig sachgerecht es ist, das Luthertum prinzipiell auf Obrigkeitshörigkeit bzw. auf die Formel »Pathos des Gehorsams« festzulegen[3]. Die Geschichte Emdens im 16. Jahrhundert gibt Gelegenheit, die Stichhaltigkeit der umgekehrten verfassungs- und konfessionstypologischen Zu-

---

* Der Vortrag wurde zur Drucklegung überarbeitet; insbesondere hielt ich es für ratsam, zur Abrundung der Argumentation am Schluß noch kurz die Grundzüge der Entwicklung im 17. Jahrhundert zu skizzieren.

1. Das gilt für Emden in einem noch stärkeren Maße als für Bremen (*B. Moeller:* Reichsstadt und Reformation, 1962, 76 Anm. 50), wo sich in der ersten Hälfte des 16. Jahrhunderts keine prinzipiellen Abweichungen von dem in norddeutschen Städten Üblichen erkennen läßt.

2. Hierzu jetzt der Literaturüberblick von *H. Vahle:* Calvinismus und Demokratie im Spiegel der Forschung (ARG 66, 1975, 182–212).

3. Konfessionskonflikt und Staatsbildung, Studien zum Verhältnis von religiösem und sozialem Wandel in der Frühneuzeit am Beispiel der westfälischen Grafschaft Lippe, maschinenschriftliche Habilitationsschrift Universität Bielefeld 1977. Es geht hier u. a. um den Widerstand der lutherischen Hansestadt Lemgo gegen die Calvinisierungspolitik ihres Landesherrn, Graf Simon VI. zur Lippe.

ordnung kritisch zu beleuchten. Ich schiebe den genannten theoretischen Zugriff – Calvinismus und Freiheit, Calvinismus und Kapitalismus – bewußt beiseite. Die ihm zugrundeliegende Problematik einer wechselseitigen Beeinflussung von kirchen- bzw. konfessionsgeschichtlichen Abläufen auf der einen und verfassungs- sowie gesellschaftsgeschichtlichen Entwicklungslinien im bürgerlichen Bereich auf der anderen Seite soll im folgenden angegangen werden von den politischen und sozialen Gegebenheiten her, auf die der Calvinismus in Ostfriesland im allgemeinen und in Emden im besonderen stieß. Damit soll die Aufmerksamkeit gelenkt werden auf die geschichtlichen Randbedingungen, ohne deren Berücksichtigung die konkreten verfassungs- und sozialgeschichtlichen Auswirkungen der Konfession nicht richtig abgeschätzt werden können und falsche konfessionssoziologische Verallgemeinerungen gezogen werden.

Die Besonderheiten in der Emder Geschichte des Reformationsjahrhunderts waren zu einem großen Teil Ergebnis der spezifischen entwicklungsgeschichtlichen Situation dieser Stadt: Anders als im übrigen Deutschland trafen hier die kirchen- und konfessionsgeschichtlichen Ereignisse des 16. Jahrhunderts nicht auf ein bürgerliches Gemeinwesen mit bereits »fertigen« Verfassungsformen und einem schon weit differenzierten Sozialkörper. Zu Beginn des Jahrhunderts besaß Emden eine ausgesprochen herrschaftliche Verfassung, die sich »im Grunde gar nicht unter den wissenschaftlichen, ganz von der Vorherrschaft kommunaler Elemente bestimmten Begriff europäischer Stadtverfassung subsummieren läßt«[4]. Das hiermit gegebene Defizit war um so deutlicher, als sich die friesischen Landgemeinden bekanntlich bereits seit dem hohen Mittelalter durch eine weit aufgefächerte kommunale Selbstverwaltung auszeichneten[5]. Entsprechendes läßt sich von dem Entwicklungsstand des Sozialkörpers sagen, der noch wenig entfaltet war und keine starken Gegensätze aufwies. Die Verwandtschaft zwischen den genossenschaftlichen Normen der stadtbürgerlichen Gesellschaft und den Prinzipien des protestantischen Gemeindechristentums konnte demzufolge in der ersten Phase der Emder Reformation nicht zum Tragen kommen. Und es fehlten hier auch die sozialen Auseinandersetzungen, die in den meisten Städten die kirchliche Erneuerung beeinflußt haben. Eine Konstellation zwischen religiös-kirchlichen und gesellschaftlich-politischen Faktoren, die derjenigen der anderen Städte in der engeren Reformationsepoche entspricht, läßt sich in der ostfriesischen Stadt erst im letzten Viertel des Jahrhunderts erkennen, nachdem ein rascher, in den 1540er Jahren einsetzender gesellschaftlicher Wandel die ökonomischen, sozialen und politischen Verhältnisse bzw. Bedürfnisse von Grunde auf verändert und an diejenigen der anderen europäischen Städte angeglichen hatte.

Indem sich in Emden Bürgerschaft als genossenschaftlich strukturierter und genossenschaftlich handelnder Verband erst im Verlaufe des 16. Jahrhunderts

---

4. *E. Pitz:* Ein niederdeutscher Kammergerichtsprozeß von 1525, 1969.
5. *W. Ebel:* Zur Rechtsgeschichte der Landgemeinde in Ostfriesland (*Th. Mayer,* [Hg.]: Die Anfänge der Landgemeinde und ihr Wesen Bd. 1, 1964, 304–24).

gleichzeitig mit der Entstehung protestantischer Gemeinde konstituierte und auch der Prozeß sozialer Differenzierung, den die europäische Stadtgesellschaft seit dem hohen Mittelalter erfahren hatte, im wesentlichen erst mit den 1540er Jahren einsetzte, bildet die Geschichte Emdens innerhalb des Gesamtphänomens »Stadt und Reformation« bzw. »Stadt und Kirche im 16. Jahrhundert« einen eigenständigen Verlaufstypus. Er ist dadurch gekennzeichnet, daß sich aufgrund der dargelegten entwicklungsgeschichtlichen Phasenverschiebung in der ostfriesischen Stadt eine Gleichzeitigkeit politischer, gesellschaftlicher und kirchlicher Abläufe einstellte, die andernorts über Jahrhunderte auseinandergezogen waren. Durch diese Additionen grundlegender Veränderungen in allen wichtigen Bereichen des öffentlichen Lebens gewannen die Ereignisse in dieser zu Beginn des Jahrhunderts mit vollem Recht als rückständig zu bezeichnenden Stadt in der zweiten Hälfte des Reformationsjahrhunderts eine Dynamik, die gerade unter der Problemstellung »Stadt und Kirche« die Geschichte Emdens für einige Jahrzehnte heranrückt an diejenige Amsterdams zu Beginn des 17. Jahrhunderts[6] oder – allerdings ohne die nationalgeschichtliche Dimension – an diejenige Londons zur Zeit der englischen Revolution.

I. Stadt und Kirche zwischen Stadtherrn und Bürgertum, spätes Mittelalter und Reformation[6a]

Kehren wir zurück zu der spätmittelalterlichen Kirchen- und Verfassungsgeschichte und zu der Reformation der 1520er und 1530er Jahre, die ich zusammen als Voraussetzungen der für unser Thema eigentlich bedeutenden Vorgänge zwi-

6. Augenfällig wird das in der zeitlichen und formalen Parallelität der großen Stadterweiterungen Amsterdams und Emdens auf der Wende zum 17. Jahrhundert, vgl. dazu *H. Siebern:* Die Kunstdenkmäler der Provinz Hannover, Stadt Emden, 1927, 253–261, mit Plan 254/255; *G. J. A. Mulder:* Handboek der Geografie van Nederland Bd. 3, 1952, 275 ff.

6 a. Nach Abschluß des Druckmanuskriptes erhielt ich durch die freundliche Übersendung eines Sonderdruckes Einblick in den Aufsatz von *B. Kappelhoff:* Die Reformation in Emden, I. Emden am Ausgang des Mittelalters (Emder Jahrbuch 57, 1977, 64–143). Dort werden die verfassungsmäßigen, sozioökonomischen und kirchlich-religiösen Zustände am Vorabend der Reformation weit ausführlicher geschildert, als es mir in diesem Vortrag möglich war. Außerordentlich verdienstvoll ist v. a. die berufsmäßige und schichtenspezifische Aufschlüsselung der Einwohnerschaft, die meine Darlegungen über die geringe Entfaltung des Sozialkörpers nun konkret veranschaulicht. Einen gewissen Unterschied zu meinen Ausführungen sehe ich darin, daß *Kappelhoff* bereits für diese frühe Phase die expandierende Kraft der Stadt betont, die v. a. auf dem Zuzug aus dem Umland beruhte, und damit die potentielle Mobilisierbarkeit der Bürger (93, wobei m. E. aber die dort für soziale Gegensätze und Spannungen gegebenen Belege im Vergleich mit anderen Städten eher meine Sichtweise bestätigen). Für die Reformation ergibt sich hieraus, daß *Kappelhoff* offensichtlich geneigt ist, »die Rolle der Bevölke-

schen 1540 und 1595 darstellen möchte! Die eben apostrophierte herrschaftliche Struktur der Emder Verfassung basierte auf der Tatsache, daß die Stadt im 14. und 15. Jahrhundert als Sitz mächtiger Häuptlingsgeschlechter[7] – zunächst der Abdena, dann der tom Broke – gedient hatte und daß deren Rechte dann über das Zwischenspiel hamburgischer Herrschaft übergegangen waren an die Cirksena, die – selbst ein Häuptlingsgeschlecht zu Greetsiel und Faldern, einem Dorf vor Emden – seit 1464 als Grafen die Landesherrschaft über Ostfriesland ausübten und dabei Emden für nahezu ein Jahrhundert zu ihrer Residenzstadt machten. Im Gegensatz zu der Landesherrschaft der Cirksena, die bis in die Mitte des 16. Jahrhunderts hinein sehr unvollkommen blieb, war ihre auf der Häuptlingstradition aufbauende Stadtherrschaft fest gefügt[8]. Wollten die Grafen ihre landesherrliche Position ausbauen, mußte ihnen – auch das eine phasenverschobene Wiederholung von Abläufen der hochmittelalterlichen Stadtgeschichte – alles am politischen und ökonomischen Ausbau Emdens gelegen sein. Das war aber nicht zu bewerkstelligen, ohne den Bürgern ein Mindestmaß an Freiheit zuzuerkennen und sie in gewissem Umfang an den Regierungs- und Verwaltungsaufgaben zu beteiligen[9]. Diese Mitte des 15. Jahrhunderts einsetzende Entwicklung war zu Mitte des Reformationsjahrhunderts noch nicht abgeschlossen

rung« und das »Eigengewicht der Bürgerschaft« (S. 115) bereits für die 1520er Jahre höher zu veranschlagen, als ich es einstweilen für ratsam halte. Man wird mit großer Spannung dem für das nächste Emder Jahrbuch (58, 1978) angekündigten II. Teil der Arbeit entgegensehen, der die Reformation bis Mitte der 1550er Jahre behandeln soll (66). Generell ist dem Verfasser zuzustimmen, daß gerade eine sozialgeschichtlich interessierte Reformationsgeschichtsforschung gut daran tut, neben den großen Städten, »die ... vorwiegend als typisch nur für sich selbst stehen können«, die Vorgänge in der Vielzahl von Mittel- und Kleinstädten zu berücksichtigen (65). Zu beachten ist aber, daß aufgrund der im Text ausgeführten Besonderheiten gerade Emden nicht als typisch für diese Klein- und Landstädte gelten kann.

7. Aus Raumgründen können die folgenden Ausführungen nicht in der wünschenswerten Dichte belegt werden. Es seien daher vorweg die wichtigsten Gesamtdarstellungen mit ausführlichen Literaturangaben genannt: M. Smid: Ostfriesische Kirchengeschichte, 1974; H. Schmidt: Politische Geschichte Ostfrieslands, 1975; A. Sprengler-Ruppenthal: Historische Einleitung zum Teil Ostfriesland, in: E. Sehling (Hg.): Die evangelischen Kirchenordnungen des 16. Jahrhunderts, Bd. 7, 2. Hälfte, 1. Halbbd., 1963, 307 ff. Als ältere Darstellung mit wichtigen Quellenauszügen: E. Meiners: Oostvrieschlandts Kerkelyke Geschiedenisse etc., Bd. 1–2, 1738–39. Für die Häuptlingszeit liegt jetzt vor H. van Lengen: Geschichte des Emsiger Landes vom frühen 13. bis zum späten 15. Jahrhundert, 1973.

8. Es ist bezeichnend, daß die Cirksena über erheblichen Land- und Hausbesitz in der Stadt verfügten (K. Ecke: Grundbesitz des gräflich-ostfriesischen Hauses in Emden [Quellen und Forschungen zur Ostfriesischen Familien- und Wappengeschichte 19, 1970, 61–69]).

9. Als treibende Kraft im Hintergrund standen die politischen Ansprüche des Bischofs von Münster sowie die Konkurrenz der benachbarten »Großstadt« Groningen.

und verzahnte sich dann sowohl mit den politischen Emanzipationsbestrebungen, die aus der Bürgerschaft selbst hervorwuchsen, als auch mit dem Kampf um die Unabhängigkeit und um den calvinistischen Bekenntnisstand der Stadtkirche.

Als die Reformation einsetzte, existierte zwar bereits ein Ratsgremium, an dessen Spitze vier Bürgermeister stehen sollten, es war aber ganz vom Grafen und seinem auf der Burg residierenden Amtsmann bzw. Drosten abhängig. Es besaß weit eher den Charakter einer landesherrlich-stadtherrlichen Institution als denjenigen eines bürgerlichen Verfassungsorgans. Zu Beginn des zweiten Jahrzehnts des 16. Jahrhunderts lassen sich zunächst im Rechnungswesen Anzeichen für eine größere Unabhängigkeit und einen wachsenden Spielraum dieses Gremiums erkennen[10]. Seine Bedeutung kann aber auch in den folgenden Jahrzehnten noch nicht groß gewesen sein. Denn noch zu Beginn der 1540er Jahre waren von den vier Bürgermeisterämtern nur eins und von den acht Ratsämtern nur zwei besetzt. Erst nachdem die Polizeiordnung von 1545 – ausgehend von der Erkenntnis, daß »*gut Regiment nicht kann anderholden werden, sunderlick in Stede, daer een borgerlicke Versammlinge ist*« ohne einen gut besetzten, den »*gemeene nuttbahren*« suchenden Magistrat[11] – den Emder Rat praktisch neu konstituiert hatte, war wenigstens dieses in Einsetzung und Funktion weiterhin vollständig vom Landesherrn abhängige Verfassungsorgan intakt. Bei diesem Entwicklungsstand der städtischen Verfassung war natürlich kein Raum für spezifisch genossenschaftliche Organe, in denen der Bürgerverband als Partner oder Widersacher des Rates an der Regierung der Stadt hätte Anteil nehmen können. Ebensowenig lassen sich hier innerstädtische Sozial- und Verfassungskonflikte nach Art der Bürgerkämpfe finden[12], wie sie aus der mittelalterlichen Geschichte der meisten mitteleuropäischen Städte überliefert sind.

Das vorreformatorische Kirchenwesen entsprach aufs Ganze gesehen dem eben beschriebenen Zustand der bürgerlichen Verfassung. An einzelnen Punkten lassen sich aber Abweichungen erkennen, die mit dazu beitrugen, daß im 16. Jahrhundert die kirchliche Verfassungsentwicklung der bürgerlichen immer um ein kleines vorauseilte und für diese in mancher Beziehung so etwas wie »Schlepperdienste« übernehmen konnte: Die mittelalterliche Kirchenverfassung im friesischen Gebiet des Bistums Münster, in dem die Stadt Emden lag, war durch zwei

---

10. *Schnedermann:* Emder Stadtrechnungen aus den ersten Jahrzehnten des 16. Jahrhunderts (Emder Jahrbuch I/III, 1874, 107–120); *J. Stracke:* Zur Genealogie und Soziologie des Emder Rates im Mittelalter 1442–1528 (Ostfriesland 1952, 3. Heft, 28–33).

11. Abdruck der Ordnung bei *E. R. Brenneysen:* Ost-Friesische Historie und Landes-Verfassung Bd. 2, 1720, hier 198.

12. Lediglich aus dem letzten Jahrzehnt des 15. Jahrhunderts ist ein Aufstand der Bürger überliefert, der sich aber ausschließlich gegen das Verhalten mit dem Landesherrn verbündeter Truppen innerhalb der Stadt richtete (*H. Lösing:* Geschichte der Stadt Emden, 1846, 90).

Besonderheiten gekennzeichnet: durch die Institution der Laienpröbste und durch die weite Verbreitung des gemeindlichen Pfarrwahlrechtes[13]. Einer der sieben ostfriesischen Pröbste oder Dekane des Münsteraner Sprengels hatte seinen Sitz in Emden. Wie das ebenfalls vom Bischof von Münster verliehene weltliche Drostenamt war die Probstei im Verlaufe des 13. Jahrhunderts an die in der Stadt ansässige Häuptlingsfamilie Abdena gelangt und dort erblich geworden. Im Unterschied zu den meisten ländlichen Kirchenspielen hatte somit die bürgerliche Kirchengemeinde in Emden keinen Einfluß auf die Besetzung der Pfarrstelle, die von einem durch den Laienprobst ernannten Vizedekan versehen wurde. Das änderte sich allerdings Mitte des 15. Jahrhunderts, als nach der Vertreibung der Abdena die Probstei nicht mehr in der Hand der weltlichen Machthaber blieb, sondern an Geistliche überging, zunächst an Dr. Johannes Vredewold, den Offizial des Bischofs von Münster. Nach dem Tode des damaligen Pastors Ulbodus (1396–1438), der noch als Vizedekan der Abdena ins Amt gelangt war, wurde diesem Probst auch die Pfarre übertragen, und zwar auf Initiative »gewisser Laien«, die damit das Patronatsrecht über die Pfarrkirche beanspruchten[14].

Zwar fehlen Informationen über diesen Vorgang ebenso wie über die Entwicklung im weiteren Verlauf des 15. Jahrhunderts, dennoch kann man davon ausgehen, daß von dieser Zeit an die Emder Bürger die Pfarrwahl wahrnahmen und damit auch hier ein »wichtiger Stein in den Grundfesten kommunaler Freiheit gelegt worden« war[15]. Indem sich aber Graf Enno I. im Jahre 1485 vom Papst die Patronatsrechte über sämtliche Benefizien seines Herrschaftsbereiches übertragen bzw. bestätigen ließ[16], war auch dieses Recht sogleich wieder in Frage gestellt. Dieser Anspruch besaß zunächst kaum Chancen auf Realisierung. In gewisser Weise war hiermit aber der in der zweiten Hälfte des 16. Jahrhunderts dann voll einsetzende Streit um die Hoheitsrechte über die Stadtkirche präludiert. Wirft man zudem einen Blick auf die Liste der Pröbste und Pfarrer, so zeigt sich, daß nach dem 1475 erfolgten Tod Johannes Vredewolds die Probstei ausschließlich[17] und die Pfarre[18] wiederholt von Adligen besetzt war. Unbeschadet der bürgerlichen Mitwirkung bei der Pfarrbesetzung waren somit

13. Neben den Ausführungen bei *M. Smid:* Ostfriesische Kirchengeschichte, vgl. den brillanten Aufsatz *desselben* Autors: Zur Geschichte und Bedeutung des Ostfriesischen Interessentenwahlrechts (JGndsKG 68, 1970, 39–58), sowie *G. Krüger:* Der münstersche Archidiakonat Friesland in seinem Ursprung und seiner rechtsgeschichtlichen Entwicklung bis zum Ausgang des Mittelalters, 1925.

14. Ostfriesisches Urkundenbuch Bd. 3, hg. von *G. Möhlmann,* 1975, 108, Nr. 454 u. 456.

15. *D. Kurze:* Pfarrwahlen im Mittelalter, 1966, 319.

16. Ostfriesisches Urkundenbuch 157, Nr. 614.

17. Hicco Maurits von Dornum, Unico Ripperda, Poppo Manninga, Häuptling zu Pewsum; der letzte, 1545 ernannte katholische Probst, Dr. Johann Hornemann, war bürgerlich (*P. F. Reershemius:* Ostfriesländisches Prediger-Denkmahl 2. Aufl. 1796, 463).

die führenden Geistlichen der Stadt weniger der bürgerlichen Sphäre zuzurechnen als dem Hof und den Magnaten des Landesherrn. Überhaupt blieb die Emder Pfarrkirche – die sog. Große Kirche – bis weit über die Reformation hinaus stark der Häuptlings- bzw. Grafenherrschaft verbunden. Augenfällig ist das
in ihrer räumlichen Zuordnung zur Burg und in der von Graf Ulrich Mitte des
15. Jahrhunderts aufgerichteten, noch als Ruine beeindruckenden Choranlage.
Der Kirchbau diente hier also nicht der Selbstdarstellung des Bürgertums, sondern war Ausdruck landesherrlichen Herrschaftsanspruches[19].

Ungeachtet dieser Präsenz des Stadtherrn war der Anteil der Bürger am kirchlichen Leben keineswegs gering und in den letzten Jahrzehnten vor der Reformation im Zunehmen begriffen. Neben dem Pfarrer an der Großen Kirche standen eine Reihe weiterer Geistlicher. Analog zu Verhältnissen an anderen friesischen Kirchen – z. B. an St. Ludgeri in Norden – läßt sich erschließen, daß die
Bürger hier bereits seit längerem ein Mitspracherecht bei ihrer Benennung besessen haben dürften[20]. Im letzten halben Jahrhundert vor der Reformation nahm
die Präsenz des Bürgertums innerhalb der Emder Kirche vor allem dadurch zu,
daß auch hier im Norden Deutschlands die spätmittelalterliche Frömmigkeit
Ausdruck fand in der Gründung von Brüderschaften und Gasthäusern, denen
bürgerliche Provisoren vorstanden[21] sowie in der Stiftung von Priesterpräben-
den an der Pfarrkirche. Zwei dieser Brüderschaften waren mit dem Emder Fran-
ziskanerkloster verbunden, was die Verbreitung franziskanischer Spiritualität
in die Bürgerschaft sicherlich erleichterte. Wie sehr die Bürger die Angelegenheiten dieses ursprünglich vor der Stadt gelegenen Klosters als ihre eigenen an-
zusehen gelernt hatten, geht auch daraus hervor, daß sie in den 1480er Jahren
auf seine Reform drängten und den Grafen veranlaßten, für den Übergang von
den Gaudenten an die Observanten zu sorgen[22]. Die Altarstiftungen in der
Pfarrkirche gingen – abgesehen von Klerikern, die ihre Verfügungsrechte aber
zum Teil an bürgerliche Familien vererbten[23] – vor allem auf bürgerliche Kor-

18. Folkert von Dornum (1508), Poppo Manninga, wahrscheinlich war auch Propst
Unico Ripperda zugleich Pfarrer (a. a. O., 462–467).

19. Vgl. dazu die Beschreibung des Kirchenbaues bei H. Siebern: Kunstdenkmäler der
Provinz Hannover, Stadt Emden, 1927, 12 ff.

20. Vgl. dazu die Ausführungen von M. Smid: Kirche zwischen Burg und Rathaus,
Vortrag am 2. September 1976 aus Anlaß des 400jährigen Rathausjubiläums in Emden,
demnächst in: Festschrift Harm Wiemann, Aurich, 1978. Dr. Smid hat mir das Manuskript dieses Vortrages zugänglich gemacht. Hierfür, wie für anregende Gespräche zur
Geschichte Emdens und Ostfrieslands, bin ich ihm sehr verpflichtet.

21. Die Stadt besaß vier Gasthäuser (Siebern, Kunstdenkmäler 89 f.).

22. Ebd. 54.

23. Vgl. etwa die diesbezüglichen Bestimmungen in der Fundationsurkunde für die
von dem Pfarrer Johann Ludemann gestiftete Pfründe des Sankt Katharinenaltares in:
Ostfriesisches Urkundenbuch Bd. 2, hg. von E. Fridländer, 1881, Nr. 1153/1154 vom
11. August 1485/23. September 1492, hier 225.

porationen zurück: Von den 13 zur Zeit der Reformation nachweisbaren Altären war das mindestens für 6 der Fall[24]. Es darf als sicher angenommen werden, daß sich die Stifter bei der Besetzung der Präbenden ein Mitspracherecht vorbehalten hatten.

Als weitere Institution bürgerlicher Partizipation an der Stadtkirche ist schließlich noch das Gremium der vier Kirchenprovisoren, Kirchvögte oder Kirchengeschworenen zu nennen, die in Emden – wie in allen ostfriesischen Kirchen – zusammen mit dem Pfarrer das Kirchenvermögen verwalteten und im Rahmen der Sendgerichtsbarkeit eine Aufsicht über das sittlich-christliche Leben der Gemeinde führten. Indem allerdings das Münsteraner Sendrecht[25] die Besetzung dieses Amtes den Pröbsten in Zusammenarbeit mit dem Pfarrer übertragen hatte, wurden als Folge der ehemaligen Probsteirechte der Häuptlinge die vier Kirchenprovisoren der Großen Kirche zu Emden im 15. und 16. Jahrhundert durch den Grafen ernannt[26]. Dennoch waren diese Ämter geeignet, im Großbürgertum, dem sie bereits aufgrund der Bestimmungen des Sendrechts vorbehalten waren[27], das Gefühl besonderer Verantwortlichkeit für die Stadtkirche zu erwecken.

Trotz der Rückständigkeit in der sozialen und verfassungsmäßigen Entwicklung kann keine Rede davon sein, daß Emden vor der Reformation geistig und religiös im Brackwasser gelegen hätte. Neben den erwähnten Zeugnissen spätmittelalterlicher Frömmigkeit steht einem solchen Urteil die Tatsache entgegen, daß die Stadt eine Lateinschule besaß, die 1505 erweitert wurde, daß der Ausbildungsstand der Priester an der Großen Kirche überdurchschnittlich hoch war[28]

24. Über Altäre und Präbenden an der Großen Kirche sind wir unterrichtet durch eine im Jahre 1572 niedergelegte Aufzeichnung, die die Situation für das Jahr 1520 festhält. Sie ist wiederholt abgedruckt, u. a. bei *Reershemius:* Prediger-Denkmahl 466 ff.; *Siebern:* Kunstdenkmäler 16 ff. Hiernach gab es Altäre der Zimmerleute, Schuhmacher, Goldschmiede, Schneider, Bäcker und der Schiffer.

25. Das Münsteraner Sendrecht liegt in mehreren Editionen vor. Ich beziehe mich hier auf den Abdruck bei *H. Deiter:* »Dat Seentrecht« der sieben Münsterschen Propsteien in Ostfriesland (Jahrb. des Vereins f. niederdt. Sprachforschung 8, 1882, 86–96), hier 90.

26. Vgl. hierzu die im Jahre 1613 im Zusammenhang mit einem Streit zwischen Konsistorium und Stadtrat über den Berufungsmodus für die Kirchvögte gemachte Feststellung (Archiv der reformierten Gemeinde Emden, fortan: ARGE, Rep. 135, 1613).

27. Das Sendgericht legte fest, daß die Kirchgeschworenen, die es auch in den Dorfgemeinden gab, Eigenerben, freie Leute und Friesen von gutem Geschlecht sein sollten und so reich, daß sie in der Lage waren, des Bischofs Bann zu büßen (Ausgabe von *H. Deiter,* a. a. O.).

28. In der oben (Anm. 24) genannten Liste tragen von 13 Priestern der Pfarrer Poppo Manninga sowie die Altaristen Jakob Canter und Johannes Hornemann den Doktortitel; Rudolf Goldschmidt, Scheltko Hylmers, Christian Zizebüttel (= Karstien Dietleefs), Georg Aportanus und Heinrich Componei denjenigen eines Magisters. Die meisten dieser akademisch gebildeten Priester hatten in Köln studiert (vgl. *H. Keussen:*

und daß die Stadt im Ausstrahlungsbereich der Devotio moderna sowie des niederländischen Humanismus lag[29].

Es ist daher nicht erstaunlich, daß die evangelische Predigt bereits früh einsetzte, und zwar zwischen 1520 und 1522. Zum Reformator Emdens wurde Georg Aportanus, der seiner geistigen Ausbildung nach den Brüdern vom gemeinsamen Leben in Zwolle sowie dem biblischen Humanismus der Niederlande zuzurechnen ist[30]. Zweifellos hat die kirchliche Erneuerung auch hier in der Nordwestecke des Reiches von Luther und seinen Schriften entscheidende Anstöße erhalten. Wegen der niederländischen Herkunft der ersten evangelischen Prediger schlug sie aber von vornherein eine theologische Richtung ein, die nicht auf der Linie Wittenbergs lag[31]. Am deutlichsten kommt diese konfessionelle Eigenständigkeit in der Auffassung vom Abendmahl zum Ausdruck: Eine 1526 verfaßte Schrift[32] zeigt Aportanus als Vertreter jener, die Kommunion als reines Gedächtnismahl darstellenden Abendmahlslehre, die Cornelis Hoen in Den Haag unabhängig von Luther und Zwingli aufgrund eines Studiums der Schriften Wessel Gansforts entwickelt hatte und die Anfang der 1520er Jahre von den Schweizern als mit der eigenen Anschauung weitgehend übereinstimmend akzeptiert worden war[33]. Aufgrund dieser geistigen Verflechtung gewann der Prote-

---

Die Matrikel der Universität Köln Bd. 1, 1928, 868: Heinrich Componei, 342/63; Bd. 2, 1919, 212: Jakob Canter, 394/57; 213: Christian Zizebüttel, 394/76; 563: Rudolf Goldschmidt, 462/132; 693: Georg Wylldesshuyssen alias Aportanus, 494/47). Johannes Hornemann wurde im Wintersemester 1489 in Leipzig immatrikuliert (G. *Erler:* Die Matrikel der Universität Leipzig Bd. 1, 1895, 373). Die Durchsicht der Listen für Basel, Bologna, Erfurt, Heidelberg, Löwen, Rostock (1501: Petrus Mannigen de Emder) und Wien erbrachten keinen sicheren Hinweis auf Dr. Poppo Manninga. – Die intellektuell herausragende Persönlichkeit war hier ohne Zweifel der 1494 zum poeta laureatus erhobene Dr. jur. Jakob Canter, der einer bekannten Groninger Humanistenfamilie entstammte (Literaturangaben bei *Keussen,* a. a. O.; vgl. auch Ostfriesland 1977/1, S. 18 ff.). – Nach *Smid,* Kirchengeschichte, S. 73, war auch der Vorgänger Manningas, Unico Ripperda, zum Doktor promoviert.

29. Skeptisch über den Einfluß des Humanismus auf die ostfriesische Reformation äußert sich *M. Smid,* Kirchengeschichte 115 f. Er betont zu Recht, daß der persönliche Weg der Humanisten keineswegs zwangsläufig oder auch nur vorwiegend zur Reformation führte. Dessen ungeachtet konnten ihre Aktivitäten den Boden für eine rasche Rezeption der Reformation vorbereiten.

30. Zu ihm vgl. Emder Jahrbuch 18, 1913/14, 142–156; 20, 1920, 268 f.

31. Die sehr komplizierten konfessionellen Zusammenhänge können hier nicht im einzelnen dargelegt werden (vgl. dazu die Ausführungen von *Sprengler-Ruppenthal* und *Smid,* zitiert oben Anm. 7). Wichtig für die ostfriesische Reformation weiterhin *H. Schmidt:* Die Reformation in Ostfriesland (Emder Jahrbuch 69, 1971, 7–31). Vgl. auch oben Anm. 6 a.

32. Abgedruckt bei *Meiners:* Kerkelyke Geschiedenisse Bd. I, 113–23; theologiegeschichtlich eingeordnet bei *Smid* 126 ff.

33. Vgl. dazu *Sprengler-Ruppenthal* 314, Anm. mit Literaturhinweisen.

stantismus in Emden und darüber hinaus in weiten Teilen des übrigen Ostfriesland bereits in den 1520er Jahren eine eigentümliche Färbung, die ihn von der lutherisch geprägten Reformation im übrigen Norddeutschland abhob. Für das kirchliche wie politische Schicksal Emdens waren diese Differenzen von richtungsweisender Bedeutung, zumal als sie seit der Option des Landesherrn für das Luthertum in der Grafschaft selbst zu offenen Auseinandersetzungen führten. Die ersten Anfänge evangelischer Kirche standen jedoch noch nicht im Zeichen solcher Gegensätze. Der Charakter der Emder Reformation kommt sinnbildlich in der Amtsstellung des Aportanus zum Ausdruck: Er war zugleich Prinzenerzieher und Präbendar des Goldschmiedealtars in der Pfarrkirche, gehörte also gleichermaßen der Sphäre des Hofes wie derjenigen des Bürgertums an. Aportanus mußte sich gegen den nahezu geschlossenen Widerstand seiner Priesterkollegen an der Großen Kirche durchsetzen, die unter dem Vorsitz des Pastors zu einer vermögensrechtlichen Korporation zusammengeschlossen waren und demzufolge eine starke innere Kohäsion besaßen[34]. Der Neuerer wurde von diesem Gremium ausgeschlossen und des Rechtes, von der Kanzel herab zu predigen, für verlustig erklärt. Der Reformator vermochte sich demgegenüber auf eine in ihrer Stärke nicht abschätzbaren Gruppe innerhalb der Emder Bürgerschaft zu stützen, die sich der neuen Lehre angeschlossen hatte. Auf ihre Fürbitte hin gewann er auch Rückhalt beim Landesherrn und seinem Hof[35]. Ein Beamter führte ihn zurück in die Große Kirche und sorgte dafür, daß er seine Predigttätigkeit ungehindert fortsetzen konnte. Graf Edzard I. (1491–1528), der Zeit seines Lebens den kirchlichen Auseinandersetzungen gegenüber eine abwartende Haltung einnahm, ließ sich dabei offensichtlich von dem Ziel leiten, ein eigenmächtiges Vorgehen sowohl der Priester als auch der Bürger zu unterbinden bzw. abzuwenden[36].

Ungeachtet des frühen Einsatzes der Reformation in den Städten – kurz nach Emden auch in Norden und Aurich –, war die evangelische Bewegung in Ostfriesland kein primär städtisches oder bürgerliches Phänomen. Es ist bezeichnend, daß hier die wichtigste Disputation zwischen alt- und neugläubigen Theologen – nach Bernd Moeller eine »Erfindung« des Städters Zwingli und charakteristisches Instrument städtischer Reformation – unter Schirmherrschaft Ulrichs

---

34. Zur vermögensrechtlichen Stellung des »Gremiums« vgl. ARGE, Titel I, Nr. 41; VI Nr. 232, 233.

35. Alle Angaben über den Beginn der Emder Reformation basieren auf zwei Quellen: 1. auf einem Bericht bei Ubbo Emmius, der sicherlich auf Augenzeugenaussagen zurückgegriffen hat (*Meiners*, 8); 2. auf dem 1594 als Streitschrift erschienenen Emder Reformationsbericht (vgl. dazu *Sprengler*, 313, Anm. 82).

36. Edzard soll seine Beamten angewiesen haben, dafür Sorge zu tragen, daß weder die Bürger noch die Priester die öffentliche Ordnung stören und einen Aufruhr anzetteln können. Über die Stellung Edzards zur Reformation vgl. die kritischen Darlegungen bei *H. Schmidt*, Reformation 10 ff.

von Dornum auf dem Boden einer Adelsherrlichkeit stattfand[37]. Etwas später sah Norden ebenfalls eine Disputation. Die Initiative ging aber auch hier nicht von bürgerlichen Gremien aus, sondern von dem dortigen Dominikanermönch Heinrich Reese, und geleitet wurde die Veranstaltung von gräflichen Beamten[38]. Wegen der Schwäche des Bürgertums wurde die Geschichte der evangelischen Kirche in Emden bis in die Jahrhundertmitte hinein ausschließlich von den Theologen bestimmt. Es läßt sich nicht erkennen, daß Rat oder Bürgerschaft ihnen hierbei im eigentlichen Sinne Partner gewesen wären.

Diese Gewichtsverteilung spiegelt sich in den Themen wider, die im Vordergrund der Reformationsdiskussion standen: Mit den Auseinandersetzungen um das Abendmahlsverständnis, um das Verhältnis von »äußerlichem Wort« und innerer Rechtfertigung, um die Fleisch- und Menschwerdung Christi wendeten hier die Theologen bereits in den Anfängen reformatorischer Kirche Probleme mehr akademischer Natur hin und her, während die gemeindlich-genossenschaftlichen Elemente der protestantischen Rechtfertigungslehre und Ekklesiologie nicht explizit zutage traten. Für Emden erscheint es kaum zulässig, dieses eigentümliche Desinteresse als Beleg für das Vorhandensein einer starken, bereits vor der Reformation mit weitgehenden Selbstbestimmungsrechten begabten Gemeinde zu interpretieren[39]. Es ist vielmehr als Reflex der Schwäche des Bürgerverbandes und des Fehlens eines genossenschaftlichen Selbstbewußtseins zu werten und weist auf die Grenzen eigenbestimmter Aktionsmöglichkeiten der Bürger hin. Als es dann Ende der 1520er Jahre im Zusammenhang mit den Versuchen Ennos II. (1528–1540), auf dem Boden lutherischen Bekenntnisstandes eine Territorialkirche aufzubauen, auch in Emden zu Abwehrreaktionen kam, artikulierte sich der Widerstand nicht über den Selbstbestimmungsanspruch evangelischer Gemeinde, sondern mit dem Ausruf: »*Schlagt die ... Fleischfresser tot!*«[40] über die emotionengeladene Sakramentskontroverse. Anders als bei den noch zu besprechenden Konflikten Ende des Jahrhunderts[41] richtete sich der Protest nicht gegen den Anspruch des Landesherrn, einen von ihm berufenen

---

37. *G. Ohling:* Junker Ulrich von Dornum. Ein Häuptlingsleben in der Zeitenwende. Nebst dem Oldersumer Religionsgespräch als Beitrag zur Geschichte der Frühreformation in Ostfriesland, 1955.

38. Die Disputation ist überliefert in der Streitschrift der Emder Theologen »Grundlicker Warhaftiger Bericht von der Evangelischen Reformation«, Bremen 1594, S. 17 f.; *E. Beninga:* Cronica der Fresen, hg. von *H. Ramm,* 1961, S. 567; vgl. auch *Meiners: Kerkelijke Geschiedenisse* Bd. 2, 351 ff.

39. Ein solches Selbstbestimmungsrecht führt *Smid*, Kirchengeschichte, S. 149 für die ländlichen Gemeinden mit Recht gegen die Interpretation von *H. Schmidt* ins Feld. Anders stellt sich m. E. die Situation für Emden dar!

40. Warhaftiger Gegenbericht der rechtgläubigen Predicanten in Ostfrießlandt, Emden 1593, A VI, ediert in *H. Garrelts:* Die Reformation Ostfrieslands nach der Darstellung der Lutheraner vom Jahre 1593, 1925, 97 ff., hier 103.

41. Vgl. unten Absatz III.

Theologen – es handelte sich um Johannes Timann, der zusammen mit seinem Bremer Kollegen Johann Pelt im Jahre 1529 zur Durchführung der kirchlichen Neuerungen in Ostfriesland weilte[42] – in der städtischen Pfarrkirche predigen zu lassen und ohne Absprache mit der Gemeinde im Rahmen des territorialen Neuansatzes Veränderungen auch innerhalb des städtischen Kirchenwesens vorzunehmen[43]. Widerstand erhob sich erst, als während der Predigt an der Großen Kirche das lutherische Abendmahlsverständnis Timanns zutage trat.

Immerhin war hier erstmals in der Kirchen- und Konfessionsfrage bürgerlich-gemeindliches Wollen dem landesherrlichen entgegengetreten. Zudem scheiterte die Einführung des Luthertums kläglich sowohl in diesem ersten, von den Bremer Reformatoren getragenen Versuch als auch in einem zweiten Anlauf, den Enno im Jahre 1535 auf Druck Herzog Karls von Geldern und mit Hilfe Lüneburger Theologen unternahm[44]. Auch wenn das die reformiert Gesonnenen in Emden keineswegs allein oder auch nur überwiegend als ihren Sieg betrachten konnten[45], war diese Erfahrung doch geeignet, ihr Selbstbewußtsein dem Landesherrn gegenüber zu festigen. Diese Vorgänge der 1520er und 1530er Jahre gaben erste Anstöße zu einer Entwicklung, die im letzten Jahrhundertviertel die Kontroverse um bestimmte Theologumena verknüpfen konnte mit genossenschaftlichem Verlangen nach gemeindlichen Ordnungsprinzipien innerhalb der Stadt und der Stadtkirche.

Ansatz und Verlauf der Emder Reformation konnten somit keine sofort wirksamen Impulse für Entstehung bzw. Stärkung bürgerlich-genossenschaftlicher Verfassungsnormen und Verfassungselemente freisetzen. Bis in die 1550er Jahre lassen sich sogar entgegengesetzte Auswirkungen erkennen: Denn entgegen der Darstellung in den evangelischen Reformationsberichten ist nicht davon auszugehen, daß mit dem Auftreten Aportanus' die Emder Bürgerschaft auch nur annähernd geschlossen protestantisch wurde. Von dem Dutzend Priester in der Großen Kirche schlug sich nur der Magister Hermann Henrici auf die Seite des Aportanus. Bis in die 1540er Jahre hinein war daher die Emder Pfarrkirche »paritätisch«[46] besetzt. Es standen nebeneinander Altäre, an denen täglich die Messe gelesen wurde, und ein Tisch, an dem Aportanus nach reformiertem Ritus

42. Vgl. dazu Smid 140; Sprengler-Ruppenthal, a. a. O.

43. Es ist festzuhalten, daß sich in diesen Auseinandersetzungen keineswegs gemeindliches und obrigkeitliches Kirchenverfassungsmodell entgegenstanden: Auch die reformierten Theologen wiesen der weltlichen Obrigkeit zentrale Führungsaufgaben innerhalb der Kirche zu (vgl. dazu die Analyse ihrer Obrigkeitsschriften bei Smid, 128–131).

44. Smid 140 ff.; H. Schmidt: Reformation in Ostfriesland.

45. Mit ausschlaggebend waren die abweisende Haltung eines Großteils des Adels sowie Veränderungen in der außenpolitischen Lage, namentlich der 1538 erfolgte Tod Herzog Karls von Geldern, der Enno II. zur Forcierung seiner Lutheranisierungspolitik getrieben hatte.

46. Begriff nach H. Reimers: Die Gestaltung der Reformation in Ostfriesland, 1917, 30.

das Abendmahl feierte. Außerdem fand noch bis zu Beginn der 1550er Jahre katholischer Gottesdienst in der Franziskanerkirche statt. Es kann um so weniger davon ausgegangen werden, daß es sich hierbei nur um esoterische Sakralakte der altgläubig gebliebenen Priester und Mönche ohne Resonanz bei den Stadtbewohnern handelte, als die katholische Partei angeführt wurde von dem erst 1527 – also fünf Jahre nach der ersten reformierten Predigt – berufenen Probst und Pfarrer Dr. Poppo Manninga (1527–1540), der als ostfriesischer Adliger und Verwandter des Grafenhauses in engem Kontakt zum Hof und den dortigen katholischen Kräften stand, und als unter den ehemaligen Mitpriestern des Aportanus mindestens zwei aus angesehenen und in der Bürgerschaft einflußreichen Emder Familien stammten[47]. Nimmt man zu diesem, wenn nicht der Zahl, so doch seinem Gewicht nach bedeutenden Rest des Katholizismus noch die ansehnliche Zahl der Täufer hinzu[48], so ist deutlich, daß die Bürgerschaft durch die Reformation konfessionell faktioniert und die Identität von bürgerlicher und kirchlicher Gemeinde über Jahrzehnte hin zerstört war. Das mußte den gerade einsetzenden Konstituierungsprozeß eines korporativ verstandenen Bürgerverbandes empfindlich stören. Die Schaffung einer konfessionell einheitlichen Stadtkirche, die alle Einwohner einschloß, war somit eine gleichermaßen kirchliche wie politische Aufgabe. Sie wurde in den 1540er Jahren in Angriff genommen von dem landesherrlichen Superintendenten und Emder Stadtpfarrer Johannes a Lasco.

II. Herausbildung genossenschaftlicher Institutionen und Verhaltensformen im kirchlichen und bürgerlichen Bereich, 1540–1575

Der Konstituierungsprozeß der calvinistischen Stadtkirche, der mit den ordnungspolitischen Maßnahmen des Johannes a Lasco unter reformiertem Vorzeichen einsetzte und in der Emder Revolution von 1595 seinen Abschluß fand, als die Bürger gleichzeitig mit der verfassungsrechtlichen Autonomie die Unabhängigkeit von der lutherischen Territorialkirche erstritten, war Teil eines raschen sozialen Wandels, der nahezu alle Gebiete des öffentlichen Lebens der Stadt umgestaltete. Vor allem in dem Menschenalter zwischen 1540 und 1580 – dynastisch gesehen die Regentschaft der Grafenwitwe Anna (1542–1570) und die

47. Magister Carsten Zizebüttel, Inhaber des Schmiedealtares, und Magister Heinrich Companeye (vgl. dazu oben Anm. 28); zu den Familien vgl. die Belege im ostfriesischen Urkundenbuch, Bd. II, Register unter Kumpanie bzw. Zysebottel sowie Emder Jahrbuch 40, 1960, 18 und 36.
48. Während seines Aufenthaltes in Emden soll Melchior Hofmann im Jahre 1530 in der Sakristei der Großen Kirche 300 Wiedertaufen vollzogen haben (*Smid*, Kirchengeschichte 138 f.; 161 ff.).

ersten Jahre der selbständigen Regierung ihrer Söhne Edzards II. und Johanns – wurde aus der »Minderstadt« ohne urbane Verfassung im eigentlichen Sinne und ohne geistige Ausstrahlungskraft sowie allenfalls regionaler Wirtschaftsbedeutung eine Großstadt mit weit über den Kontinent und die Meere gespannten intellektuellen, ökonomischen und politischen Verbindungen. Die Bevölkerungszahl, die bereits seit Anfang des Jahrhunderts durch regionalen Zuzug stetig angestiegen war, nahm jetzt sprunghaft zu. Sie überschritt deutlich die Zehntausender-Marke, zeitweise mag sie fast Zwanzigtausend erreicht haben[49]. Durch die 1570 in Angriff genommene Stadterweiterung nach Osten hin – um Nord- und Südfaldern – verdoppelte sich das bebaute Areal[50]. Die Ursachen dieser raschen Ausdehnung lagen zunächst bei bestimmten wirtschaftsgeschichtlichen Entwicklungen: etwa dem ständig steigenden Kornbedarf des deutschen Binnenlandes, vor allem Westfalens, der durch Importe aus dem Baltikum via Emden gedeckt wurde, sowie der allgemeinen Agrarkonjunktur des 16. Jahrhunderts, die in der Region selbst einen beträchtlichen Wohlstand entstehen ließ. Zu der Beschleunigung des Wandels, die für die Emder Geschichte der zweiten Hälfte des 16. Jahrhunderts so charakteristisch ist, kam es aber erst durch den starken Zuzug niederländischer Flüchtlinge und durch die damit verbundene krisen- und kriegsbedingte Verlagerung eines bedeutenden Teiles von Seehandel und Frachtschiffahrt der benachbarten Provinzen in die verkehrsgünstig gelegene ostfriesische Hafenstadt, woraus sich auch für den gewerblichen Sektor wichtige Wachstumsimpulse ergaben[51]. In der Folge dieser demographischen und ökonomischen Entwicklung trat eine rasche Differenzierung des Sozialkörpers ein: vom kapitalstarken Großbürgertum, das sein Geld im Seehandel, vor allem mit baltischem Korn, und in der Reederei einsetzte, später aber auch zunehmend in ausgedehntem Landbesitz in der ertragreichen Marschregion, und den Angehörigen der landesherrlichen Bürokratie als älterer Führungsgruppe über ein jetzt relativ breit aufgefächertes Handwerk als Mittelschicht bis hin zu den Dienstboten, Hafenarbeitern und den politisch unruhigen Matrosen, wies die Emder Gesellschaft in der zweiten Hälfte des 16. Jahrhunderts ein breites, schattierungsreiches Spektrum auf, damit zugleich aber auch eine Vielzahl potentieller Reibungsflächen und Interessengegensätze, die sich noch zusätzlich verschärften durch die ständig gegebenen Rückwirkungen der politischen und militärischen Ereignisse auf dem benachbarten niederländischen Kriegsschauplatz.

Dem Kenner mittelalterlicher Stadtgeschichte wird es kaum verwunderlich

---

49. Vgl. dazu die Zusammenstellung bei *H. de Buhr:* Die Entwicklung Emdens in der zweiten Hälfte des 16. Jahrhunderts, Diss. phil. Hamburg 1947, 53.

50. Vgl. dazu die Ausführungen bei *H. Siebern:* Kunstdenkmäler 253 ff., Stadtpläne 254/55.

51. Grundlegend hierzu *B. Hagedorn:* Ostfrieslands Handel und Schiffahrt im 16. Jahrhundert Bd. 1-2, 1910–1912; einen vorzüglichen Überblick bietet *W. Schöningh:* Überblick über die Geschichte der Stadt Emden, 1960. Zur Niederländer-Einwanderung vgl. *H. Schilling:* Niederländische Exulanten, 1972.

sein, daß mit diesen ökonomischen und sozialen Wandlungen Tendenzen einhergingen, die auf eine Veränderung auch der Verfassungsstruktur abzielten. Das ist um so weniger erstaunlich, als die niederländischen Exulanten, die den Löwenanteil an den Neubürgern stellten, aus Städten mit kräftigen korporativen Traditionen kamen. Nicht zu übersehen ist aber auch, daß wichtige Anstöße, die den Entstehungsvorgang einer bürgerlichen Gemeinde im eigentlichen Sinne sowie die gegen den Landesherrn gerichteten Emanzipationsbestrebungen des Stadtbürgertums vorantrieben, ausgingen von dem zeitlich parallel verlaufenden Gemeindebildungsprozeß im kirchlichen Bereich. Die reformierte Gemeinde stand mitten im übergreifenden Wandlungsprozeß: Impulse aufnehmend und austeilend, trieb sie die soziale und politische Entwicklung voran und wurde ihrerseits von ihr in wichtigen Zügen bestimmt.

Mit dem Regierungsantritt der Gräfin Anna, die nach einem kurzen katholischen Zwischenspiel unter ihrem Schwager Johann im Jahre 1542 die Regentschaft für ihre unmündigen Söhne übernahm, endete fürs erste die Zeit lutherisch bestimmter Ordnungspolitik der Landesherrschaft und damit der seit Ende der 1520er Jahre gegebene konfessionelle Gegensatz zu der evangelischen Kirche der Stadt Emden. An die Spitze des ostfriesischen Kirchenwesens trat zunächst der reformiert gesonnene Theologe Johannes a Lasco, später Gellius Faber († 1564) und Albert Rizaeus Hardenberg († 1574), die einen an Buzer und Melanchthon ausgerichteten Weg des theologischen Ausgleiches verfolgten[52]. Die Berufung a Lascos zum Aufseher über die ostfriesische Landeskirche war für Emden von weitreichender Bedeutung:

1. Als Sitz des Superintendenten, der gleichzeitig erster Pfarrer an der Großen Kirche war, wurde die Stadt erstmals Mittelpunkt des ostfriesischen Kirchenwesens. Dies war jedoch keine Vorstufe zu ihrer späteren Position als kirchlicher Vorort der calvinistischen Region im Westen und Südwesten der Grafschaft, die in konfessionellem und politischem Gegensatz zum lutherischen Landesherrn stand, sondern allein Ausdruck ihrer Funktion als Residenzstadt.

2. Durch das organisatorische und »erzieherische« Wirken a Lascos konstituierte sich in Emden Gemeinde in dem Sinne, daß die Gläubigen zu Partnern der Prädikanten wurden. Das geschah im Rahmen reformierter Theologie und in spezifisch reformierten Formen. Ein prinzipielles Unterscheidungskriterium zum Luthertum ist damit nicht gegeben[53]: In Emden wurde Mitte des Jahrhunderts

---

52. Hierzu ausführlich jetzt *Smid*, Kirchengeschichte 175 ff.

53. Grundlegend zur Verfassungsgeschichte der Emder Kirche seit den 1540er Jahren ist die Untersuchung des reformierten Kirchenhistorikers *J. Weerda:* Der Emder Kirchenrat und seine Gemeinde. Ein Beitrag zur Entwicklung reformierter Kirchenordnung in Deutschland, ihrer Grundsätze und ihrer Gestaltung, Teil 1–2, Göttinger Dissertation 1944 und münstersche Habilitationsschrift von 1948 (beide in Maschinenschrift). Dieses sehr wichtige und quellennahe Werk setzt allerdings z. T. falsche konfessionstypologische Akzente. Einige Korrekturen finden sich jetzt in der Kirchengeschichte des lutherischen Pfarrers *M. Smid.*

etwas nachgeholt, was sich in vielen deutschen Städten aufgrund mittelalterlich genossenschaftlicher Verfassungstraditionen und spezifischer Elemente des evangelischen Gemeindechristentums – des oberdeutsch-zwinglianischen ebenso wie des lutherischen – in den 1520er und 1530er Jahren eingestellt hatte und was später auch in einer Reihe ostfriesischer Gemeinden – z. B. in der Stadt Norden – unter lutherischem Bekenntnisstand zu beobachten ist.

3. Die von a Lasco eingeleiteten energischen Maßnahmen zur Bekämpfung der Katholiken und der protestantischen Dissidenten stellten erste Schritte auf dem Weg zur Zurückerlangung der Identität von kirchlicher und bürgerlicher Gemeinde dar[54]. Der unmittelbare Erfolg war zwar nur bescheiden[55], es war aber ein Ziel anvisiert, das im nächsten halben Jahrhundert von den Predigern und den Gemeindevertretern zäh weiterverfolgt wurde und dessen Verwirklichung im Jahre 1595 dem politischen und gesellschaftlichen System der Stadt für mehr als ein Jahrhundert den Stempel aufdrückte.

Die organisatorische Neuerung von größter Fernwirkung war die zwischen Herbst 1543 und Sommer 1544 erfolgte Gründung des Emder Kirchenrates[56], der wohl gedacht war als Modell für die übrigen Kirchspiele des Landes. Sicherlich ein Element a Lascoscher Ekklesiologie, zugleich aber eine Antwort nicht nur auf die spezifisch kirchen- und konfessionsgeschichtlichen Probleme der Stadt, sondern auch auf den Zustand der städtischen Gesellschaft. Die Entstehung dieses Gremiums ist im Zusammenhang mit den Bestimmungen der gleichzeitig ausgearbeiteten Polizeiordnung der Gräfin Anna zu sehen, die den Pfarrern und Kirchenvögten aller ostfriesischen Kirchspiele – übrigens in Anknüpfung an Traditionen des mittelalterlichen Sendgerichtes – die Sittenaufsicht zuteilten[57]. Zusammen mit anderen Punkten, die dasselbe Ziel verfolgten, versuchten die Verfasser der Polizeiordnung hiermit die als negativ empfundenen sozialen Folgen der Handels- und Agrarkonjunktur in den Griff zu bekommen, wie sie der gräfliche Rat und Mitverfasser der Polizeiverordnung, Eggerik Beninga, an an-

54. Es ist festzuhalten, daß die treibende Kraft hier nicht bei der Gemeinde, sondern bei dem landesherrlichen Superintendenten lag und dieser die Herstellung der kirchlichen Einheit eindeutig als landesherrliche Aufgabe verstand (vgl. dazu seinen Brief an die Gräfin Anna vom 8. August 1543, abgedruckt bei *A. Kuyper: Johannis a Lasco opera* Bd. 2, 1866, 558–561).

55. Es gelang weder das Täufertum noch den Katholizismus zu beseitigen. (Vgl. auch *Sprengler-Ruppenthal*, 325.)

56. Vgl. dazu vor allem den Brief vom 26. Juli 1544 an Hardenberg, *Kuyper* 574. Grundlegend für die Gründung des Kirchenrates *J. Weerda: Der Emder Kirchenrat*. Wichtig auch *A. Sprengler-Ruppenthal: Zur reformatorischen Kirchenrechtsbildung in Ostfriesland* (Zs. ev. Kirchenrecht 10, 1964, 314–367).

57. *E. R. Brenneysen: Ost-Friesische Historie und Landes-Verfassung* Bd. 2, 1720, Nr. 30, Teil I § 2, S. 184.

derer Stelle ausführlich erörtert hat[58]. Die Emder Regelung stellte nur insofern etwas besonderes dar, als hier neben den Kirchvögten mit vier Ältesten, die dem Pastor für die Sittenzucht zur Seite gestellt wurden, ein eigenes Organ entstand. Ihre Berufung erfolgte in der ersten Zeit – ebenso wie diejenige der Vögte – durch die Landesherrschaft in Absprache mit dem Pfarrer. Von der personellen Rekrutierung her muß dann auch der Kirchenrat der 1540er Jahre offensichtlich eher der gräflichen Beamtenschaft und dem Hof als dem Stadtbürgertum zugeordnet werden[59].

Im Unterschied zu der voll entwickelten Presbyterialverfassung besaß der Kirchenrat in dieser frühen a Lascoschen Ordnung keine Regierungsfunktion, sondern übte lediglich die Sittenzucht aus, und zwar im Auftrag der Obrigkeit. Demzufolge existierte auch keine eigenregierte Stadtkirche; die Emder Gemeinde unterstand weiterhin der staatlich-öffentlichen Regierung und Verwaltung, welche die Gräfin über die von ihr eingesetzten Kirchvögte sowie über ihren Superintendenten wahrnahm[60].

Ungeachtet dieser Einschränkungen setzte die Gründung des Kirchenregimentes einen innerkirchlichen Prozeß in Gang, der der Gemeinde nicht nur eine neue Verfassung, sondern eine andere Qualität verlieh und der darüber hinaus nicht ohne politische Auswirkungen bleiben konnte. Denn durch ihre Tätigkeit im Kirchenrat wurde eine kleine, geistig aber hervorragende Gruppe des Großbürgertums daran gewöhnt, kirchliche und politische Verantwortung zu tragen, und zwar eine Verantwortung, die trotz des gräflichen Benennungsrechtes letztlich nicht dem Landesherrn, sondern den in der reformierten Gemeinde zusammengeschlossenen Mitbürgern galt. In den Predigten und den Gebeten des feierlichen Einführungsgottesdienstes für neuberufene Presbyter wurde hierauf immer deutlich hingewiesen; zudem mußten die Ältesten von der Gemeinde formell bestätigt werden[61]. Auf der Seite der Gemeinde wurde damit das Bewußt-

---

58. Vgl. dazu den fingierten Dialog zwischen einem Pächter und einem eigenbeerbten Bauern, den Beninga im Jahre 1543 in einem Brief an den Pfarrer Rainer Melchior zu Jarßum mitteilt: abgedruckt bei *E. J. H. Tiaden: Das gelehrte Ostfriesland* Bd. 1, 1785, 98 ff.

59. Von den vier ersten Ältesten (erschlossen von *Weerda*, Dissertation, S. 51, Anm. 1) waren Onno Ubben und Johann Goltsmit gräflicher Amtmann bzw. Generalrentmeister (*J. König*: Verwaltungsgeschichte Ostfrieslands, 1955, 516, 520, 542). Die Zusammenwirkung von Gemeinde und Obrigkeit bei der Berufung der Ältesten stellt auch heraus G. *Faber: Eine antwert ... up einen bitterhönischen breff der Wedderdöper*, Magdeburg o. J. (1550er Jahre), Seite Hi.

60. Vgl. dazu etwa ihre Anordnungen hinsichtlich der Abnahme der Heiligenbilder (Brief der Gräfin Anna an den Superintendenten a Lasco vom 3. September 1543, abgedruckt bei *Meiners:* Kerkelyke Geschiedenisse, Bd. 1, 249 f.) sowie hinsichtlich der Verwaltung des Kirchenvermögens (Brief vom 30. 4. 1549, abgedruckt bei *E. F. Harkenroht:* Cronik des Eggerik Beninga, 1773, 808, Original in ARGE).

61. *J. Weerda:* Der Emder Kirchenrat, Dissertation, 54 ff.

sein geschärft, nicht nur Objekt sakraler und zuchtmäßiger Handlungen zu sein, sondern ihr Subjekt, ein Vorgang, der durch eine Reihe weiterer Elemente a Lascoscher Gottesdienstordnung unterstützt wurde, etwa durch den Abendmahls- und Taufritus und die Beichte[62].

Da die Tätigkeit des Kirchenrates erst von den 1560er Jahren an durch Protokolle dokumentiert ist, läßt sich nicht genau erkennen, wie weit dieser Vorgang zur Zeit a Lascos vorangeschritten war. Es muß aber wohl davor gewarnt werden, die unmittelbaren Auswirkungen zu überschätzen[63]. Das um so mehr, als der gräfliche Hof die neue Entwicklung mit Skepsis verfolgte[64], und auch das Bürgertum der presbyterialen Sittenzucht kaum ungeteilten Beifall gezollt haben dürfte. Das gilt namentlich von den Gruppen innerhalb der Oberschicht, die von der beginnenden Handels- und Gewerbekonjunktur am meisten profitierten und die in der strengen Sittenaufsicht auch einen Angriff auf ihre ökonomischen Freiheiten sehen mußten[65].

In kaum geringerem Maße als durch die Gründung des Kirchenrates wurde der Gemeindebildungsprozeß in dieser frühen Phase vorangetrieben durch Erfahrungen während des Interims. Denn in dem Streit um Annahme oder Ablehnung der speziell für Ostfriesland ausgearbeiteten Interimsordnung, der Ende der 1540er Jahre zwischen gräflichen Räten und reformierten Theologen entbrannte, rechtfertigten die Emder Prediger ihren Widerstand gegen Regierungsanordnungen wiederholt mit dem Hinweis auf das Selbstbestimmungsrecht der Gemeinde, das sie trotz ihrer Ernennung durch den Landesherrn zu respektieren hätten[66]. Darüber hinaus ließen sie mehrmals konfessionspolitische Entscheidungen formell durch gemeindliche Beschlüsse legitimieren: so die Abreise a Lascos nach England, die Wiederannahme liturgischer Gewänder sowie die Fortsetzung ihrer Predigt- und Tauftätigkeit unter offenem Himmel, nachdem die landesherrliche Regierung ihnen die Kirchen verschlossen hatte[67]. Wenn die Versammlung auch immer nur die Anträge der Prediger bestätigt zu haben scheint, so bahnte sich doch erstmals eine Partnerschaft zwischen Predigern und Gemeinde an. Ein Brief des Emder Presbyters Gerhard tom Camp an die Züricher

---

62. Ebd., 62–83.
63. Dieser Gefahr ist *Weerda* nicht ganz entgangen.
64. Brief a Lascos an Hardenberg vom 26. Juli 1544, a. a. O.
65. Die Haltung des Großbürgertums gegenüber der Kirchenzucht wird besonders deutlich in den Widerständen, die sich gegen Menso Alting in den 1570er Jahren erhoben (vgl. dazu *H. Klugkist Hesse:* Menso Alting, 1928, 122 ff.).
66. Vgl. dazu *Sprengler-Ruppenthal,* in *Sehling* 328, Anm. 51; 328–330; *Meiners* Bd. 1, 298–301; *J. Weerda:* Die große Probe, Die Emder Gemeinde und das Interim 1549–1550 (Sonntagsblatt für evangelisch-reformierte Gemeinden 54, 1950, 372–73, 378–379).
67. E. Beninga: Cronica der Fresen, ed. *H. Ramm,* 1964, 740.

Kirche[68] belegt zudem, daß die Ältesten bereits eigenständig Verbindungen geknüpft hatten und diese jetzt zur Verteidigung des evangelischen Gottesdienstes einsetzten. Die mit diesen Vorgängen verbundene Steigerung des gemeindlichen Selbstbewußtseins war um so bedeutungsvoller, als mit dem Interim zugleich ein empfindlicher Autoritäsverlust der weltlichen Obrigkeit einherging, und zwar »*non solum plebeii, sed etiam summi*«, wie tom Camp schreibt. Er traf allerdings weniger die Gräfin persönlich als ihre Ratgeber und vor allem den landesherrlichen Magistrat der Stadt[69]. Die damit zwangsläufig verbundenen politischen Folgen gewannen noch dadurch an Gewicht, daß nicht nur die kirchliche, sondern auch die politische Gemeinde aktiviert worden war. Denn die Gräfin hatte zur Entscheidung über ihre Interimsordnung eine Bürgerversammlung einberufen. Sicherlich hat es in Emden solche, unter gräflicher Leitung durchgeführte Versammlungen auch bereits früher gegeben. Eine neue Situation trat aber dadurch ein, daß sich die Bürger im Jahre 1549 nicht dem Vorschlag des Stadt- und Landesherrn anschlossen, sondern unter Anführung der Prädikanten die von ihm verfügten kirchlichen Veränderungen ablehnten[70]. Hierin und in der Tatsache, daß sich erstmals ernstzunehmende Anzeichen für eine Aufstandsbereitschaft zeigten, deutete sich eine grundsätzliche Verschiebung der innerstädtischen Machtverhältnisse an, die den Weg zur umstürzenden Verfassungsänderung der 1590er Jahre eröffnete. Indem die im August und September 1550 in Leer versammelten Stände dieselbe Haltung wie die Emder Bürger einnahmen[71], war auch bereits die territorialpolitische Konstellation gegeben, die diese Entwicklung maßgeblich förderte.

Der Widerstand gegen das Interim wurde bereits von den Zeitgenossen als große geschichtliche Tat des Emder Bürgertums gefeiert. In einem Mitte der 1550er Jahre verfaßten humanistischen Lobgedicht heißt es über die Verdienste der Bürger als Wahrer des reformierten Glaubens: »*Civibus Aemdanis ea laus est maxima nostris, / Doctrinam ex animo quod pietatis ament, / Quodque vel a multis annis provitentur eandem, / Inter tot casus, damna, pericula, metus.*«[72] Der Verfasser, Wilhelm Gnaphaeus, Humanist und Erzieher der jungen Grafen, zählte diese Glaubenstreue der Emder Bürgerschaft zum Ruhm der ostfriesischen Grafen, als deren Residenzstadt er Emden besang. Er konnte noch nicht erkennen, daß er an dem Fundament eines bürgerlichen Geschichtsbewußtseins mitzimmerte, auf dem sich in der nächsten Generation der gegen die Landesherrschaft gerichtete Freiheitsanspruch der Stadt erhob.

Die Bedeutung der eben beschriebenen kirchengeschichtlichen Vorgänge für

---

68. Erhalten in der Simmlerschen Briefsammlung in Zürich, abgedruckt bei *J. Weerda: Emder Kirchenrat*, Dissertation, 112 ff.

69. Ebd.

70. Brief a Lascos vom 18. September 1549, in: *Kuyper* Bd. 2, 628–32.

71. *Meiners*, 320 f.

72. *Brenneysen* Bd. 1, 226 ff.

das Selbstbewußtsein der Emder Bürger sowie für die Herausbildung korporativ-gemeindlicher Strukturen und Verhaltensnormen kann kaum ernsthaft in Zweifel gezogen werden. Gerade unter der Themenstellung Stadt und Kirche käme man aber zu ganz falschen Schlußfolgerungen, wenn man außer acht ließe, daß sich gleichzeitig mit dieser organisatorischen und geistigen Stärkung der Kirchengemeinde auch im politisch-weltlichen Bereich Ansätze für eine genossenschaftliche Entwicklung zeigten, die in den 1570er und 1580er Jahren rasch an innerer Stärke gewann. Beide Bewegungen liefen im Prinzip getrennt nebeneinander her, wenn sie sich auch wechselseitig geistig beeinflußten und zum Teil von denselben Personen getragen wurden. Diese Parallelität ist ein lehrreiches Beispiel für die innere Abhängigkeit der Entwicklungen auf dem politischen und kirchlichen Feld in den Städten des 16. Jahrhunderts, insofern deutlich wird, daß der Erfolg des a Lascoschen Kirchenrates unbeschadet der ordnungspolitischen Leistung und der sie tragenden geistig-religiösen Kraft ganz wesentlich mitbedingt wurde von der Tatsache, daß die soziale, ökonomische und verfassungsmäßige Entwicklung Emdens Mitte des Jahrhunderts jenes Stadium erreicht hatte, in dem sich eine Beteiligung der Bürger an den öffentlichen Aufgaben nicht mehr umgehen ließ.

Noch in die 1540er Jahre – und zwar einige Jahre nach Gründung des Kirchenrates – fiel die Entstehung der ersten Finanzdeputation, zu der eine nicht genau bekannte Anzahl von Bürgern berufen wurde, um zusammen mit dem gräflichen Magistrat die Erhebung von Bier- und Weinzöllen in die Hand zu nehmen, die 1546 zur Deckung notwendiger Befestigungsausgaben verordnet worden waren[73]. Es folgte in den 50er Jahren die Gründung einer genossenschaftlich strukturierten und legitimierten Gesellschaft zur Kornbevorratung: Anläßlich einer Getreideverteuerung mit schlimmen Auswirkungen auf die mittleren und unteren Schichten der Stadt versammelte sich im Jahre 1557 in der Gasthauskirche eine Gruppe vorwiegend der Oberschicht angehörender Bürger[74], legte ein Kapital zum Ankauf einer größeren Menge Korns zusammen und wählte aus ihrer Mitte sechs Vorsteher, die das Geld verwalten und gegebenenfalls an Bedürftige Getreide zu Niedrigpreisen verkaufen sollten. 1566 erhielt diese Gesellschaft vom Magistrat eine Ordnung, die die Initiative der Bürger voll anerkannte und für die weitere Selbstverwaltung ein sich kooptierendes Gremium bestätigte[75]. Unabhängig von und zeitlich vor der Einrichtung der reformierten Diakonie war also in Emden eine bürgerliche Institution mit ver-

---

73. *H. Loesing:* Von dem Ursprung des Vierziger Collegiums in Emden, 1780.

74. Unter den sechs ersten Vorstehern befanden sich Johann von Amsterdam, der später zum Bürgermeister ernannt wurde, und der reiche Emder Großkaufmann Johann Boeltzen, ein notorischer »Libertiner« und Anhänger des David Joris (Emder Jahrbuch 17, 317, 322 ff.).

75. Abdruck der Urkunde bei *H. Loesing:* Geschichte der Stadt Emden, 1843, 123–126.

gleichbarer Zielsetzung entstanden[76]. – Schließlich ist in diesem Zusammenhang noch das wahrscheinlich ebenfalls im Verlaufe der 1550er Jahre entstandene bürgerliche Selbstverwaltungsgremium der Schüttenhoeftlinge zu nennen. In dieses Gremium wurden vier »qualifizierte« Bürger, d. h. Angehörige der Oberschicht, zu einer vierjährigen Amtszeit berufen, und zwar aufgrund eines Verfahrens, das Kooptation und Ernennung durch den landesherrlichen Magistrat kombinierte. Wahrscheinlich den Schüttenmeistern oder Poolrichtern der Landgemeinden nachgebildet – auch dies ein interessanter Beleg für das Stadt-Land-Gefälle in der friesischen Verfassungsentwicklung! –, fiel diesem Gremium ein weites und bedeutendes Aufgabenfeld zu[77]: Von der Ausbildung der städtischen Miliz über die Schlichtung bürgerlicher Grenzstreitigkeiten, der Bauaufsicht, der städtischen Energieversorgung mit Holz und Torf bis hin zur Regelung von Schiffahrt und Handel im Hafen und auf den städtischen Gewässern.

Von diesen Gremien fiel dem Finanzausschuß für die Fortentwicklung der städtischen Verfassung die wichtigste Rolle zu. Gemeinsam mit dem Kirchenrat bildete er im letzten Viertel des Jahrhunderts die institutionelle Basis für die gegen den Grafen gerichtete Bürgerbewegung. Anläßlich einer erneuten Verlängerung der jeweils nur auf bestimmte Zeitabschnitte festgelegten Zölle gelang im Jahre 1574 eine Ausweitung und formelle Regelung des Mitspracherechtes der Deputierten: Der Ausschuß wurde auf 24 Mitglieder erweitert, die von der Bürgerschaft – allerdings unter Aufsicht gräflicher Beamter – gewählt wurden und fortan die Steuern in eigener Regie erhoben sowie ein weitgehendes Kontrollrecht über die Verwendung der Gelder durch den landesherrlichen Magistrat besaßen. Im Selbstverständnis der Deputierten wurde die formelle Beschränkung auf das Finanzwesen bald aufgehoben; sie verstanden sich generell als Wahrer der städtischen Privilegien und bürgerlichen Freiheiten, zumal einzelne von ihnen an Landtagen teilnahmen, wenn auch nicht als Repräsentanten der Bürgerschaft, sondern im Auftrage des Magistrates[78].

III. Konfessionskonflikt und »bürgerliche« Revolution, 1575–1595

Herausbildung einer von genossenschaftlichem Geist getragenen und sich zunehmend selbst regierenden Kirchengemeinde und Entstehung bürgerlicher Selbstverwaltungsgremien zur Regelung des städtischen Finanzbedarfes, das waren die beiden Hauptbahnen, über die seit Mitte des 16. Jahrhunderts die in der Konsequenz des demographischen und sozioökonomischen Wandels liegende Ent-

---

76. Von den sechs Vorstehern läßt sich nur für Johann Kyll nachweisen, daß er ein Kirchenamt innehatte, und zwar war er Kirchvogt.
77. *Loesing*, 131 ff.
78. *Loesing:* Vierziger Collegium 6; *Brenneysen* Bd. 1, Buch VI, 281 ff.

wicklung Emdens von einem vorkommunalen Gemeinwesen hin zu einer Stadt mit einem selbstbewußten, genossenschaftlich strukturierten und agierenden Bürgerverband vorangetrieben wurde. Die erste Phase dieses Prozesses war noch nicht durch ein Gegeneinander von Bürgerschaft und Stadt- bzw. Landesherr gekennzeichnet. Die durch die Hinzuziehung bürgerlicher Deputierter gewährleistete Verbesserung des städtischen Finanzwesens lag gleichermaßen im Interesse der Bürger wie des Landesherrn. Der gemeindliche Ausbau der reformierten Kirche erfolgte auf dem Boden reformierten Staatskirchentums, das die Regierungsbefugnis des Landesherrn voraussetzte[79].

Im letzten Viertel des Jahrhunderts trat jedoch in den Beziehungen zwischen Bürgertum und Landesherr eine grundsätzliche Verschiebung ein: Auf kirchlichem Gebiet bahnte sich das mit der Übersiedlung der Londoner Fremdengemeinde Mitte der 1550er Jahre und der Übernahme ihrer presbyterialen Verfassung an. Denn abgesehen von der institutionellen Ergänzung um das Gremium der Diakone unterschied sich dieses Londoner Modell reformierter Kirchenverfassung von der älteren Emder Ordnung hauptsächlich dadurch, daß es den Presbytern über die Kirchenzucht hinaus Regierungs- und Verwaltungsaufgaben zuwies, ihre Position gegenüber der Obrigkeit unabhängiger machte und sie deutlicher auf die Gemeinde verpflichtete[80]. Indem sich diese auf dem Boden einer Art Freikirche entstandenen Verfassungselemente während der 1560er und 1570er Jahre in Emden durchsetzten, war ein entscheidender Schritt auf dem Weg zu einem vom Landesherrn unabhängigen städtischen Kirchenwesen getan. Unter dem aus Pfälzer Diensten berufenen Menso Alting, der von 1575 bis 1612 als erster Prediger an der Großen Kirche und als Vorsitzender im Kirchenrat die Geschicke der Stadt maßgeblich mitbestimmte[81], wurde in Emden die genossenschaftlich-presbyteriale Ordnung zum unverzichtbaren Merkmal rechtgläubiger Gemeinde und der Kirchenrat zum wichtigsten Instrument im Kampf um die Autonomie der Stadtkirche, der zugleich ein Kampf um die allgemeine politische und rechtliche Freiheit sowie um die bürgerliche Selbstverwaltung war. Diese verfassungsgeschichtliche Entwicklung in Kirche und Stadt darf allerdings nicht als unmittelbare konfessionsgeschichtliche Folge der mit Alting endgültig vollzogenen Abkehr vom Reformiertentum a Lascoscher Prägung hin zum Calvinismus gewertet werden. Auch sie war vielmehr das Ergebnis einer spezifischen politischen Konstellation, in der sich die reformierte Stadt gegenüber einem zunehmenden absolutistisch-lutherischen Druck von seiten ihres neuen Landesherrn, des Grafen Edzard II. (1558 bis 1599), zu behaupten hatte. Alting war immer

---

79. Vgl. oben S. 143 f.
80. Dazu neben den Ausführungen bei *Weerda:* Emder Kirchenrat, grundlegend *A. A. van Schelven:* De Nederduitsche vluchtelingenkerken der 16e eeuw in England en Duitschland, 1908; *Sprengler-Ruppenthal:* Kirchenrechtsbildung (Anm. 56), 331 f.
81. Dazu die pathetische, aber materialreiche Biographie von *H. Klugkist-Hesse:* Menso Alting, Eine Gestalt aus der Kampfzeit der calvinistischen Kirche, 1928.

bereit, in Allianz mit dem reformierten Grafen Johann (1558 bis 1591)[82], der mit seinem älteren Bruder Edzard um die Regierung innerhalb der Grafschaft rang, in der Kirchenverfassung den obrigkeitlichen Weg weiterzugehen bzw. zu ihm zurückzukehren[83], jedenfalls wenn sich der Landesherr zu ähnlichen Konzessionen wie in der Pfalz bereit erklärt hätte.

Der Polarisierung in der Kirchen- und Konfessionsfrage entsprach eine solche auf nahezu allen übrigen Gebieten des öffentlichen Lebens. Der Konflikt konzentrierte sich hier auf Stellung und Funktion des für die Steuererhebung eingesetzten Bürgerausschusses: Seit Mitte der 1580er Jahre hatten der Graf und sein Magistrat den oben erwähnten 24er Ausschuß zunehmend unter ihre Verfügungsgewalt gebracht, indem sie eigenmächtig Mitglieder ein- und absetzten. Demgegenüber pochten die Bürger auf ihrem Wahlrecht, und im Frühjahr 1589 beriefen sie in einer vom Grafen nicht autorisierten Versammlung statt der bisher 24 Deputierten ein Gremium von vierzig Bürgervertretern, die sogenannten »Vierziger«, die die Bürgerschaft umfassend repräsentieren und auf allen Gebieten – also nicht mehr ausschließlich in Steuersachen – die städtische und bürgerliche Freiheit garantieren sollten[84]. Dieser erweiterte Bürgerausschuß, dessen Effektivität und Eigenständigkeit durch die Bestellung eines Syndikus zusätzlich erhöht wurde, stellte im Kern eine genossenschaftlich-bürgerliche Gegeninstitution gegen den landesherrlichen Magistrat dar[85]. Seine Aktivitäten blieben aber zunächst begrenzt, da Landesherr und Magistrat die Veränderungen natürlich nicht anerkannten[86]. Immerhin existierten in Emden mit Kirchenrat und Vier-

---

82. Bei der vom Kaiser und den Ständen im Jahre 1578 befürworteten befristeten Teilung der Grafschaft waren dem Grafen Johann die Ämter Leerort, Greetsiel, Stickhausen zugefallen, so daß die Stadt Emden zum unmittelbaren Herrschaftsbereich Graf Edzards gehörte.

83. Hierauf hebt *Smid*, Kirchengeschichte, 273 f. zu Recht ab; vgl. auch *meine* Ausführungen im Emder Jahrbuch 55, 1975, 87 f. Es wirft ein bezeichnendes Licht auf die kirchenverfassungsrechtliche Position der Emder Prediger – einschließlich Altings –, daß sie auch im Jahre 1586 ohne Bedenken eine Forderung Graf Edzards akzeptieren konnten, den Kirchenratssitzungen in Person eines Ratsherrn einer Art Staatskommissaren zuzuordnen (ARGE, Rep. 320 B, Nr. 34: 14. 11. 1586). Die Kirchenratsprotokolle verzeichnen seine Anwesenheit erstmals für den 30. 1. 1587 (ebda., Rep. 329, Nr. 5).

84. Hierzu *Loesing*: Vierziger Collegium.

85. Die Polarisierung zwischen Magistrat und Bürgergremium blieb auch nach der Revolution von 1595 erhalten, nachdem der Magistrat ein vom Landesherrn unabhängiges bürgerliches Regierungsorgan geworden war.

86. Sie lehnten es insbesondere ab, mit dem »Worthalter« der Vierziger zusammenzuarbeiten, weil sie dessen Aufgabe einem gräflichen Beamten vorbehalten wissen wollten. Ein Versuch der Bürger, den Worthalter durch die kaiserliche Kommission des Jahres 1590 bestätigen zu lassen, mißlang, so daß der Konflikt zunächst offen blieb. Seit 1593 ignorierte die gräfliche Regierung die »Vierziger« völlig und ließ Steuern und Zölle durch gräfliche Beamte erheben. Erst nach der Revolution, im Vertrag zu Delfzijl erkannte der Graf das Vierziger Collegium an.

zigerkollegium jetzt Repräsentativorgane sowohl der kirchlichen als auch der bürgerlichen Gemeinde.

Indem zu dem Streit über Konfessionsstand und Verfassung der Kirche sowie über Stellung und Funktion der Bürgerdeputierten weitere tiefgreifende Differenzen hinzutraten – etwa in der Wirtschafts- und der Außenpolitik, wo es um die Haltung gegenüber dem niederländischen Unabhängigkeitskrieg ging[87] – umfaßten die Gegensätze zwischen den Emder Bürgern und ihrem Stadtherrn ein breites Spektrum. Zusammengenommen bildeten sie das Krisensyndrom, aus dem im Jahre 1595 die Emder Revolution hervorbrach. Unverkennbar waren es aber die kirchlichen und konfessionellen Gegensätze innerhalb dieses Syndroms, die die Krise auf ihren revolutionären Höhepunkt trieben: Denn während über die meisten der »weltlichen« Streitpunkte auf den Landtagen und vor kaiserlichen Schiedskommissionen verhandelt wurde und damit die zeitübliche Kanalisierung des Konfliktes mit einem möglichen Kompromiß am Ende eingeleitet war, war das kirchlich-konfessionelle Ringen im Prinzip nur durch die Niederlage eines der beiden Kontrahenten zu beenden, stritten hier doch zwei Systeme geistig-religiöser Welterklärung gegeneinander, die sich dem eigenen Selbstverständnis nach in wesentlichen Punkten ausschlossen[88].

Dabei ist im Auge zu behalten, daß die Vorgänge in und um Emden immer nur einen Teil des die gesamte Grafschaft erfassenden Kampfes um die gesellschaftliche, politische, verfassungsmäßige und kirchliche Ordnung des ostfriesischen Territoriums darstellten. Bei diesen Konflikten zwischen Landesherrschaft und Untertanen handelte es sich im Kern um Vorgänge, wie sie im Rahmen des frühneuzeitlichen Staatsbildungsprozesses in nahezu allen deutschen Territorien anzutreffen waren. Das Eigentümliche an der ostfriesischen Situation war erstens, daß hier im Kampf zwischen Landesherrschaft und Territorialstadt, zwischen stadtbürgerlicher und territorialer Gesellschaft, der diesem Prozeß inhärent war, zwei bislang defizitär ausgestattete Kräfte aufeinandertrafen: ein Landesherr, dessen Herrschaft – abgesehen von der als Schmach empfundenen Teilung der Grafschaft mit seinem Bruder Johann – noch besonders weit entfernt war von einer einheitlichen Gebietshoheit, und ein Stadtbürgertum, das zwar ökonomisch erstarkt war, das aber erst im Begriffe stand, sich zu einem genossenschaftlich verstandenen Bürgerverband zu entwickeln, und dessen politische Par-

---

87. Umstritten waren auch die Gerichtshoheit – Aufbewahrung des Richtschwertes, die Appellation bei Pfennigbeträgen –, die Polizeigewalt im Hafen, der Umfang der Marktprivilegien – Kornstapel und ländliche Märkte – sowie das Stapel- und Vorbeifahrtsrecht (Gravaminakatalog, STAE, I Reg., 161 fol. 20–22). Noch zu Beginn der 1580er Jahre war es möglich gewesen, in allen diesen Punkten einen Kompromiß zu finden, wenn auch deutlich ist, daß der Graf sorgfältig darauf bedacht war, seine Hoheitsrechte nicht präjudizieren zu lassen (Brief Edzards II. vom 30. September 1581, ebd.).

88. Natürlich hing die politische Aggressivität des Calvinismus generell mit seiner reichsrechtlich brisanten Lage zusammen. Darüber hinaus reichende konkrete Auswirkungen lassen sich in den ostfriesischen Auseinandersetzungen aber nicht erkennen.

tizipation unterentwickelt war. Charakteristisch für die ostfriesischen Vorgänge war zweitens die direkte Kopplung an die konfessionellen Auseinandersetzungen der Zeit, was allerdings in gar keiner Weise als Ausnahme zu werten ist. Die exzeptionelle Dynamik des ostfriesischen Geschehens basierte auf der Kombination der beiden genannten Charakteristika.

Aufgrund der Schwächen von Territorialherrschaft und Bürgerverband gewann die Verfügungsgewalt über die Kirche, namentlich die Festlegung ihres Bekenntnisstandes, für beide Kontrahenten eine Bedeutung, die über das zeitübliche Maß hinausging: Für den Grafen war sie vornehmstes Indiz seiner Landeshoheit und sakrale Überhöhung seiner schwachen Herrschaft, damit zugleich wichtigstes Instrument, seiner aus schwedisch-königlichem Hause stammenden, streng lutherischen Gemahlin standesgemäße Reputation zu demonstrieren. Indem der Graf die wichtigsten Stellen in Staat und Kirche mit lutherischen Ausländern besetzte, wurde das orthodoxe Luthertum darüber hinaus zum Integrationselement für eine sich herausbildende, von Verbindungen in die Landschaft freie landesherrliche Beamtenschaft. Für die Emder Bürger, in abgewandelter Form auf territorialer Ebene dann auch für die Ständeopposition, übernahm der rigide Calvinismus ähnliche Funktionen: der calvinistische Bekenntnisstand der Stadtkirche demonstrierte den bürgerlichen Anspruch auf Selbstbestimmung an einem Punkt, der bereits für die Selbstdarstellung des mittelalterlichen Bürgertums von zentraler Bedeutung gewesen war, er verlieh der bürgerlichen Emanzipationsbewegung sakrale Weihen und gab einer Einwohnerschaft, die aufgrund des unnatürlich raschen Wachstums besonders schroffe Interessensgegensätze aufwies, in einer gemeinsam verfochtenen Idee einerseits inneren Zusammenhalt und andererseits eine Abgrenzungsmöglichkeit gegenüber den landesherrlichen Amtsträgern im städtischen Magistrat.

Wenn Anfang der 1570er Jahre die auf der Basis der Theologie Melanchthons und Buzers errichtete Gemeinsamkeit zwischen landesherrlicher Kirchenpolitik und städtischem Bekenntnisstand zerbrach und an ihre Stelle eine zunehmende Polarisierung zwischen lutherischer Orthodoxie des gräflichen Hofes und einem rigiden Calvinismus der Stadtkirche trat, so war das sicherlich ein Ergebnis mehrerer, vor allem personell bedingter Zufälle. Zugleich aber war es auch eine innere Konsequenz der politischen und gesellschaftlichen Gegensätze.

Die entscheidende Phase der Auseinandersetzungen wurde eingeleitet durch eine kirchenpolitische Offensive, die Graf Edzard nach dem 1591 erfolgten Tod seines Bruders Johann mit dem Ziel einleitete, zugleich mit der konfessionellen und verwaltungsmäßigen Eingliederung der Stadtkirche in die forciert aufgebaute lutherische Landeskirche auch die Stadt insgesamt dem Territorialstaat zu integrieren bzw. ihre weitere Verselbständigung zu verhindern. Der Graf versuchte zunächst, die Prediger auf bestimmte Verhaltensvorschriften festzulegen, verbot dann die Zusammenkunft des Kirchenrates, setzte Menso Alting, den Vorkämpfer des Calvinismus und der stadtkirchlichen Freiheiten, ab und verlangte schließlich auch das Kontrollrecht über die Finanzen der reformierten Diakonie, die im Gegensatz zu dem regulären Kirchenvermögen, das vom Grafen berufenen Vögten unterstand, bislang ausschließlich durch die Gemeinde und völlig unabhängig von außerkirchlichen Instanzen verwaltet worden war[89]. Gegen diese kirchenpolitischen Forderungen des Grafen kam es am 18. März 1595 – gleichsam in letzter Minute – zu einer gemeinsam von Kirchenrat und »Vierzigern« gertagenen Protestaktion. Sie war von langer Hand durch Menso Alting vorbereitet worden, der auch mit einer leidenschaftlichen Ansprache in der Großen Kirche für eine breite Massenbasis sorgte. Diese Bewegung nahm sogleich die verfassungsrechtlichen und politischen Fragen mit auf, die von den Anführern auf die zugkräftige Parole gebracht wurden, es gelte die gräfliche »servitut« abzuwehren[90]. Die Bürger erzwangen vom Landesherrn eine grundlegende Neuregelung der staats- und staatskirchenrechtlichen Beziehungen. In zwei im Jahre 1595 und 1599 zwischen den ostfriesischen Grafen und der Stadt Emden ausgehandelten Verträgen[91] konstituierte sich eine autonome reformierte Stadtkirche, über die der Landesherr keinerlei Verfügungsgewalt mehr besaß. In ähnlicher Weise wurde das politische System der Stadt neu geordnet, so daß aus der abhängigen, von gräflichen Amtsträgern regierten »Minderstadt« eine Stadtrepublik wurde, die zwar nicht verfassungsrechtlich, wohl aber den politischen Möglichkeiten nach unabhängiger war als manche der Reichsstädte.

Läßt man einmal den Prediger Alting beiseite, der sich bei den politischen Aktionen selbst im Hintergrund hielt, so lag die Leitung des Aufstandes gemeinsam bei dem Kirchenrat und den »Vierzigern«. Beide Gremien waren aufs engste personell miteinander verzahnt: Neben Gerhard Bollardus, der nach der gut kalkulierten Rede Altings die Führung der Bürgerbewegung übernahm, gehörten nicht weniger als 14 weitere Mitglieder des 1589 konstituierten Vierzigerausschusses gleichzeitig der Kirchenleitung an, Presbyter und Diakone zusammengenommen. Drei weitere wurden im Verlauf der frühen 1590er Jahre hineingewählt[92]. Sozialgeschichtlich betrachtet handelt es sich hier vor allem um eine

89. Eine ausführliche Darlegung der Ereignisse findet sich in der Emder Parteischrift: Apologia, Das ist vollkommene Verantwortung ... der Stadt Embden ..., Groningen 1602, 89 ff.

89 a Die Emder Apologie spricht von dem »Gemeinen volck« aus Faldern, d. h. der Vorstadt, deren Bevölkerung in den letzten Jahrzehnten sprunghaft zugenommen hatte. Aus den widersprüchlichen Ausführungen der Apologie geht hervor, daß der Kirchenrat dafür gesorgt hatte, daß diese Leute zur rechten Zeit am rechten Ort anwesend waren.

90. Ebd. 97, Ansprache des »Vierzigers« und Kirchenrates Gerhard Bollardus an die versammelte Bürgerschaft.

91. Es handelt sich um den am 15. Juli 1595 durch Vermittlung der Generalstaaten abgeschlossenen Delfzijler Vertrag (neu hg. von *H. Wiemann:* Die Grundlagen der landständischen Verfassung Ostfrieslands, Die Verträge von 1595 bis 1600, 1974, 112–137) sowie um die sogenannten Konkordate vom 7. November 1599, ebd. 160–195.

92. Die Zahlen wurden gewonnen durch einen Vergleich der entsprechenden Verzeichnisse in der Emder Offiziantenliste, Stadtarchiv Emden (STAE), Handschrift 4.

Faktion des kaufmännischen und grundbesitzenden Großbürgertums, die über diese beiden genossenschaftlichen Führungsgremien ihren Anspruch auf politische und kirchliche Mitverantwortung angemeldet hatte und jetzt in einem revolutionären Vorgehen dem Landesherrn die Stadtherrschaft entriß. Gleichzeitig entmachtete sie denjenigen Teil des Emder Großbürgertums, der bislang als Inhaber vom Landesherrn vergebener Magistratsämter an dieser Herrschaft beteiligt gewesen war. Unter den Führern des Aufstandes befand sich eine beträchtliche Zahl niederländischer Exulanten, die erst wenige Jahre oder Jahrzehnte in Ostfriesland ansässig waren[93]. Daneben standen aber auch Angehörige des alteingesessenen Emder Bürgertums, das im Verlaufe des 16. Jahrhunderts nicht nur an Wirtschaftskraft, sondern auch an sozialem Ansehen, politischer Erfahrung und geistigem Weitblick gewonnen hatte. An zwei Personen bzw. Familien läßt sich der Emanzipationsprozeß sowie die Rolle, die der reformierten Gemeinde dabei zufiel, stellvertretend veranschaulichen: *Bernhard tom Camp* führte Anfang der 1520er Jahre in seiner Eigenschaft als gräflicher Amtsschreiber mit Sitz in Emden den Reformator Georg Aportanus zurück in die Große Kirche, aus der ihn seine katholisch gebliebenen Mitpriester vertrieben hatten. Gerhard tom Camp, der Sohn dieses Amtsschreibers, gehörte – wahrscheinlich nicht zuletzt wegen seiner Herkunft aus einer Beamtenfamilie – dem ersten Emder Kirchenrat an. Ernannt durch die gräfliche Regierung, war er doch bereits geistig so weit von ihr gelöst und auf die Gemeinde verpflichtet, daß er während des Interims eine eigene, gegen die Pressionen von seiten des Hofes gerichtete Politik verfolgte[94]. Das zweite Beispiel ist die Familie *Bollardus:* Anfang des 16. Jahrhunderts bereits als reiche Grundbesitzer ausgewiesen, wurde ein Mitglied vom Grafen zum Kirchvogt der Großen Kirche berufen, ein anderes zeichnete sich während der landesherrlichen Kriege mit den Sachsen als militärischer Führer aus. In der zweiten Hälfte des Jahrhunderts zählte Gerhard Bollardus, der Anführer der Revolution, zu den Mitgliedern sowohl des Kirchenrates (seit 1580) als auch der Bürgerausschüsse (1581 Steuerdeputierter, 1589 40er; 1595 dann Colonel der Revolution und erster gewählter Bürgermeister). Über sein kirchliches Amt hatte er enge Beziehungen u. a. zu Sibrandus Lubbertus aufgenommen, dem späteren einflußreichen Theologieprofessor zu Franeker, und war damit nicht nur konfessionell, sondern vor allem auch politisch in den Umkreis des westeuropäischen Calvinismus getreten[95].

Neben der zielstrebigen Leitung durch das Großbürgertum und der institutionellen Basis, die der Kirchenrat der Bürgerbewegung in ihrem Vorbereitungsstadium gewährte, war der Erfolg des Aufstandes wesentlich dadurch bedingt,

93. *Schilling:* Niederländische Exulanten, Anhang II, S. 179 f.
94. Vgl. oben S. 145 f.
95. Vgl. die entsprechenden Verzeichnisse in der Emder Offiziantenliste STAE, Handschrift 4; Emder Jahrbuch 11, 1895, 195; ARGE, Rep. 344; *Loening:* Geschichte der Stadt Emden, 95; *C. van der Woude:* Sibrandus Lubbertus, 1963, 43.

daß sich die handwerkliche Mittelschicht dem Protest gegen die landesherrlichen Ansprüche anschloß[96] und daß die Bürgerschaft als genossenschaftlicher Verband in Aktion trat. Wir haben im vorigen Absatz auf den parallelen Verlauf des bürgerlichen und kirchlichen Gemeindebildungsprozesses zu Mitte des Jahrhunderts abgehoben. Abschließend sei erlaubt, diese Linie wenigstens an einem konkreten Punkt innerhalb der konfessionellen Auseinandersetzungen des letzten Jahrhundertviertels nochmals aufzunehmen und zu konturieren, und zwar anhand des Kampfes gegen die 1586 durch landesherrlichen Erlaß gegründete lutherische Gemeinde.

Anders als Mennoniten, Katholiken und vereinzelte Libertiner bzw. David-Joristen, über die das reformierte Konsistorium immer wieder klagte, bedeutete die lutherische Gemeinde, die ihren Gottesdienst in einem dem Grafen gehörenden Haus, der alten Münzstätte, abhielt, für den reformierten Bekenntnisstand Emdens eine ernste Gefahr, weil sie auf starken Zuzug aus den östlich und südöstlich gelegenen lutherischen Regionen des Reiches rechnen konnte und zudem durch die Übersiedlung eines Teiles der lutherischen Gemeinde Antwerpens einen Kern sozial angesehener und ökonomisch starker Familien besaß. Vor allem aber stellte sie eine politische Gefahr dar, konnte sie doch jederzeit als Kristallisierungspunkt für eine gräfliche Faktion innerhalb des Bürgertums dienen, die vor allem in der Oberschicht potentielle Anhänger besaß, etwa bei Kaufleuten der Spanienfahrt oder bei den zahlreichen Familien mit Verbindungen in die gräfliche Beamtenschaft[97]. Auf der anderen Seite mußte die konfessionelle Spaltung der Bürgerschaft – von den Calvinisten immer aufs neue als Zerrüttung jeglicher Ordnung angeprangert – die eben erst in Gang gesetzte genossenschaftliche Entwicklung bremsen, insofern sie dem Bürgerverband die einheitliche sakrale Fundierung entzog. Die unter dem Vorzeichen religiöser Toleranz ergangenen landesherrlichen Mandate, die den beiden protestantischen Konfessionen Gottesdienstfreiheit und vor allem den Eltern bei der Taufe ihrer Kinder freie Konfessionswahl zusicherten[98], stellten somit ein subtiles, auf Schwächung der »Kommunenbewegung« abzielendes Instrument landesherrlich-obrigkeitlicher Politik dar. Auf der gleichen Ebene lag es, wenn Edzard einen Teil der zur städtischen Pfarrkirche gehörenden Ländereien der lutherischen Gemeinde übertrug[99].

96. Aufgrund der Emder Sozialtopographie ist der größte Teil der aus Faldern zur Großen Kirche gekommenen Gruppe (vgl. oben Anm. 89 a) dem Handwerk zuzurechnen.

97. Vgl. u. a. *J. H. Kernkamp: De Handel op de vijnd,* 1572–1609 Bd. 2, 1936, 108, 135, 165. Der Landesherr versuchte wiederholt, durch diese Leute die Bürgerschaft für sich zu mobilisieren (vgl. *B. Hagedorn: Ostfrieslands Handel* Bd. 2, 128 ff.).

98. STAE, I. Reg. Nr. 412 a, u. a. 27. Dezember 1592.

99. Hierzu sowie zu der Geschichte der lutherischen Gemeinde insgesamt informiert ausführlich *Smid,* Kirchengeschichte, S. 229 ff. Meine folgenden Ausführungen basieren auf Akten des Emder Stadtarchives (I Reg. Nr. 407, 412 a/b, 421 u. 424), des Archivs

Zu einer ersten machtvollen Demonstration bürgerlichen Abwehrwillens kam es im Zusammenhang mit der Beerdigung einer am 10. September 1588 verstorbenen Tochter des Grafen, die von einem lutherischen Pfarrer – entweder dem Hofprediger Heshus, einem Sohn des berühmten Tilmann, oder dem Prediger der städtischen Gemeinde – in der Grafengruft der Großen Kirche beigesetzt werden sollte. Dieser gräflich-herrschaftlichen Verfügung über das städtische Kirchengebäude setzte die Gemeinde ihren genossenschaftlichen Anspruch auf die Pfarrkirche entgegen. Er wurde zunächst unter bewußter Ausschaltung der Bürgerschaft von den drei reformierten Predigern dem landesherrlichen Magistrat vorgetragen. Sie verwiesen auf ihre Berufung durch die Gemeinde und ihrer dabei eingegangenen Verpflichtung, falsche Wortverkündigung zu verhindern. Nur mit ausdrücklicher Billigung eben dieser Gemeinde erklärten sie sich bereit, einem Lutheraner die Kanzel zu überlassen. Edzard, der offenbar auf das Mitempfinden seiner Untertanen mit einem leidgeprüften Vater rechnete, ging auf diese Forderung ein, die bereits das Verfügungsrecht der Bürger über die Kirche voraussetzte. Die auf das Rathaus berufenen Deputierten und bürgerlichen Honoratioren – von 150 durch den Grafen geladenen waren allerdings nur 50 gekommen – stellten sich aber ganz hinter die Prediger, wobei sie darauf hinwiesen, daß die Bürger insgesamt durch ihren Eid auf die reformierte Konfession verpflichtet seien, eine Äußerung, die der protokollführende Sekretär, der zu den überzeugtesten Anhängern des Grafen innerhalb des Emder Magistrates zählte, bezeichnenderweise nachträglich durchstrich[100]. Die Grafentochter konnte zwar in die Emder Kirche zu Grabe gebettet werden, aber ohne Predigt, und das gräfliche Trauergefolge mußte in Kauf nehmen, daß bewaffnete Bürger über die Reinheit – echt protestantisch verstanden als Reinheit der Wortverkündigung – ihrer Pfarrkirche wachten. Damit war erstmals der Charakter der Großen Kirche als Gemeindekirche unwiderruflich festgelegt. Gemäß ihrer mittelalterlichen Geschichte war sie bislang zugleich Bürger- und Herrschaftskirche gewesen, was architektonisch darin zum Ausdruck kam, daß der zentrale Abendmahlschor flankiert wurde von einem »bürgerlichen« Trauchor und einem »herrschaftlichen« Grabeschor[101]. Unmittelbar nach diesen in ihrer Auswirkung auf den Widerstandswillen der Bürgerschaft sowie auf noch stärkere Identifizierung von Calvinismus und Bürgerfreiheit kaum zu überschätzenden Vorgängen, die übrigens Parallelen in der Machtdemonstration niederländischer Calvinisten anläßlich der Beisetzung des letzten Utrechter Bischofs in der dortigen Kathedralkir-

der reformierten Gemeinde sowie des Staatsarchivs Aurich (vor allem Rep. 135, Nr. 124, fol. 238 ff. u. 243 ff.). Wichtige Schriftstücke sind abgedruckt bei *L. Hahn:* Das Begräbnis der Grafentochter (Emder Jahrbuch 24, 1936, 55–69); *H. Reimers:* Zur Vorgeschichte und Geschichte der Emder Revolution von 1595 (ebd. 22, 1927, 315–329); *Meiners* Bd. 2, 276 ff.; *Brenneysen* Bd. 1, Buch 7, 403 ff.

100. Zu diesen Diskussionen STAE, I. Reg. Nr. 407; Protokoll des Stadtsekretärs Paulinus dort Nr. 6.

101. Vgl. den Grundriß der Großen Kirche bei *Siebern*; Kunstdenkmäler Emden 22.

che haben[102], kam es zu weiteren Bekundungen des bürgerlichen Anspruches auf alleinige Bestimmung von Gottesdienstformen und Bekenntnisstand nicht nur der Pfarrkirche, sondern der Stadt überhaupt: In ausführlichen Schreiben wandten sich zunächst die Finanzdeputierten zusammen mit den Olderluiden der Schiffergilde sowie der Handwerkerzünfte – also neben den vornehmlich dem Großbürgertum entstammenden Ausschußmitgliedern die Repräsentanten der gewerblichen, genossenschaftlich organisierten Mittelschicht – und dann die »gemeine Bürgerschaft« insgesamt an den Grafen und protestierten gegen den lutherischen Gottesdienst im allgemeinen und gegen die Entfremdung städtischen Kirchengutes im besonderen[103]. Die Verfasser stellten dem Grafen selbstsicher vor Augen, »dat de burgerlijke voorechten of geestelijke of politijke sijn«. Daß die politischen verkürzt würden, lasse man dahingestellt. Ohne sich gegen Gott und die Bürgereide zu vergehen, sei es aber nicht möglich, eine Beschneidung der Freiheit der Kirche und der Schule zuzulassen, die ohne Zweifel das vornehmste, – und hier kommt deutlich die Geschichte des Protestantismus als Vergegenwärtigung ohne bzw. gegen den Landesherrn erzielter Leistungen des Bürgerverbandes ins Spiel – von den Vätern mit Einsatz von Leben und Gut errungene und gesicherte Gut der Bürger sei.

Im Zusammenhang mit dem Streit um die Verfügung über die Kirchengüter nennt einer der Briefe die Bürgerschaft einen Körper, der als ganzer Besitzrechte hat und zur Verteidigung derselben als ganzer in Aktion treten kann. Aufgrund des gemeinsamen Glaubens erscheint dieser bürgerliche Körper in einem Heilszusammenhang, der durch die Duldung abweichender Lehren gestört wird. Bemerkenswert ist – und darin weichen diese Verlautbarungen des späten 16. Jahrhunderts von ähnlichen aus Mittelalter und Reformationszeit ab –, daß dieses Heil weniger als jenseitiges Heil verstanden ist, denn als diesseitiges, als eine durch das Wohlwollen Gottes garantierte wirtschaftliche und politische Blüte von Stadt und Bürgertum[104].

Diese Selbstzeugnisse, denen sich noch eine ganze Reihe ähnlicher zur Seite stellen ließen, erscheinen mir wichtig, weil hier der Punkt aufleuchtet, an dem die vielschichtig zu begründende – also in gar keinem Fall nur aus den kirchengeschichtlichen Zusammenhängen! – Bürgerbewegung den Schritt ins Revolutionäre zu tun bereit war. Davon war zwar in den genannten Briefen an keiner

---

102. Die Geusen stimmten ihr Kampflied, den Psalm 130, an (*H. A. Enno van Gelder:* Revolutionnaire Reformatie, 1943, 148).

103. Unter dem 8. November 1588 in STAE I. Reg. Nr. 412 a und April 1589 ARGE, Rep. 320 B Nr. 39, abgedruckte niederländische Übersetzung bei *Meiners* Bd. 2, 276–82.

104. Die Bürger argumentieren in diesem Zusammenhang zweischichtig: einerseits mit einem unmittelbaren Heils- bzw. Unheilszusammenhang, der wirtschaftliche Blüte bzw. wirtschaftlichen Niedergang zur Folge habe; andererseits rational mit dem Hinweis, daß die Lutheranisierungspolitik des Landesherrn »*manchen wohlhabenden Christen, von dem mancher Arme seinen Unterhalt habe*«, veranlasse, aus der Stadt fortzuziehen.

Stelle die Rede. Man ging den Grafen vielmehr als Landes- bzw. Stadtherrn an und bat um Schutz der so verstandenen religiösen Freiheiten. Aufgrund der eschatologischen Zusammenhänge, die sich noch an anderen Stellen aufweisen ließen – etwa im Zusammenhang mit dem Begriff »Antichrist«, den die Calvinisten in den konfessionellen Auseinandersetzungen immer wieder zur Bezeichnung ihrer Gegner benutzten[105] –, war den religiösen bzw. konfessionellen Forderungen ein in anderem Zusammenhang selten anzutreffender Absolutheitsanspruch zu eigen. Er mußte hier in Emden in dem Moment zu revolutionären Konsequenzen führen, in dem – wie im Frühjahr 1595 geschehen – offenbar wurde, daß unter den überkommenen Verfassungsformen die als Heil notwendig empfundene Glaubenseinheit unter calvinistischem Bekenntnisstand nicht mehr gewährleistet war.

Dabei war – das sei abschließend nochmals thesenartig formuliert – dieses Revolutionäre meines Erachtens nicht eine Folge der spezifischen konfessionssoziologischen oder politiktheoretischen Elemente des Calvinismus. Die revolutionäre Dynamik basierte vielmehr darauf, daß hier in Emden Radikalität und Kompromißlosigkeit, die den Konfessionskonflikten der Frühneuzeit immer zugehörten, auf besondere politische und gesellschaftliche Strukturen trafen. In einer ganzen Reihe von deutschen Städten lassen sich im Zusammenhang mit den konfessionellen Auseinandersetzungen des 16. Jahrhunderts ähnliche Bürgerbewegungen feststellen. Wenn es dort aber zu keinen revolutionären Verfassungsbrüchen kam, so lag das weniger daran, daß die politischen Möglichkeiten des dort vorherrschenden Luthertums im Vergleich zum Calvinismus begrenzter waren, sondern vielmehr an der Tatsache, daß sich hier bereits im ausgehenden Mittelalter auf evolutionärem Wege die Verfassungsformen durchgesetzt hatten, die die Emder Bürger zu Ende des 16. Jahrhunderts in einer Revolution erkämpfen mußten. Mit diesem Unterschied hängt es auch zusammen, daß sich die Bürger jener Städte bei der Rechtfertigung der Aufstände in der Regel darauf beschränken konnten, altüberkommene Rechte zu zitieren und ihre Wiederherstellung zu verlangen, während die Emdener eine reiche politiktheoretische Diskussion in Gang setzen mußten. Sie bedienten sich dabei neben der These von den friesischen Freiheiten, die der in Leer und später als erster Rektor in Groningen tätige Historiker Ubbo Emmius entwickelt hatte, auch der calvinistisch-westeuropäischen Naturrechtslehre, später vor allem in der von Johannes Althusius – von 1604 bis 1638 Syndikus in Emden – vertretenen Form.

Die Emder Ereignisse waren aber nicht in dem Sinne revolutionär, daß hier

---

105. Vgl. etwa die entsprechenden Äußerungen in den Briefen Altings an Ubbo Emmnius in: Briefwechsel des Ubbo Emmnius Bd. 1, hg. von *H. Brugmans* und *F. Wachter*, 1911, 427, 428 u. 440. Aufschlußreich hinsichtlich der Stimmung innerhalb des Emder Calvinismus ist auch die Predigt, die Menso Alting anläßlich eines Buß- und Bettages Anfang 1588 hielt (in Auszügen mitgeteilt bei *L. Hahn*: Das Schicksalsjahr 1588, Eine Bußtagspredigt von Menso Alting [Ostfriesland 1951, 3. Heft, 1–6]).

ein neues Gesellschaftsmodell realisiert oder auch nur angestrebt wurde, das dasjenige der stadtbürgerlichen Gesellschaft an irgendeinem Punkt transzendiert hätte. Emden, dessen Geschichte – wie eingangs angedeutet – in der zweiten Hälfte des 16. Jahrhunderts typologisch neben diejenige der holländischen Städte zu setzen ist, hat die weitere Entwicklung nicht mehr mitgemacht, die jene Städte im 17. Jahrhundert zu den »fortgeschrittensten« in Europa werden ließ. Den Höhepunkt seiner wirtschaftlichen Bedeutung hatte es bereits vor der Revolution überschritten; das 17. Jahrhundert wurde zu einer Phase ökonomischer und sozialer Stagnation. Dem entsprach auch jetzt wieder die Situation im kirchlichen Bereich: Trotz des Sieges des Calvinismus wurden hinsichtlich der Vermittlung von religiösem und kirchlichem System in den holländischen Städten des 17. Jahrhunderts neue, in die Zukunft weisende Formen gefunden, die eine multikonfessionelle Gesellschaft ermöglichten. In Emden hingegen[106] war mit den Verträgen von 1595/99 die prinzipielle Einheit von bürgerlicher und kirchlicher Gemeinde, also das traditionelle Modell der Zuordnung von Kirche und Stadt, festgeschrieben worden. Zwar war in Ostfriesland erstmals im Reich anerkannt, daß innerhalb ein und desselben Territorialstaates zwei rechtlich gleichgestellte Konfessionen existieren konnten. Damit war aber kein im eigentlichen Sinne mehrkonfessionelles Gesellschaftssystem entstanden. Vielmehr war – gleichsam in Anwendung des cuius-regio – eius-religio-Prinzips innerhalb des Ständestaates, zwischen Landesherrn und Ständen bzw. Teilen von ihnen – lediglich eine räumliche Abgrenzung vorgenommen worden[107]. Bis zum Übergang der Grafschaft an Preußen im Jahre 1744, als grundlegende Veränderungen eintraten, gehörte die Identität von calvinistischer Kirche und politischer Gemeinde in Emden – wie auch in den Marschdörfern des Krummhörn und des Reiderlandes – zum Kernbestand der bürgerlichen Staatsräson[108]. Mennoniten wurden nur über Son-

106. Ein Brief vom 24. Dezember 1674, den William Penn zugunsten der Emder Quäker an den dortigen Magistrat richtete, hebt auf diesen Gegensatz zwischen Emden und den niederländischen Städten deutlich ab (in deutscher Übersetzung abgedruckt in Ostfriesland 1960, Heft 4, 1–5).

107. Streng rechtlich gesehen war auch nach 1599 nur eine Konfession anerkannt, allerdings in zwei Versionen, die Confessio Augustana von 1530 und die Variata von 1540. Es wurde damit »der Anschein des Vorhandenseins einer Landeskirche (erweckt) für die ein corpus doctrinae ... in Aussicht genommen wurde« (A. Sprengler-Ruppenthal: Bekenntnis und Territorium in Ostfriesland [H. W. Krumwiede, (Hg.): Die territoriale Bindung in der evangelischen Kirche 1970, 46–59], hier 55). Vgl. zu diesem Vorgang auch J. Weerda: Das ostfriesische Experiment, Zur Geschichte des Nebeneinanders lutherischer und reformierter Gemeinden in der ostfriesischen Territorialkirche (Zs. f. evg. Kirchenrecht 5, 1956, 159–196); dazu als Ergänzung wichtig die Ausführungen bei Smid, Kirchengeschichte, S. 258 ff.

108. Alle städtischen Amtsträger, vor allem Bürgermeister, Ratsherren, »Vierziger« und Hauptleute der Miliz, legten Eide darauf ab, die »ware Christliche religion« samt den Bestimmungen des Delfzijler Vertrags mit Gut und Blut zu verteidigen (STAE, I

derverträge geduldet[109]. Die wenigen Lutheraner erhielten zwar im Jahre 1685 aufgrund eines ratsherrlichen Indultes die Möglichkeit, viermal pro Jahr in Emden Gottesdienst zu halten. Indem diese Versammlungen nur unter Aufsicht des calvinistischen Stadtrates sowie Abgesandter der calvinistischen Kirchenleitung stattfinden konnten und darüber hinaus alle Lutheraner der calvinistischen Diakonie sowie vor allem der Kirchenzucht des reformierten Konsistoriums unterstanden und selbstverständlich keine politischen Rechte besaßen, war auch jetzt der calvinistische Charakter des Gemeinwesens im Prinzip gewahrt[110]. – Auch die kirchenverfassungsrechtliche Entwicklung – das ist häufig übersehen worden – verlief nach 1595 ganz in traditionellen Formen, wie sie sich seit dem ausgehenden Mittelalter in der stadtbürgerlichen Gesellschaft durchgesetzt hatten. Denn die calvinistische Kirche in Emden war keineswegs »zu einer selbständigen und von magistratlicher Aufsicht unabhängigen Größe« geworden[111]. Unmittelbar nach Erringen der kirchlichen und politischen Autonomie entwickelte sich vielmehr auch hier – übrigens parallel zu der Ausbildung eines obrigkeitlichen Ratsregimentes in der weltlichen Verfassung und dem damit verbundenen Einflußverlust der Bürgergremien – ein ratsherrliches Kirchenregiment, das sich zwar in der Form, aber kaum im Inhalt von demjenigen in den übrigen deutschen Stadtrepubliken – lutherischer wie reformierter Konfession – unterschied: Der Magistrat postulierte expressis verbis eine dem »obrigkeitlichen Amt anklebende Oberaufsicht« über kirchliche Angelegenheiten[112]. Er nahm demzufolge

Reg., Nr. 387 u. Handschrift Nr. 283). – Ähnlich lautet der Bürgereid; Anfang des 17. Jahrhunderts regten die Prediger an, eine entsprechende Klausel auch in sämtliche Gildenrollen aufzunehmen (ebd., Nr. 401, Schriftstück Nr. 6). Vgl. auch ARGE, Rep. 320 B, Nr. 43: Mandat des Rates von 1600 hinsichtlich der konfessionellen Homonisierung der Bürgerschaft. – Es ist davon auszugehen, daß die Regierungsgremien tatsächlich rein calvinistisch waren. Die Bürgerrechtspraxis war dagegen weniger rigide, vor allem reiche Mennoniten (vgl. Eingabe der Mennoniten vom 7. 2. 1622, STAE, I. Reg. Nr. 415), später auch Lutheraner und einzelne Katholiken wurden in das Bürgerrecht aufgenommen.

109. Auch hiergegen klagten die reformierten Prediger wiederholt, allerdings vergeblich (vgl. *J. P. Müller:* Die Mennoniten in Ostfriesland vom 16. bis zum 18. Jahrhundert, 1887; STAE, I. Reg. Nr. 415: Korrespondenz zwischen Magistrat und Mennonitengemeinden sowie Verzeichnis des sogenannten »Mennoniten-Geldes«, das vor allem als Kompensation für den Dienst in der städtischen Miliz bezahlt wurde).

110. *A. Frerichs:* Die Neubildung der evangelisch-lutherischen Gemeinde Emden, 1875; *Smid*, Kirchengeschichte 345 ff. – Mitte des 17. Jahrhunderts befanden sich etwa 70 Katholiken in der Stadt, die noch im Verlauf der zweiten Hälfte des Jahrhunderts einen Privatgottesdienst, zu Beginn des 18. Jahrhunderts eine Kapelle, aber erst zu Anfang des 19. Jahrhunderts eine Kirche zugestanden erhielten (*Smid*, 390 f.).

111. Diese Formulierung bei *J. Moltmann:* Christoph Pezel und der Calvinismus in Bremen, 1958, 111, der meint, die Emder Zustände von der staatskirchlichen Entwicklung in Bremen abheben zu können.

112. STAE, I. Reg. Nr. 424, 13. November 1748.

massiven Einfluß auf Zusammensetzung und Arbeit sowohl der Pfarrerschaft als auch der Laiengremien[113], unterstellte das Kirchengut und die kirchlichen Finanzen generell seiner Kontrolle[114] und übte auch maßgeblichen Einfluß in den der Kirchenhoheit anhängenden Bereichen aus, wie etwa der Schule und der Armenfürsorge[115]. Vollends zur Fiktion wurde die Unabhängigkeit der presbyterial geleiteten Kirche aufgrund der sozialen Zusammenhänge: Es war derselbe engumgrenzte Kreis des Regentenpatriziates, aus dem sich sowohl die Ratsherren als auch die Ältesten und – mit gewissen Einschränkungen – Diakone rekrutierten[116].

113. *H. Antholz:* Die politische Wirksamkeit des Johannes Althusius in Emden, 1955, 89; STAE, I. Reg. Nr. 423 (Berufung von Diakonen; maßgeblicher Einfluß des Stadtsyndikus Althusius bei Pfarrbesetzung: *Antholz,* a. a. O.; Brief vom 8. 10. 1613 an Lubbertus in Franeker abgedruckt bei *van der Woude,* Sibrandus Lubbertus, S. 439, Anm. 47); erste Hälfte des 18. Jahrhunderts Entlassung des Predigers Jansonius und Verbot einer Abschiedspredigt durch den Magistrat (gleiches Verfahren wie bei der Entlassung Altings 1595 durch den Landesherrn!): STAE, I. Reg. Nr. 404. – Aufschlußreich ist auch die *städtische* Offizantenliste (STAE, Hs 4), in der zunächst Bürgermeister, Rat und Vierziger verzeichnet sind, dann die Prediger, Visitatoren und Ältesten sowie – nach weiteren städtischen Beamten (Rentmeister, Bürgeroffiziere u. a.) – die Kirchvögte, Gasthausvorsteher und Diakone.

114. Transaktionen und Neuvergabe von Kirchengut bedurften der Zustimmung des Magistrates (ARGE, Rep. 101, 102 b, 143 u. a.). Entgegen den Bestimmungen der Konkordate unterwarf der Rat die Kirchvögte zunächst seiner Kontrolle; ab Ende der 1620er Jahre wurde das Gremium dann je zur Hälfte durch Ratsherren und durch das Konsistorium besetzt (so noch zur preußischen Zeit, vgl. *M. Hajkens:* Oostvrislands Bericht of Naamregister van alle Officianten in Oostvrisland voor het jaar 1747, 1747).

115. Bei der Besetzung des Scholarchates bildete sich im Verlaufe des 17. Jahrhunderts dieselbe Regelung wie bei den Kirchvögten heraus. Zur Schulhoheit des Magistrates auch ARGE, Rep. 227, 274; STAE, Nr. 421. Armenfürsorge: ebda., Nr. 423, 424; Eheordnung und Ehegericht: ebda., Nr. 427 sowie *Sprengler-Ruppenthal,* in: Sehling 527 ff., vor allem 529, Anm. 26; *Antholz,* 75, 90.

116. Im Jahre 1788 erhob das Diakonenkollegium gegen den Kirchenrat folgende Anschuldigungen: »*Der Kirchenrat ist ein von der Gemeinde ganz abgesondertes Kollegium, das sich ohne die geringste Teilnahme der übrigen ganzen Gemeinde schafft und fortpflanzt, seine Welt und Esprit de corps für sich hat und sogar gleichsam statum in statu macht*« (Zitiert bei *E. Kochs:* Zur Geschichte der Aufklärung in Ostfriesland [Emder Jahrbuch 21, 1925, 138–196]) hier 154. Die Verhältnisse des 17. Jahrhunderts verlangen eine genauere Untersuchung, als sie hier möglich war. Ich hoffe, in einem anderen Zusammenhang auf dieses Thema noch zurückzukommen. Aufgrund meiner eigenen Arbeiten im Emder Stadt- und Gemeindearchiv teile ich generell das Urteil von *Menno Smid* (Kirchengeschichte 271–279), der im Gegensatz zur reformierten Kirchengeschichtsschreibung die Realität des ratsherrlichen Kirchenregimentes herausarbeitet.

Karlheinz Blaschke

Die Auswirkungen der Reformation
auf die städtische Kirchenverfassung in Sachsen

Wenn man die Reformation mit ihren unbestreitbaren religiösen Antriebskräften als ein in die Breite der gesellschaftlichen Umwelt hineinwirkendes Ereignis versteht, dann erscheint die Frage nach dem Verhältnis zwischen ihr und dieser Umwelt als ein wichtiges Thema reformationsgeschichtlicher Arbeit. Dabei kommt man bald zu dem Ergebnis, daß dieses Verhältnis nicht einseitig gewesen ist, nicht nur in einer Richtung wirksam war, sondern daß es Wechselwirkungen gegeben hat: Die Reformation ist in ihrem Verlauf von den Umweltbedingungen beeinflußt und geprägt, vielleicht sogar stellenweise in abwegige Richtung gedrängt worden, aber sie hat auch ihrerseits die weitere Entwicklung dieser Umwelt nachhaltig bestimmt.

Für die hier anstehende Frage nach der Stellung der Stadt in der Reformationsgeschichte ergeben sich daraus zwei Feststellungen: Zum ersten haben die politischen Interessen der Städte in hohem Maße auf das reformatorische Geschehen innerhalb ihrer Mauern eingewirkt. Eine Geschichtsschreibung, die diesen Tatbestand außer acht ließe, würde sich den Zugang zu wesentlichen Inhalten der Reformationsgeschichte selbst verbauen. Andererseits hat aber die Reformation Möglichkeiten geschaffen, eben diese politischen Interessen der Städte durchzusetzen. Sie hat Hindernisse beseitigt, die bis dahin noch der vollen Entfaltung städtischer Interessenpolitik im Wege gestanden hatten. Dieser zweite Gesichtspunkt soll hier behandelt werden.

Es geht dabei lediglich um die Entwicklung der städtischen Gemeindekirchenorganisation, die damals freilich eine Form gesellschaftlicher Organisation war, in ihrer gesellschaftlichen Bedeutung gleichrangig neben der politischen Gemeindeorganisation stand und deshalb von einem ganz anderen öffentlichen Interesse war, als es in der Gegenwart der Fall ist. Alle kirchlichen Organisationsfragen außerhalb der ordentlichen Kirchgemeinden sind nicht in die Betrachtung einbezogen, vor allem auch nicht die Frage nach dem Schicksal der aufgelösten Klöster und die damit zusammenhängenden, oft sehr nachdrücklich verfolgten Macht- und Geldinteressen der städtischen Politik. Als Tatsachengrundlage für die anzustellenden Beobachtungen dienen die Vorgänge in den rund 150 Städten, die das spätere Land Sachsen, das Gebiet der heutigen sächsischen Landeskirche, zu jener Zeit aufzuweisen hatte.

Übersieht man das auf diese Weise gewonnene Material an Tatsachen, so zeigen sich innerhalb der städtischen Gemeindekirchenorganisation drei Erscheinungen, durch die der städtischen Politik neue Möglichkeiten gegeben wurden. Sie sollen hier jeweils nach einer einheitlichen Ordnung abgehandelt werden, indem zuerst die historischen Zusammenhänge und die allgemein gültigen Tatsachen dargelegt, sodann einige Beispiele gebracht werden und zum Schluß in einem knapp formulierten Satz die der städtischen Aktivität zugrundeliegende Tendenz ausgedrückt wird.

Die erste Erscheinung betrifft den Patronat über die Stadtkirchen. Hier gab es im Mittelalter eine bunte Vielfalt der Möglichkeiten, denn Inhaber des städtischen Kirchenpatronats waren damals nicht nur die Stadträte, sondern auch die Landesherren oder Klöster in der Stadt und selbst weit entlegene Klöster, auch waren Stadtkirchen nicht selten in Klöster oder Stifter inkorporiert, so daß den Stadträten nur in wenigen Fällen der Patronat über ihre Gemeindekirchen zustand. Das bedeutet, daß der Rat als das städtische Herrschaftsorgan nur der politischen Gemeinde vorstand, während er den gleichen Personenkreis in seiner kirchlichen Organisationsform einer fremden Botmäßigkeit überlassen mußte. Hinter dieser Tatsache steht nichts Geringeres als das weltgeschichtliche Spannungsverhältnis von weltlicher Herrschaft und geistlicher Existenz, von Königtum und Priesterschaft, wie es theologisch in der Lehre von den zwei Reichen aufgenommen worden ist. Wie sehr auch die Möglichkeit, in beiden Reichen zu leben, dem einzelnen Gläubigen als Element der Freiheit erscheint, so sehr ist doch auch das Bestreben der Inhaber weltlicher Herrschaft in der Geschichte deutlich geworden, sich auch den geistlichen Bereich unterzuordnen, Macht über die Seelen zu erlangen und sich die Menschen innerlich verfügbar zu machen. Die mittelalterlichen Stadträte waren davon nicht ausgenommen. Nachdem die Stadt als besondere Wirtschafts-, Verfassungs- und Lebensform und als Fremdkörper innerhalb des feudalen Systems entstanden war, drängte der Rat als ihr repräsentatives Organ zu ständiger Steigerung seiner Zuständigkeit. Er übernahm die Grundherrschaft über die städtischen Grundstücke, er erwarb die Niedergerichtsbarkeit und konnte, wenn er wirtschaftlich stark genug war, im späten Mittelalter auch die Obergerichtsbarkeit an sich bringen. Im 15./16. Jh. zeigt sich das Bemühen, auch die Vorstädte unter die Botmäßigkeit des Rates zu bringen und sogar die Grundherrschaft über Landgüter und Dörfer im Umkreis der Stadt zu erlangen. Es gab also eine quantitative und qualitative Expansion der Stadt, bei der nur noch die Verfügung über die Stadtkirche fehlte. Die Reformation brachte die Auflösung der alten Kirchenordnung und damit die willkommene Gelegenheit, das Fehlende nachzuholen. Wo es möglich war, griffen die Stadträte zu.

In Bautzen löste sich die evangelisch gewordene Bürgerschaft mit dem Rat von dem katholisch bleibenden Domstift, dem die Stadtkirche St. Peter gehörte. Die städtische Kirchgemeinde blieb aber in ihrer alten Kirche, die deshalb geteilt wurde und seitdem als Simultankirche beiden Konfessionen zum Gottesdienst zur Verfügung steht. Der Stadtrat wurde Kollator für die evangelischen Pfarrstellen. Gleichzeitig setzte sich ein fast revolutionärer Eigentumsbegriff durch, indem die Gemeinde die von ihr benutzte Kirche auch als »ihre« Kirche betrachtete und ihr Recht gegen den eigentlichen Eigentümer durchsetzte. In

Dresden ging im Zusammenhang mit der Reformation 1539 der Patronat über die Kreuzkirche vom Landesherrn an den Stadtrat über. In Meißen wurde die Frauenkirche von ihrer seit 1205 bestehenden Inkorporation in das Afra-Stift gelöst und zur selbständigen Pfarrkirche gemacht, wobei allerdings die Kollatur über die erste Pfarrstelle noch dem Landesherrn verblieb.

In diesen Vorgängen zeigt sich die Tendenz: Der Stadtrat strebt danach, Herr im eigenen Hause zu werden.

Die zweite Erscheinung betrifft die Stellung der Stadtkirchen zur ländlichen Kirchenorganisation der Umgebung. Die Städte sind auch in Sachsen jünger als die Dörfer. Die ältesten von ihnen formierten sich in der 2. Hälfte des 12. Jh., als ihre ländliche Umgebung bereits kirchlich fest organisiert war. In noch höherem Maße gilt das für die späteren Stadtgründungen bis zu Beginn des 16. Jh., vor allem für die neuen Bergstädte des Erzgebirges. Die jüngeren Stadtkirchen mußten folglich auf die bereits fertige Ordnung der kirchlichen Verhältnisse Rücksicht nehmen, auf die älteren Rechte der Dorfkirchen, unter deren Pfarrzwang sie errichtet worden waren. So gab es bis zur Reformationszeit eine Reihe von Stadtkirchen, die noch als Filialkirchen von dörflichen Pfarrkirchen abhingen. Dieses Abhängigkeitsverhältnis erscheint äußerlich als eine Rangfrage: Die Kirche des in der gesellschaftlichen Schichtung höher eingestuften Bürgertums war einer bloßen Dorfkirche, einer Bauernkirche untergeordnet. Es war aber auch eine Machtfrage, denn in solchen Fällen befand sich der Pfarrer nicht unter der weltlichen Botmäßigkeit des Rates. Er wirkte als Angehöriger einer fremden Grundherrschaft mit einer sehr maßgeblichen Funktion in die Stadt hinein. Die gesellschaftliche Integration, um die es dem Stadtrat gehen mußte, hatte an dieser Stelle eine empfindliche Lücke. Erst die Reformation bot die Möglichkeit, diese Integration zu vollenden, die Abhängigkeit städtischer Filialkirchen von dörflichen Pfarrkirchen zu beseitigen und damit den für die Stadtgemeinde zuständigen Pfarrer selbst zu einem Gliede der städtischen Gemeinschaft zu machen.

Als im Jahre 1539 im albertinischen Sachsen die Reformation durchgeführt wurde, kam es sogleich in drei Fällen zu einer solchen Ablösung: Das erst im späten Mittelalter herangewachsene Städtlein Schellenberg-Augustusburg löste sich von seiner alten dörflichen Mutterkirche Flöha, die Frauenkirche in Meißen wurde aus dem Verbande des Afra-Stifts entlassen, das sich im Anschluß an die durchaus ländliche Afra-Kirchgemeinde gebildet hatte, und die Dresdner Kreuzkirche gab ihre Bindung an die vor der Stadt gelegene, für die ländliche Umgebung zuständige Frauenkirche auf. Das gleiche geschah in Görlitz, wo die Stadtkirche St. Peter und Paul erst im Zusammenhang mit der Reformation von der älteren Nikolaikirche draußen vor der Stadt unabhängig wurde.

Aus alledem läßt sich die Tendenz erkennen: Die städtisch-bürgerliche Emanzipation drängt zur Vollendung.

An dritter Stelle ist auf die Tatsache einzugehen, daß im Zuge der Reformation mehrfach städtische Pfarrkirchen aufgehoben worden sind. Viele Städte der ersten Stadtentstehungsphase von etwa 1150 bis 1250 sind aus mehreren, ehemals selbständigen Siedlungsteilen zusammengewachsen. Sie bestanden daher beim Abschluß der Stadtentstehung, d. h. zu dem Zeitpunkt, als die Stadt topographisch und rechtlich eine Einheit darstellte, aus mehr als einer Kirchgemeinde, weil im Mittelalter jede politische Gemeinschaft zugleich eine kirchliche Gemeinschaft darstellte. In politischer Hinsicht war die ursprüngliche Vielfalt durch die integrierende Kraft des Stadtrates überwunden, es gab nur *eine* Stadtgemeinde. Dagegen war die kirchliche Vielfalt geblieben, denn sie war durch die herrschende Kirchenordnung mit ihrem traditionellen System von Rechten und Einkünften geschützt. Als sich diese Ordnung auflöste, ergab sich die Möglichkeit, Pfarrkirchen in aller Form aufzuheben, die entweder ihre Funktion bereits verloren oder vermindert hatten, oder als nicht mehr notwendig erschienen.

Dabei zeigen sich drei verschiedene Arten der Veränderung. Es wurden innerstädtische Pfarrkirchen aufgelassen und für alle Zeiten außer Dienst gestellt: die Jakobskirche in Döbeln, die Ottenkirche in Pegau, die Nikolaikirche in Zwickau. Von allen drei Kirchen gibt es heute keine baulichen Spuren mehr. Zweitens wurden in gleicher Weise außerhalb der Stadt gelegene alte Pfarrkirchen aufgelassen, die als Kirchen alter Kaufmannssiedlungen in die Zeit vor der Stadtentstehung zurückreichten und somit älter waren als die Stadtkirchen selbst: die Johanniskirche in der Altstadt vor Borna, die Jakobskirche in der Altstadt vor Wurzen und die Nikolaikirchen vor den Städten Colditz, Meißen, Pegau und Pirna. Schließlich läßt sich der Fall feststellen, daß eine Stadtkirche zugunsten einer vor der Stadt gelegenen Pfarrkirche aufgelassen wurde und dabei die Funktion der Stadtkirche eben an diese Kirche außerhalb der Stadt überging. Das trifft eindeutig nur für Groitzsch zu, wo die Egidienkirche am Markt profaniert und die Marienkirche vor der Stadt zur Stadtkirche gemacht wurde. Ähnliches geschah in Geithain mit der Katharinenkirche am Markt, die zugunsten der Nikolaikirche vor der Mauer einging, obgleich sich hier die Verbindung mit der Reformation nicht so eindeutig nachweisen läßt.

In allen drei zuletzt genannten Fällen ist die gleiche Tendenz zu erkennen: Rationalisierung der Kirchenorganisation und ihre Anpassung an die veränderte Umweltsituation.

Den drei behandelten Arten der Veränderung ist eines gemeinsam: Es handelte sich um notwendig gewordene Schritte, die im Zuge der Zeit lagen. Es ging darum, einer andrängenden, aufgestauten Entwicklung, die durch die alte Kirchenordnung noch zurückgehalten worden war, zum Durchbruch zu verhelfen. Als diese alte Ordnung wegfiel, ergab sich die Möglichkeit zur Neugestaltung, zur Anpassung an die inzwischen weiter fortgeschrittene Umweltsituation, zum »aggiornamento«. Damit stellt sich die Reformation in den Städten und die Veränderung der städtischen Gemeindekirchenorganisation als Teil der Gesamt-Reformation dar, der entscheidende Merkmale der Reformation konzentriert in sich vereinigte. Eine Anpassung der äußeren Organisation der Kirche an die veränderte gesellschaftliche Umwelt war notwendig geworden, um das unveränderliche Anliegen der Kirche um so wirksamer anbringen zu können. Kirche ist immer auch Kirche in der Zeit, und zwar gerade auch jeweils in *ihrer* Zeit. Sie muß sich den Notwendigkeiten, Gegebenheiten und Forderungen ihrer Zeit stellen und daher zum Wandel in den äußeren Formen fähig sein. Die Kirche der Reformationszeit hat diese Fähigkeit in hohem Maße besessen und damit ihren Erfolg erzielt.

Bei dieser Sicht der Dinge ergibt sich eine beachtenswerte Erkenntnis über das Wesen der Reformation. Wenn es sich nachweisen läßt, daß wichtige reformatorische Vorgänge und Veränderungen historisch fällig waren, daß sie einem Nachholbedarf gegenüber der allgemeinen gesellschaftlichen Entwicklung entsprachen, wenn die Reformation das geleistet hat, was sowieso im Zuge der Zeit lag und was in den Jahrzehnten vorher schon angestrebt worden war, dann läßt sich bei aller Anerkennung ihres verändernden und revolutionären Charakters doch auch die Kontinuität nicht übersehen, die das späte Mittelalter mit der Reformationszeit verbindet. Es wird damit einmal mehr deutlich, daß die Reformation historisch notwendig war. Es kam ihr zugute, daß ein Reformator auftrat, der ihr eine menschliche Mitte gab und für die Anfänge Ort und Zeit festsetzte. Inhalt und Ablauf ergaben sich dann fast von selbst aus den anstehenden historischen Notwendigkeiten.

Hierbei ist im Anschluß an den oben verwendeten Begriff der Rationalisierung noch eine weitere Erscheinung zu behandeln, die in gewissem Sinne ebenfalls zu den organisatorischen Fragen der städtischen Kirchenverfassung gehört. Es wurde nicht nur das System der städtischen Pfarrkirchen rationalisiert, d. h. vereinfacht, vereinheitlicht und unter das Prinzip der Sparsamkeit gestellt, sondern auch das ganze Finanzwesen der städtischen Kirchgemeinden. Es besteht heute weitgehend Einmütigkeit darüber, daß die Reformation in hohem Maße eine von bürgerlichen Kräften getragene, von bürgerlichem Geist beherrschte Bewegung war. Die Rationalität ist ein Grundzug bürgerlichen Wesens, woraus sich die rationale Komponente in der Reformation erklärt. Die materielle Ausstattung des städtischen Kirchenwesens hatte sich im Lauf der Jahrhunderte zu einem traditionsbeladenen, undurchsichtigen Gespinst von Abgaben, Einkünften, Stiftungen, Pfründen, Rechten und Leistungen ausgewachsen, das jedem rational eingestellten Menschen ein Greuel sein mußte. So war es kein Wunder, daß in den von der Reformation erfaßten Städten die Rationalisierung der kirchlichen Finanzen und anderer Einkünfte eine der ersten Maßnahmen war. Die Rücksichten auf die alte Kirchenordnung fielen weg, so daß man nun frei war, alle Einkünfte in einem einheitlichen Fond, im »Gotteskasten« zusammenzufassen und die dadurch übersichtlich gewordenen materiellen Mittel der Stadtkirchen nach den Gesichtspunkten der Nützlichkeit und Zweckmäßigkeit sinnvoll einzusetzen. Es kann keinem Zweifel unterliegen, daß diese Maßnahmen die Wirksamkeit der städtischen Kirchgemeinden wesentlich erhöht haben.

Nach allen diesen Erörterungen bleibt die abschließende Frage nach der Bedeutung der Stadt für die Gesamterscheinung der Reformation. Die deutschen Städte sind seit dem 12. Jahrhundert Konzentrationspunkte der geschichtlichen Entwicklung, das in ihnen wirkende Bürgertum erwies sich gerade in der Zeit der frühbürgerlichen Bewegung als die vorwärtstreibende Kraft. Die Reformation war in hervorragender Weise eine städtisch-bürgerliche Bewegung. Im sächsischen Raum machte die Bevölkerung der Städte zu jener Zeit zwar nur ein Drittel der Gesamtbevölkerung aus, aber es handelte sich hierbei um den in wirtschaftlicher und kultureller Hinsicht führenden Teil. Das zeigt sich nicht zuletzt auf dem Gebiet der Kirchenorganisation. Eine Minderheit bestimmte den Gang der Entwicklung, weil diese Entwicklung historisch notwendig war. Weil sie notwendig war, darum hatte sie auch Erfolg, und eben weil sie erfolgreich war, darum konnte sie auch wieder in vielen Lebensbereichen die vorwärtsdrängenden Kräfte mitnehmen und den aufgestauten Kräften zum Durchbruch verhelfen. Es zeigt sich an diesen Beobachtungen erneut, daß Reformation im weiteren Sinne des Wortes nicht auf den geistlich-theologischen Bereich beschränkt werden kann. Was in der Kirche geschieht, muß auch einen Bezug zum gesellschaftlichen Leben haben; das lehrt der Blick auf das Verhältnis von Stadt und Kirche während der Reformation.

Rainer Postel

Zur Bedeutung der Reformation für das religiöse und soziale Verhalten des Bürgertums in Hamburg[1]

Die Folgezeit der Reformation ist für Hamburg wie für viele andere Orte bislang wenig erforscht. Dabei hatte die Einführung der neuen Lehre nicht nur zahlreiche kirchliche, politische und soziale Probleme erst aufgeworfen, sondern kann diese Zeit auch als Prüfstein für Inhalt, Ernsthaftigkeit und praktische Durchführbarkeit der reformatorischen Anliegen gelten. Auch die marxistische Forschung hat hier eine empirische Überprüfung ihrer bekannten Thesen bislang weithin versäumt oder vermieden.

In Hamburg standen bürgerliche Gruppen von beträchtlicher sozialer Spannweite – von reichen Fernhändlern über Handwerksmeister bis zur Unterschicht[2] – als treibende Kraft hinter der reformatorischen Bewegung, seit sich 1522 die Bürger der vier Kirchspiele im Schulstreit auf Dauer vereint hatten. Insbesondere die erbgesessene (d. h. grundbesitzende) Bürgerschaft konnte sich mit der Reformation 1529 im »Langen Rezeß« politische Mitspracherechte und eine weitreichende Anerkennung ihrer wirtschaftlichen Wünsche sichern. Sie gewann während der folgenden Krisenzeit im Prozeß mit dem Domkapitel, der Teilnahme am Schmalkaldischen Bund und Krieg und der anschließenden Finanzmisere noch an Gewicht[3] und konnte bereits vier Jahrzehnte nach ihrer Vereinigung (1563) die Finanzverwaltung der Stadt übernehmen. So ruhig die Reformation selbst in Hamburg insgesamt abgelaufen war, so tiefgreifend waren die politischen Veränderungen in ihrem Gefolge.

Die bürgerlichen Gravamina und Forderungen waren von substantieller Frömmigkeit getragen. Das zeigen der Zulauf für die lutherischen Prädikanten, die Tätigkeit der sog. »Ketzerpresse«, der frühe Ruf nach Bugenhagen, die öffent-

---

1. Das folgende Referat beruht auf Studien für eine Habilitationsschrift über die Reformation in Hamburg. In ihr sollen auch die hier skizzierten Vorgänge gründlicher erörtert werden. – Die Zitate handschriftlicher Quellen folgen den »Richtlinien« *Johannes Schultzes* in Bll. f. dt. LG 98, 1962, 1–11. Gedruckte Quellen werden buchstäblich übernommen.

2. Vgl. *Otto Scheib:* Die Reformationsdiskussionen in der Hansestadt Hamburg 1522–1528. Zur Struktur und Problematik der Religionsgespräche, 1976, 39–42.

3. Neben zahlreichen Hinweisen auf Zuratziehung der bürgerlichen Kollegien spiegelt sich deren politischer Aufstieg besonders in einer Häufung der Rezesse: Im 15. Jahrhundert hatte es deren drei gegeben (1410, 1458, 1483), bis zum Beginn des 17. Jahrhunderts folgten elf weitere (1529, 1531, 1548, 1557, 1562, 1563, 1570, 1579, 1582, 1595, 1603).

liche Erregung besonders während der zweiten Disputation (April 1528) und noch die Kritik am katholischen Klerus während der Zeugenverhöre im Kapitelsprozeß[4].

Andererseits kann der altgläubigen Gegenseite Religiosität nicht gut bestritten werden, deren Verpflichtung auf diesseitige Autoritäten das mißglückte Komplott der Johannisleute 1528 besonders offenbarte.

Die fortdauernde Verbundenheit mit der Kirche drückte sich darin aus, daß sie weiter als Versammlungsort[5] und als bevorzugter Begräbnisplatz[6] benutzt wurde und daß die Bürger auch den Dom – letzte katholische Bastion – vor dem Verfall zu schützen suchten[7].

Der Gottesdienstbesuch nahm in den Jahren nach der Reformation erheblich zu. Das entsprach Luthers Forderung und wurde insbesondere den Empfängern öffentlicher und privater Sozialhilfe vielfach zur Auflage gemacht[8]. Ähnlich stand es auch in Amtsrollen: »*Wanner de gadesdenste und sermon an vierdagen voer edder na middage geholden werdt, schal nemandt noch van meistern noch van gesellen in beerkrögen to bere sitten; geschege dat anders, schalleth de meister mit twolf schillingen und de geselle mit söß schillingen beteren.*«[9] Die Folge war, daß mehrere Kirchen ihr Gestühl vermehren und Erweiterungsbauten vornehmen mußten[10].

Das religiöse Engagement und gleichzeitig offenbar auch die Verunsicherung der Bevölkerung in Glaubenssachen waren so beträchtlich, daß der Rat jahrzehntelang ein Übergreifen von Täufer- und Sakramentiertum befürchtete, wobei allerdings von deren Aktivitäten fast jede Nachricht fehlt[11]. Der Lehrstreit um Christi Höllenfahrt gegen Ende der vierziger und Anfang der fünfziger Jah-

---

4. Abgedruckt in: *Wilhelm Jensen: Das Hamburger Domkapitel und die Reformation* 1961. Vgl. auch den Rezeß von 1531; Staatsarchiv Hamburg (StAH) Senat Cl. VII Lit. La No 1 Vol. 3 b 1.

5. *J. M. Lappenberg* (Hg.): Hamburgische Chroniken in niedersächsischer Sprache, 1861, 99 (1536); StAH Senat Cl. XI Spec. Lit. B No 3 Vol. 1 a Fasc. 1 (1541).

6. StAH Archiv der Kirche St. Katharinen A XIV a 1; Senat Cl. VII Lit. Hc No 2 Vol. 2 a; Senat Cl. VII Lit. Hc No 9 Vol. 1 a Fasc. 10. Vgl. auch zahlreiche Testamentsverfügungen in: Senat Cl. X Vol. 4 Ser. I und im Archiv der Testamentsverwaltungen.

7. StAH Senat Cl. VII Lit. La No 1 Vol. 3 b 2 (1533).   8. Siehe unten S. 176.

9. StAH Senat Cl. XI Spec. Lit. W No 1 Vol. 1, Wandbereiter-Amt, Amtsrolle v. 1547, gedruckt: *Otto Rüdiger: Die ältesten Hamburgischen Zunftrollen und Brüderschaftsstatuten*, 1874, 291.

10. *Julius Faulwasser: Die St. Jakobikirche in Hamburg*, 1894, 12, 15; ders. *Die St. Katharinen-Kirche in Hamburg*, 1896, 13, 18 u. 24 f.

11. *Emil Sehling* (Hg.): Die evangelischen Kirchenordnungen des 16. Jahrhunderts Bd. 5, 1913, 540–543 (1535); StAH Senat Cl. VII Lit. Ff No 5 Vol. 1 (1538); Lappenberg, Chroniken, 157 (1538), 476 f. (1557); StAH Senat Cl. VII Lit. Hb No 2 Vol. 1, S. 65 (1554); Cl. I Lit. Oc No 5, S. 134–139 (1555); Cl. VII Lit. Hf No 4 Vol. 1 a (1555). Geringer war diese Furcht offenbar bei den Auseinandersetzungen um Osiander, Maior und Flacius, die zum hamburgischen Bekenntnis von 1560 führten.

re spaltete nicht nur die hamburgische Geistlichkeit[12]. Für den Rat stand die Sorge vor offenen Unruhen im Vordergrund, da die beanstandeten Predigten nach Auskunft des Superintendenten zahlreich besucht waren[13]; die Gegenseite hatte ihre Thesen auch an der Tür des Lectoriums angeschlagen[14]. Aus Furcht vor zu großer Publizität sträubte sich Aepinus gegen eine öffentliche Disputation, nachdem er zunächst zu einer lateinischen bereit gewesen war[15]; das hatten die Lutherischen 1528 ihren Gegnern nur zähneknirschend eingeräumt. – Andererseits zeigten sich die Bürger aber auch willig, die »der religion halven«, d. h. aus der Niederlage im Schmalkaldischen Krieg entstandenen Lasten mitzutragen[16]. Sie bewiesen dabei einen erklärten Patriotismus, wie sie ihn seit dem Streit mit dem als fremd empfundenen Domkapitel wiederholt an den Tag gelegt hatten[17].

Die Sensibilität für die Zeichen der Zeit bzw. für evangelische Erfordernisse war im Bürgertum sehr unterschiedlich. Ein gewisser Peter Nygeman lehnte es bereits 1527 ab, einer Testamentsauflage entsprechend Priester zu werden, – »angeseen ßo de tith nü loept«[18]. Anderseits verständigten sich die Verwalter des Albert Wulhase-Testaments erst 1542, an die Stelle der vom Testator verfügten Gesänge zu Marienfesten ein Stipendium für »eynen armen geßellen« zu setzen, das sie jedoch großzügig unter sich ausmachten[19]. Das Rentenbuch der St. Annen-Brüderschaft der Islandfahrer begann 1543 mit der Feststellung, die Brüderschaft habe ihren Namen eigentlich aus früherem Unverstand erhalten und heiße besser Christus-Brüderschaft[20], führte den alten Namen aber noch 1567. – Im übrigen finden sich Hinweise darauf, daß Altgläubige in Hamburg unbehelligt leben konnten, solange sie sich ruhig verhielten[21].

12. Die Universität Wittenberg (d. h. Bugenhagen und Melanchthon) – als Autorität angerufen – mußte später feststellen, daß nicht der Superintendent Aepinus, sondern die auf seine Veranlassung ausgewiesenen sog. »Consumatisten« im Recht gewesen waren; StAH Senat Cl. I Lit. GIKLd No 10, auch für das Folgende; ferner: Cl. VII Lit. Hc No 2 Vol. 2 a. Eine gründliche Untersuchung dieses Konflikts steht noch aus.

13. StAH Senat Cl. I Lit. GIKLd No 10, S. 558–562.

14. Ebd. 575.   15. Ebd. 574.

16. StAH Archiv der St. Jakobikirche F 5; Archiv der Kirche St. Katharinen A III a 1, fol. 5 und B (1501–1600) II f; Senat Cl. VII Lit. Hc No 4 Vol. 1 (21. 12. 1553).

17. Bes. StAH Senat Cl. VII Lit. La No 1 Vol. 2 b, Nr. 4. Vgl. Rainer Postel: Van gehorsame der overicheyt. Obrigkeitsdenken in Hamburg zur Zeit der Reformation (F. Kopitzsch – K.-J. Lorenzen-Schmidt – H. Wunder [Hg.]: Studien zur Sozialgeschichte des Mittelalters und der Frühen Neuzeit, 1977, 155–185), bes. 180 ff.

18. StAH Archiv des Seefahrerarmenhauses 5.

19. Erster Stipendiat wurde der Ratsherrensohn Everdt Moller, ein Großneffe des Testamentars Tyle Nigel; StAH Archiv der Testamentsverwaltungen, Albert Wulhase-Testament A 1; (C. F. Gaedechens:) Albert Wulhases Testament, 1860, 15 f.

20. StAH Archiv des Seefahrerarmenhauses 24.

21. StAH Senat Cl. X Vol. 4 Ser. I, Testament der Catherina Scroders v. 4. 10. 1540, die ihre Seele auch »in dat vorbiddent der hoichgelaveden juncfrouwen Marien unde boscherminghe aller Godes hilghen« befahl. Vgl. auch Cl. I Lit. Oc No 6, nach Bl. 54.

Beim reformatorischen Vorgehen gegenüber der alten Kirche – Zahlungsverweigerungen und Gütereinziehungen, um deren Restitution das Kapitel dann einen hartnäckigen Kampf führte[22] – hatten die Bürger tatkräftig mitgewirkt, auch bei Gewaltmaßnahmen wie der Vertreibung von Geistlichen und dem Niederreißen des widersetzlichen Nonnenklosters Harvestehude[23], dessen Besitzungen sie der Versorgung von Bürgerkindern und Witwen vorbehalten wollten[24]. Unter dem Druck des Reichskammergerichts-Urteils zeigte sich der Rat seit 1533 zu Restitutionsverhandlungen bereit, nahm aber energisch davon aus, was Religion und Gottesdienst anging[25].

Für die caritativen Anliegen der Bürger zeigte das Kapitel kein Verständnis. Das erwies sich besonders beim Spital zum Heiligen Geist. Hier führte es bewegte Klage über Abbruch und Verwüstung etlicher Altäre[26], obgleich der Rat festhielt und alle Zeugen bestätigten, man habe sie vielmehr »hennweg gethan unde darhin für krank leut bettstatt unde anders dazu gehorich notturft machen lassen«[27]. Der Vorgang ist exemplarisch für die enge Verbindung von Reformation und sozialer Fürsorge in Hamburg. In ihrem Mittelpunkt stand die Schaffung von Gotteskästen zur Armenpflege.

Von den Bürgern seit 1526 gefordert, von Bugenhagen näher umrissen und in Magdeburg wie auch in Nürnberg, Straßburg und anderswo bereits vorexerziert, hatten im August 1527 zuerst die Bürger des Nikolai-Kirchspiels, in hamburgischen Reformationssachen wiederholt die ersten, eine Gotteskastenordnung aufgerichtet[28]. Sie wurde durch Rat- und Bürgerschluß bestätigt. Die übrigen Kirchspiele folgten, und im Herbst 1528 wurde ein gemeinschaftlicher oder Hauptkasten hinzugesetzt[29]. Noch bevor in der Kirchenordnung[30] Aufgaben und Verwaltung der Gotteskästen i. w. nach dem Vorgang in St. Nikolai geregelt

22. Zu den Restitutionsforderungen vgl. bes. *Jensen:* Domkapitel; StAH Senat Cl. I Lit. Ob No 4 b; Lit. Oc No 7, 8 und 10, bes. fol. 9–26; StAH Reichskammergericht Lit. H No 14 T I und II; Lit. H No 15. Zum Prozeß bisher: *Johannes Spitzer:* Hamburg im Reformationsstreit mit dem Domkapitel (ZHG 11, 1903, 430–591).

23. *Lappenberg:* Chroniken, 287 f.; *C. H. Wilh. Sillem:* Die Einführung der Reformation in Hamburg, 1886, 162 f.

24. *Lappenberg:* Chroniken, 95; StAH Senat Cl. VII Lit. Qb No 4 Vol. 1 Fasc. 1 a.

25. StAH Reichskammergericht Lit. H No 14 T. II (25. 11. 1535); Senat Cl. I Lit. Ob No 3 Fasc. 2, fol. 75; Lit. Oc No 8, fol. 12.

26. StAH Senat Cl. I Lit. Ob No 4 b, Liquidatio (unpaginiert); *Jensen:* Domkapitel, 51.

27. *Jensen:* Domkapitel, 222.

28. *Nicolaus Staphorst:* Hamburgische Kirchen – Geschichte T. 2, Bd. 1, 1729, 112–122; StAH Archiv der Kirche St. Nikolai XIII 1, fol. 2–23.

29. *Staphorst:* Kirchen – Geschichte T. 2, Bd. 1, 122 f.

30. *Carl Bertheau* (Hg.): Johannes Bugenhagen's Kirchenordnung für die Stadt Hamburg vom Jahre 1529, 1885; *Johannes Bugenhagen:* Der Ehrbaren Stadt Hamburg Christliche Ordnung 1529, hg. v. *Hans Wenn,* 1976.

wurden, hatte diese mit dem »Langen Rezeß« im Februar 1529 Gesetzeskraft erhalten[31].

Nach den ausführlichen Bestimmungen der Kirchenordnung sollten die vier Kirchspielsgotteskästen die Beede (Kollekte) und besondere Spenden aufnehmen, die Hauptkiste dazu den Besitz der Klöster, Spitäler, Brüderschaften und verfügbaren Testamente, um der Armenversorgung zusätzliche Mittel bereitzustellen. Zum guten Anfang ging der Rat mit einer Spende von 1000 Mark voran. – Nicht zur Ausführung kam ein »Schattkasten«, der, aus dem Vierzeitenpfennig, einem Teil der Kircheneinkünfte und erledigter geistlicher Stiftungen gespeist, dem Unterhalt von Geistlichkeit, Lehrern, Schulen und einer Bibliothek dienen und ggf. aus der Hauptkiste ergänzt werden sollte. – Die Geistlichen, denen auch regelmäßige Besuche bei Armen und Kranken aufgegeben wurden, sollten sich bemühen, den bisherigen Spendenfluß von geistlichen Stiftungen in die Armenkästen umzulenken, wobei die Armenpflege aus Naturrecht und Christenpflicht begründet wurde. Über die zu bedenkenden »rechten Armen« gab es genaue Bestimmungen, die nach Ausweis zahlreicher Testamente auch den Vorstellungen privater Stifter entsprachen[32]. Die Hilfe galt nicht Bettlern oder fremden Pilgern, sondern zunächst den Hausarmen. »*Item de hanthwerkes lude und arbeydere, de dat ere nicht vorsupen edder vorsumen edder vnnutte thobringen, sunder arbeyden vlitich, leuen in allen ehren vnd redelicheyt vnd hebben doch dar neuen vngelucke, dat se not liden ane ere schult*«, etwa durch Krankheit und Gebrechen; auch arme Jungfrauen und alte Geistliche sollten versorgt werden. Die Auswahlkriterien wurden 1550 in Richtlinien »*van de verhöre der armen*« niedergelegt[33]. Neben Bedürftigkeit und passendem Auftreten (»schuw«) waren die Antragsteller »*im Catechismo na nothroft unde na eines idern geschicligkeit*« zu prüfen und zur Wahrung der Diskretion – es galt also offenbar als etwas anstößig oder peinlich – ggf. schriftliche Bescheinigungen über die Teilnahme an Gottesdienst und Sakramenten beizubringen. Die Vorschrift deutet an, daß in den Augen der Verwaltung zu dieser Zeit Frömmigkeit und Bibelfestigkeit mancher Bedürftiger zu wünschen übrig ließen.

Die Verwaltung von Einnahmen und Ausgaben hatten in jedem Kirchspiel drei Oberalte (für den Hauptkasten die Oberalten der vier Kirchspiele gemeinschaftlich), je neun weitere Diakonen[34] und 24 Subdiakonen, die sich – jeweils

---

31. Eine brauchbare neuere Edition der hamburgischen Rezesse fehlt; Handschriften: StAH Handschrift 116; Senat Cl. VII Lit. La No 1 Vol. 3 a u. a.

32. *Bertheau:* Bugenhagen's Kirchenordnung, 154 f. (Zitat 154).

33. StAH Senat Cl. VII Lit. Hc No 3 Vol. 1, S. 218–221; Archiv des geistlichen Ministeriums III A 1 c. Ganz ähnliche Anforderungen stellte 1554 die Armenordnung des St. Gertrudstifts; StAH Archiv des St. Gertrudstifts IV a.

34. Zu ihrer Wahl neben der Kirchenordnung: StAH Senat Cl. VII Lit. La No 1 Vol. 3 a. Die Diakonen wurden von den Oberalten, die Oberalten in Selbstergänzung aus den übrigen Diakonen gewählt. Sie hatten ihr Amt lebenslänglich, wenn sie es nicht alters- bzw. krankheitshalber aufgaben oder aus ihrem Kirchspiel fortzogen.

vereint – zugleich als politische Organe der Gesamtbürgerschaft etablierten. In seiner caritativ-politischen Doppelfunktion gilt zumal das Oberaltenkollegium als singulär, scheint aber gleichwohl im zeitgenössischen Denken begründet: Die fürsorgerischen Aufgaben, ihre genossenschaftliche Wahrnehmung, der Name selbst und nicht zuletzt die Übernahme von Brüderschaftsvermögen wie auch der damit verbundenen Zwecke[35] weisen auf brüderschaftliche Traditionen, die m. W. bisher nicht bemerkt worden sind.

Als kleinstes Gremium, das sich durchweg aus Mitgliedern der bürgerlichen Oberschicht zusammensetzte, wurden die Oberalten bevorzugte Partner des Rats und gewannen politisch am schnellsten Gewicht. Von den 50 Oberalten während der ersten drei Jahrzehnte ihres Bestehens gelangten 14 in den Rat; umgekehrt kamen in dieser Zeit von 34 neugewählten Ratsherren 12 (die anderen zwei etwas später), während der ersten sechs Jahre sogar acht von zwölf aus den Reihen der Oberalten. Während aber die bürgerlichen Kollegien ihre politische Stellung festigen und bis weit ins 19. Jahrhundert halten konnten, blieb ihre caritative Tätigkeit bald hinter den ursprünglichen Erwartungen zurück.

Das lag zunächst an der Doppelbelastung besonders der Oberalten, denen zahlreiche Aufgaben in Verwaltung und Kontrolle der Armen wie der eigenen Tätigkeit zugewiesen waren[36], aber keine Arbeitsteilung, so daß ihr Elan in der Armenpflege, wie Reform- und Strafbestimmungen zeigen, schon nach wenigen Jahrzehnten deutlich erlahmte. Zum andern kam Bugenhagens Konzept einer zentralen Organisation der Armenfürsorge, des Kirchen- und Schulwesens nicht zur vollen Ausführung. Das mochte am Widerstand gemäßigter Kräfte oder am Kirchspielpatriotismus einzelner Gotteskastenverwalter liegen[37]. So blieben – wie übrigens auch Domherren und Vikare – die Brüderschaften erhalten, teilweise bei erheblichem Besitz, den sie von sich aus der Armenpflege zuführten[38]. Die Spitäler betrieben als Kranken- und Versorgungsanstalten trotz teilweiser Aufsicht durch die Oberalten (Heilig-Geist- und Hiob-Hospital) weiter eine weithin selbständige Wirtschaftsführung von ansehnlichem und durchweg wachsendem Volumen; sie erhielten auch weiter direkte Zuwendungen aus der Be-

---

35. StAH Archiv des Heil. Geist-Hospitals und des St. Marien Magdalenen-Klosters II c I 1; Senat Cl. XI Spec. Lit. B No 8 Vol. 1 Fasc. 23; St. Sylvester-Armenstiftung 1: Die Gotteskastenvorsteher erhielten 1529 das Vermögen der Brüderschaft St. Sylvestri, die von den Brauern unterhalten wurde, gegen die Zusicherung, Angehörige der Brauergesellschaft bei Armut und Krankheit zu unterstützen.

36. Neben der Kirchenordnung bes. StAH Senat Cl. VII Lit. Hc No 2 Vol. 2 a; Bürgerliche Kollegien A 4.

37. Vgl. *W. v. Melle:* Die Entwicklung des öffentlichen Armenwesens in Hamburg, 1883, 16.

38. *Arthur Obst:* Die Brüderschaft der Heiligen Märtyrer (ZHG 11, 1903, 377–387), bes. 386 f.; StAH Senat Cl. XI Spec. Lit. S No 9 Vol. 12.

völkerung[39]. Einnahmen und Auskehrungen der Gotteskästen blieben dahinter weit zurück[40]. Mit dem Seefahrerarmenhaus trat 1556 noch ein selbständiges Institut hinzu, dessen genossenschaftliche Organisation durchaus mittelalterliche Züge trug[41].

Danach ergibt sich der Eindruck, daß der unbefriedigende Erfolg der Gotteskastenverwalter vor allem strukturell begründet war. Der caritative Impuls in der Bevölkerung entzog sich offenbar dem Zugriff einer ordnenden Zentrale.

Dies zeigen auch die Testamente. Über zweihundert erhaltene bzw. mehr oder weniger fragmentarisch überlieferte Vermächtnisse aus der Zeit von 1500 bis 1565[42] dokumentieren die Anschauungen vor allem des hamburgischen Bürgertums über mehr als eine Generation vor und nach der Reformation und weisen charakteristische Veränderungen auf. Eine äußerliche: Mit der Reformation verschwand das bis dahin durchgängige Zerter-Trennwort »Maria« und wurde zumeist durch das Wort »salicheit« ersetzt. Was Lappenbergs Sammlung für Stiftungen mit periodisch ausgekehrten Zuwendungen belegt, findet sich hier durchweg bestätigt: Zunächst standen – vom privaten Bereich des jeweiligen Testators abgesehen – Legate für Kirchen und Klöster deutlich im Vordergrund; Spitäler, aber auch das »gemeine Gut«[43], blieben weit zurück; die »Armut« selbst wurde kaum je bedacht. Um die Mitte der zwanziger Jahre jedoch rissen, wie das Urkundenmaterial bestätigt[44], die geistlichen Stiftungen ganz ab. Das

39. Vgl. StAH Archiv des Heiligen Geist-Hospitals II A II 1; Archiv des St. Georg-Hospitals IV 7–9, II F 2 u. diverse Urkunden in der Threse, ebenso für das Heiligen Geist- und das Hiob-Hospital, sowie Archiv des Hiob-Hospitals D I a 1 und D I b 5. Die Spitäler vermehrten ihren Besitz, von Stiftungen abgesehen, indem sie von den Eintretenden eine Summe gegen Leibrente erhielten und später deren Nachlaß zumeist komplett einzogen. Der Bedürftigkeit waren für die Aufnahme damit offenbar Grenzen gesetzt.

40. StAH Archiv der St. Jakobikirche A I c 1; Archiv der Kirche St. Katharinen A V b 1 u. 2.

41. *Lappenberg:* Chroniken, 475; *Staphorst:* Kirchen-Geschichte T. 1, Bd. 4, 1731, 504–508; StAH Archiv des Seefahrerarmenhauses 1, 5, 20; Senat Cl. XI Spec. Lit. S No 3 Vol. 2 Fasc. 1 a, S. 16–20.

42. Die meisten in: StAH Senat Cl. X Vol. 4 Ser. I; Archiv der Testamentsverwaltungen; *Staphorst:* Kirchen-Geschichte T. 1, Bd. 4, 343–838; (*J. M. Lappenberg*): Die milden Privatstiftungen zu Hamburg, 1845.

43. Vgl. StAH Senat Cl. VII Lit. Da No 8 Vol. 2; dazu *Karl Koppmann:* Kämmereirechnungen der Stadt Hamburg Bd. 3, 1878, XL und *Lappenberg:* Privatstiftungen, XVIII. Die Testamentsangaben in den gedruckten Kämmereirechnungen sind hier unbrauchbar, da sie das Vollstreckungs-, nicht das Testamentsdatum tragen, freiwillige von schuldigen Abgaben nicht trennen und weder Zahl noch Zweck der einzelnen Vermächtnisse angeben.

44. Bes. StAH Threse.

hat bereits Reincke bemerkt und wohl zu recht vor allem mit dem abgesunkenen Ansehen des geistlichen Standes erklärt[45].

1535 erläuterte Anna Büring, die über eines der größten hamburgischen Vermögen zu verfügen hatte[46], sie habe in einem früheren Testament *»tho vigilien, ßelemissen, jaretiden, gedechtnissen van den predickstolen vortekent und gegeven, darumme dat myne und myner vorstorven frunde ßelen, alse tho der tydt geleret wort, by Gade dem herren getruwelich mochten vorbeden und der pene des fegefurs entfriget warden. Nhu ick averst dorch godtlich wort und sin heylsam Evangelium vele anders borichtet und beleret warde, derhalven my bedacht groth nodich to sinde, myn erste testamente uth vorangethagen orsaken tho voranderende und wedderropende«[47].* Anstelle der Kirche erhielten nun Hospitäler und die Armen direkt erhebliche Beträge zu verschiedenen Zwecken, darunter ein Stipendium und Armenwohnungen. Dies Testament verdeutlicht die allgemeine Erscheinung: Schlagartig fast verschwand die alte Kirche aus den Testamenten (die Klöster waren ohnedies ausgeschieden). Nur zögernd setzten Legate für evangelische Geistliche und ihre Hinterbliebenen ein[48]. Neben dem privaten Bereich nahmen Vermächtnisse für Arme und Spitäler[49] nicht nur numerisch beträchtlichen Umfang an, sondern auch im Verhältnis zu den jeweiligen Gesamtaufkommen. Daß daneben auch das »gemeine Gut« häufiger und reichlicher bedacht wurde, bestätigt die im Gefolge der Reformation gestärkte Bindung der Bevölkerung an ihr Gemeinwesen[50].

Bereits Lappenbergs Sammlung der »milden Privatstiftungen« läßt erkennen, daß das Stiftungswesen in den dreißiger und vierziger Jahren des 16. Jahrhunderts ein nie wieder erreichtes Ausmaß annahm, für das wirtschaftliche Prosperität allein kein hinreichender Erklärungsgrund ist. Zu deutlich treten die religiösen und caritativen Anliegen hervor. Bedacht und verpflegt wurden nach wiederholter Maßgabe der Testamente »rechte« Hausarme. Stipendien galten vorzugsweise dem Theologiestudium an anerkannten Universitäten, *»up dat in dusser stadt mogen gelerde lude gefunden werden to underholdinge gotlike warafftige*

45. *Heinrich Reincke:* Hamburg am Vorabend der Reformation. Aus d. Nachl. hg., eingel. und erg. von *Erich v. Lehe,* 1966, 82; *Scheib:* Reformationsdiskussionen, 41, datiert diese Zäsur mit 1524 um ein bis zwei Jahre zu früh.

46. Vgl. *Heinrich Reincke:* Forschungen und Skizzen zur Hamburgischen Geschichte, 1951, 211 ff.

47. StAH Archiv der Testamentsverwaltungen, Anna Büring-Testament I 1 b, S. 17; *Staphorst:* Kirchen-Geschichte T. 1, Bd. 4, 487 f. Ihr Ehemann hatte dem Gotteskasten noch 1529 ein Kapital von 2 500 Mark vermacht; StAH Archiv der Testamentsverwaltungen, Lütke Büring-Testament A II.

48. Z. B. StAH Archiv der Testamentsverwaltungen, Archivalien der Verwaltung von Thomas Koppen Testament 1, mit ausdrücklicher Betonung der reinen Lehre gegenüber jeder Schwärmerei (fol. 3).

49. Vgl. StAH Archiv des St. Georg-Hospitals II F 2; Archiv des Hiob-Hospitals D I a 1.   50. Siehe oben Anm. 17.

und christlike lere«[51]. Wer als »arm« in einer der gestifteten Armen- oder Gotteswohnungen Platz fand, sah sich nicht nur Erwartungen auf einen gewissen Besitz (und Nachlaß) gegenübergestellt[52], sondern wurde neben anderen Auflagen teilweise auch einer strengen religiösen Disziplin unterworfen. So verlangte Dirick Koster 1537 von den Insassen seiner Gotteswohnungen den Kirchgang an Sonn- und Feiertagen, um das Evangelium *»vam anfange beth thom ende myth syner uthlegginge«* fleißig zu hören und Gott zu preisen; wer dies *»wrevelkoppisch«* versäumte, fluchte oder ketzerte, wurde hinausgeworfen. Auch der Montagsgottesdienst im Hiob-Hospital war Pflicht[53].

Aus solchen Verfügungen erhellt die Sorge um Frömmigkeit und Seelenheil. Sie zeigen ein weiteres Mal die enge Verknüpfung von evangelischem Glauben und sozialer Fürsorge. Unübersehbar sind aber auch das Widerstreben des Bürgertums gegen eine Gleichschaltung in diesem Bereich und seine Bindung an mitelalterliche Traditionen. Das gilt schließlich auch für die Wirtschaftsform, die diesen Vorgängen zugrunde lag. Von einem Eindringen des Kapitalismus ist keine Spur. Vielmehr war die gewissenhafte Anlage fast aller größeren Beträge in Renten Ausdruck für den Wunsch von Stiftern und Verwaltern, ihren Einrichtungen Dauer und Sicherheit zu verleihen.

51. StAH Senat Cl. X Vol. 4 Ser. I, Carsten Szander-Testament v. 5. 9. 1537.

52. Völlige Besitzlosigkeit scheint weder von den Spitälern noch bei privaten Armenwohnungen ins Auge gefaßt worden zu sein.

53. StAH Archiv der Testamentsverwaltungen, Dirk Köster-Testamentsstiftung Nr. 8, Bd. 1, fol. 4.

Bernd Moeller

Diskussionsbericht

Die Vorträge und kurzen Berichte des Reinhäuser Symposions, die in diesem Band abgedruckt sind, geben von der Breite und dem Reichtum der wissenschaftlichen Interessen und der Intensität der Forschung, die auf der Tagung sichtbar wurden, ein anschauliches Bild. Es kam hierin zum Ausdruck, daß die Reformation in den deutschen Städten – das Thema, auf das sich das Symposion im wesentlichen konzentrierte – in den letzten Jahren zu einem Hauptgegenstand der Frühneuzeitforschung geworden ist – als ein Musterfall, an dem das historische Elementarproblem des Zusammenspiels geistiger und sozialer Faktoren im geschichtlichen Prozeß anschaulich wird und bei dem das Einwirken religiöser auf materielle Gegebenheiten des Lebens zutage zu liegen scheint. Im Studium der hier wahrgenommenen Probleme haben sich Historiker sehr verschiedener Arbeitsrichtungen aus mehreren Ländern gefunden. Das neu entstandene Forschungsinteresse trägt fast schon Züge einer wissenschaftlichen »Mode« an sich, was freilich nur der bedauern kann, der ignoriert, wieviele Erkenntnisaufgaben in diesem Zusammenhang noch bereitliegen, wie sehr die bedeutsamen, geschichtsmächtigen Vorgänge, um die es geht, in der älteren Forschung vernachlässigt und in dem herkömmlichen Bild der deutschen Geschichte und der Geschichte der Reformation verzeichnet worden sind (vgl. den Forschungsbericht von *H. C. Rublack*, oben S. 9 ff.).

Das Reinhäuser Symposion, das zum erstenmal einen großen Teil der Forscher, die mit dem Thema beschäftigt sind, vereinte, war so angelegt, daß den Teilnehmern verhältnismäßig viel Raum zur Diskussion blieb, eine Möglichkeit, die lebhaft genutzt wurde. Die Dokumentation der Tagung wäre daher ohne einen Bericht über die Diskussionen unvollständig und ungenau. Wir legen im folgenden einen solchen Bericht vor, der Verlauf und Ergebnisse des Symposions in zusammengefaßter Form wiederzugeben versucht; er beruht auf Aufzeichnungen mehrerer Teilnehmer.

Die Referate wurden in Reinhausen in der Anordnung vorgetragen, in der sie oben abgedruckt sind. Da es zwischen ihnen nur sehr bedingt eine thematische Abfolge gibt und bestimmte Motivzusammenhänge mehrfach erscheinen, war die Diskussion stark an allgemeinen Problemen orientiert, und bestimmte Fragen und Themen kehrten immer wieder. Es dürfte daher sachgemäß sein, den Bericht in systematischer Ordnung darzubieten.

1. Einige Aufmerksamkeit fand die Frage, ob die Reformation für *unterschiedliche Stadttypen und Stadtregionen* unterschiedlich anziehend gewesen sei; vor allem die Referate von *Rublack*, *Schilling* und *Blaschke*, die ganz verschiedenartige Städte behandelt hatten, boten hierfür einen Anhalt. Insgesamt gesehen

bestätigte sich der Eindruck, daß generelle Differenzen nicht wahrzunehmen sind – landsässige ebenso wie Reichsstädte, wohlhabende Kommunen ebenso wie arme, mehr oligarchisch ebenso wie mehr demokratisch regierte bieten im großen und ganzen sozusagen im gesamten Gebiet des alten Reiches dasselbe Bild.

Bemerkenswert waren in diesem Zusammenhang Darlegungen von *Blaschke,* der auf entsprechende Anfragen seine schon im Referat angedeutete Feststellung unterstrich, daß auch im ernestinischen Sachsen, dem Prototyp des protestantischen Fürstenstaates, die Reformationsbewegung von den Städten ausgegangen sei und hier ständig ihre intensivste populäre Verwurzelung gehabt habe; der Kurfürst habe, so könne man sagen, die städtische Initiative übernommen, als er die Visitation veranstaltete. Offenbar sei die Reformation bestimmten »inneren Entwicklungsnotwendigkeiten« des Städtewesens schlechthin entgegengekommen, eine Aussage, die auf der Tagung allerdings einer Gegenprobe nicht ausgesetzt wurde, da keine der – wenn auch nicht besonders zahlreichen – Städte, die dem Protestantismus ganz verschlossen geblieben sind, genauer untersucht wurde.

Die in dem Beitrag von *Brecht* hervorgehobene Bedeutung der städtischen Reformationsbewegung für die Reichspolitik der 1520er Jahre wurde in der Diskussion gleichfalls unterstrichen. Im übrigen verdient in diesem Zusammenhang der Hinweis von *Hassinger* Beachtung, daß das Untersuchungsgebiet, das uns beschäftigte, nur einen, wenn auch zentralen, Ausschnitt bildet – das Phänomen der Stadtreformation begegnet ja in dem ganzen weiten Raum von Stockholm bis Montpellier und von London bis Reval.

2. Fragen nach der Unterscheidung und Beziehung von *Stadt und Land* schlossen sich an. *Blickle* hob im Anschluß an das Referat von *Maeder* hervor, daß es im Bauernkrieg auch politische und religiöse Einwirkungen der Bauern auf die Bürger von Städten gegeben habe; beispielsweise erhoben reichsstädtische Dörfer gegenüber den Räten ihrer Städte Reformforderungen und setzten sie teilweise durch. *Deppermann* ergänzte den Vortrag von *Schilling* durch den Hinweis, daß in Ostfriesland neben dem städtischen Bürgertum der Adel die reformierte Opposition gegen den Landesherrn getragen habe. Überhaupt ist, wie *Brady* bemerkte, neben der Unterscheidung der Zusammenhang von Stadt und Land nicht zu unterschätzen; vor allem in Südwestdeutschland beobachtet man das Phänomen der Verbürgerlichung des Adels und der Großbauern einerseits, der Feudalisierung der städtischen Oberschichten andererseits, d. h. eine verhältnismäßig intensive soziale Verflechtung der Bereiche zumal in den Gesellschaftsgruppen, die der Reformation am ehesten distanziert gegenüberstanden und denen diese am ehesten gefährlich werden konnte.

Ausgehend von Beobachtungen im bäuerlichen Raum stellte *Midelfort* die Vorstellung der Einheitlichkeit der städtischen Reformation in Frage: Muß nicht von dem theologisch faßbaren Sachverhalt »Religion« der Sozialbegriff »Religion« abgehoben werden, und bestehen nicht beträchtliche Unterschiede wie in der »Religion« etwa zwischen den Bauern von Zürich und denen von Ostfriesland so auch in der Rezeption und Auffassung der Reformation zwischen den sozialen Schichten innerhalb einer Stadt und zwischen den einzelnen Städtelandschaften? Ohne ein gewisses Wahrheitsmoment in diesen Überlegungen bestreiten zu wollen, hielt *Moeller* dem doch den gewichtigen Unterschied von Stadt und Land im Bereich der Bildung entgegen: Man müsse in den Städten doch wohl mit einer größeren Uniformität der Mentalitäten und von daher auch der religiösen Einstellungen rechnen als auf dem Lande, da hier die literarische Bildung, die auf dem Lande fehlte, eine in gewissem Umfang einheitliche Ebene der geistigen Lebensdeutung und überregionalen Verständigung schuf; hier konnten z. B. die Bibel oder die Flugschriften Luthers und der übrigen Verfechter der Reformation unmittelbar aufgenommen werden und auf breiter Front und mit vereinheitlichendem Effekt Wirkung entfalten.

3. Ziemlich eingehend wurde das in dem Vortrag von *Rublack* dargestellte Problem der *Spätreformation* diskutiert. *Rublack* stellte auf Fragen hin fest, daß sich in Würzburg und Bamberg – wie auch in dem Parallelfall Colmar (*v. Greyerz*) – ein kontinuierlicher Zusammenhang zwischen den evangelischen Gemeinden der Frühzeit und denen der zweiten Jahrhunderthälfte nicht nachweisen lasse, daß die späteren Gemeinden vielmehr wohl erst nach der Jahrhundertmitte entstanden seien, wobei man Einwanderung von Protestanten und die Lektüre protestantischer Bücher als auslösende Momente annehmen könne. Als erstaunlich wurde vermerkt, daß die Symbiose der Konfessionen in diesen Städten so gut funktionierte *(Selge)*, anders als beispielsweise in dem von *Pfeiffer* untersuchten Biberach, das freilich noch einer genaueren sozialgeschichtlichen Analyse zu unterwerfen sei. *Rublack* deutete die Schlußfolgerung an, es sei eine bloße Zweckbehauptung, wenn städtische Räte immer wieder argumentierten, eine Bürgerschaft, in der zwei Konfessionen vertreten seien, müsse zerfallen. Hierzu gab allerdings *Schilling* zu bedenken, daß diese Argumentation sich vor allem auf solche Städte bezog, in denen die beiden Konfessionen jeweils einen *öffentlichen* Status besaßen.

Die Anwendung des Begriffs »Toleranz« auf die konfessionelle Symbiose in fränkischen Bischofsstädten wurde allgemein als wenig zweckmäßig bezeichnet; weder die politische noch die wirtschaftliche noch auch die humanistische Motivation für Toleranz (*Guggisberg, Zeeden*) war hier gegeben, eher könnte man schon von »salutary neglect« sprechen (*Rublack*).

4. Das auch in dem Votum von *Midelfort* (siehe oben) angesprochene Problem, wieweit sich in den Städten *schichtenspezifische Einstellungen* zur Reformation beobachten ließen, wurde vor allem im Anschluß an den Beitrag von *Füglister* erörtert. *Ehbrecht* stellte die Frage: Kann man generell von einer besonderen Anfälligkeit der Unterschichten für die protestantische Predigt sprechen? Diese Frage wurde von *Blaschke* für die lausitzischen Städte und für die sächsischen Bergstädte, wo die in sozialen Auseinandersetzungen geübten Bergknappen (wie

in Goslar – *Postel*) die führende Rolle spielten, bejaht, ähnlich auch von *Seebaß* für Nürnberg. In Konstanz dagegen sind nach *Rublack* soziale Diskrepanzen nicht zu bemerken, in Stralsund waren gerade Angehörige der den Rat tragenden Schichten besonders eifrig um die Reformation bemüht *(Ehbrecht)*.

Seebaß fügte eine Deutung der besonderen Affinität der Unterschichten zur neuen Lehre hinzu: Die in der mittelalterlichen Kirche zur Herrschaft gekommene Werkfrömmigkeit begünstigte die Reichen, da das Heil gewissermaßen käuflich geworden war; die Polemik Luthers aber war vorrangig und direkt gegen die Werkfrömmigkeit gerichtet, der reformatorischen Heilslehre waren soziale Privilegierungen fremd.

5. Weiten Raum nahm in den Diskussionen die Frage der *sozialgeschichtlichen Gesamtdeutung der städtischen Reformation* ein, die vor allem durch die Referate von *Ehbrecht* und *Scribner* gestellt war, näherhin die Frage, wie man die mannigfaltigen Anstrengungen der Konfliktbewältigung, die in der Reformationsgeschichte der Städte zu beobachten sind (das Wertlegen auf die Wahrung der Verfassungsnormen; die politischen Rituale, die *Ehbrecht* schildert; die von *Hauswirth* beschriebenen sozialen Sicherungen; die Veranstaltung kollektiver Meinungsforschungen – Zunftabstimmungen, Disputationen usw. –; die Hervorhebung des Liebesgebotes und der Friedenspflicht durch die evangelischen Prediger), einzuschätzen habe. Allgemein hilfreich war dabei die Feststellung von *Postel*, daß man die Tiefe des Konflikts, die Bedeutung des Umbruchs, damit die Gefährdung der herkömmlichen städtischen Existenzbedingungen, die mit der Reformation gegeben waren und die diese Anstrengungen provozierten, nicht geringschätzen dürfe. Im einzelnen zeigten sich jedoch unterschiedliche Standpunkte, es standen sich eine analytische und eine integrative Betrachtungsweise und Deutung des Sozialgebildes Stadt gegenüber.

Eine Gruppe von Diskutanten hob vor allem auf die Spannungen innerhalb der städtischen Bürgerschaften ab, die in ihrem Selbstverständnis weniger »Gemeinschaften« als »dynamische Klassensysteme« gewesen seien (*Brady*). Die Zugehörigkeit von Nichtbürgern (*Oberman*), deren defizientes Interesse am Stadtfrieden (*Seebaß*) wurden betont. *Rublack* stellte heraus, daß die Bemühung um den Konsens in der Stadt vor allem eine Sache der herrschenden Kreise gewesen sei, die durch Unordnung am stärksten gefährdet wurden und denen die Forderung von Frieden und Eintracht mancherlei Möglichkeiten der »Manipulation« bot; wesentliches Urteilskriterium für die Deutung des Sachverhalts sei, wer den Konsens formuliere und zu erzwingen suche.

Der abweichenden Auffassung nach ist die deutsche Stadt des 16. Jahrhunderts als »funktionale Einheit« und als Interessengemeinschaft zu verstehen, der auch Vorstädter und Nichtbürger ein »Solidaritätsgefühl« entgegenbrachten (*Blaschke*). Das genossenschaftliche Grundbewußtsein der Bürger schloß die Anerkennung von Herrschaft nicht aus; zwar galt der Konflikt als solcher als legitim, nicht jedoch der Dauerkonflikt (*Schilling*). Denn – so stellte *Moeller* in einem längeren, vorbereiteten Votum fest – das Sozialsystem Stadt sei ein »bedrohtes System« gewesen und habe sich auch als solches verstanden; man habe angesichts der politischen und wirtschaftlichen Bedrohungen von außen und der ständig gegenwärtigen Gefahr von Epidemien und Feuersbrünsten mit einem elementaren Bewußtsein des Aufeinanderangewiesenseins und des objektiven Einigungszwangs gelebt – »es gab einen Grundkonsens darüber, daß man einen Grundkonsens haben müsse« (eine Feststellung, der auch *Scribner* zustimmte). Daß unter diesen Umständen diejenigen Bürger, denen Stabilität am ehesten nützte und die von Veränderungen am ehesten Schaden hatten, begünstigt wurden, sei unbestreitbar, doch sei deren Situation und Verhalten mit der Kategorie »Manipulation« unzulänglich bezeichnet, da letzten Endes jedermann an der Konfliktbewältigung interessiert war: »Auf einen Dauerkonflikt konnte man sich in der Stadt nicht einigen, sondern nur darauf, daß man sich nach einem Konflikt wieder einigen mußte.«

Neben der Grundsatzdebatte, die unentschieden blieb, wurden einige Einzelfragen geklärt. So bemerkte *Blaschke* auf die Frage von *Rublack,* wie der Begriff der »Gemeinde« in der für die Gesellschaftsauffassung der frühen Reformation so bedeutsamen Leisniger Kastenordnung zu verstehen und ob da ein vom Herkommen ganz abweichendes Modell von Stadtgemeinde vorausgesetzt sei, daß dies zwar in der Tat zutreffe, jedoch nur auf dem Papier. Dem deutschen Modell der mittelalterlichen Stadtverfassung, das auf Einigung und Kompromiß ausgerichtet war, stellte *Miethke* lehrreich das italienische gegenüber, wo schon seit dem 12. Jahrhundert dissentierende Minderheiten aus der Stadt ausgewiesen zu werden pflegten und wo denn auch im 16. Jahrhundert vielerorts schon längst monarchisch regierende Stadtherren die Vertretungen der Gemeinde mehr oder weniger entmachtet hatten, ein Vorgang, der sich nach einer Bemerkung von *Wolgast* in Deutschland nur einmal, unter den extremen Bedingungen des Täuferreichs von Münster, ereignete.

6. Endlich beschäftigte sich das Symposion in immer neuen Wendungen mit der Frage, ob und wie sich der Erfolg gerade der *Reformation* in den Städten verstehen lasse; boten Luther und dessen Anhänger mit ihren *theologischen Lehren* den Stadtbürgern spezifische Attraktionen? Und was war – abgesehen von dem vielen, was die Konflikte des Reformationszeitalters denjenigen des ausgehenden Mittelalters anglich – *neu* in der städtischen Reformation?

Eine ganze Reihe von Antworten wurden gegeben. So wurde etwa darauf hingewiesen, daß mit der Reformation eine neue Ebene von Öffentlichkeit entstand, in der Gegensätze sich in neuer Weise artikulieren ließen, ferner, daß die soziale Fürsorge theologisch neu fundiert und die Kirche als politisches Zwischeninstitut entmachtet wurde. Aber auch dem Kern der Verkündigung Luthers näherliegende Motive wurden genannt: *Blickle* stellte die Bedeutung des Schriftprinzips heraus: Hier sei ein einziges Mal vor 1789 ein neues Legitimationsprinzip gefunden worden, wobei freilich, wie *Selge* bemerkte, nicht von vornherein ausgemacht war, ob es sich nur um ein »Abschaffungsprinzip« oder auch um ein »positives Leseprinzip« handelte – wurden auch die positiven Inhalte der evangelischen Lehre allgemein erfaßt? Das hier gegebene Problem erläuterte *Seebaß* am Beispiel der Freiheitslehre Luthers: Der christliche Freiheitsbegriff sei imstande, durchaus verschiedene Freiheitsbedürfnisse, den »Freiheitsdruck« sehr verschiedenartiger gesellschaftlicher Konstellationen zu befriedigen; im Fall der Reformation sei wohl vor allem die Entlastung von dem kirchlichen Zwangssystem, die den Gläubigen zuteil wurde, in Rechnung zu stellen.

Weiterhin hoben *Seebaß* und *Moeller* hervor, daß eine Pointe der reformatorischen Rechtfertigungslehre darin lag, die mittelalterliche Kirche als gemeinschafts- und menschenfeindlich hinzustellen und zu verteufeln, da sie den Heilsegoismus begünstigt habe. Demgegenüber proklamierten die Reformatoren, und nicht zuletzt städtische Prediger wie Bucer, das neutestamentliche Liebesgebot als Grundgesetz der erneuerten Kirche und vertraten damit ein ethisches Prinzip, das gerade im Bereich der Stadt verständlich und anziehend war. Das Streben nach dem Konsens sei gewissermaßen als das elementarste Gebot der geltenden christlichen Lehre dargestellt und aufgewertet worden, es wurde ein Gemeindeideal propagiert, das in der Stadt wirksam werden konnte unabhängig davon, ob die städtischen Oberschichten sich dadurch gefährdet fühlten (*Brady*), oder ob sie es als Förderung empfanden (*Lienhard*). An eine deutliche Grenze stieß Bucers Konzeption allerdings angesichts des Sektenproblems (*Fast*): Den Täufern gegenüber hatte die Liebesforderung deutlich disziplinierende Funktion; daran zeigte sich, daß sich die Idee der Kongruenz von christlichem Liebesgebot und städtischer Konsensforderung in der Realität nicht wirklich durchhalten ließ (*Moeller*) – die Koalition der bekennenden Gemeinde und der Bürgergemeinde war nur eine Koalition auf Zeit (*Oberman*).

Eine einfache und eindeutige Antwort fand also die Frage nach dem Stellenwert des Religiösen und Theologischen in der städtischen Reformation, die *Müller* im Anschluß an das Referat von *Schilling* noch einmal grundsätzlich aufwarf, nicht. So sehr bestimmte Bestandteile der reformatorischen Lehre zu einer Verständigung mit den politischen und Denktraditionen der Städte hindrängten und einluden, so war doch auch die »innerstädtische Dynamik«, die der Einwirkung der Reformation entgegenkam, stark (*Schilling*). Das wird nicht zuletzt daran anschaulich, daß sich die unterschiedlichen Konfessionen innerhalb des Protestantismus keineswegs ohne weiteres auf unterschiedliche politische Systeme verteilen lassen: Die »normale« Gegebenheit, daß das Luthertum in den Territorien, der Calvinismus in den Städten bevorzugt wurde, kehrte sich beispielsweise im Fall der Stadt Lemgo und der Grafschaft Lippe um.

Symposion Reinhausen, 24.–26. 3. 1977:
Verzeichnis der Teilnehmer

Dozent Dr. Karlheinz Blaschke, Am Park, DDR 8101 Friedewald b. Dresden

Prof. Dr. Peter Blickle, Am Gehlenberg 1, 6602 Dudweiler/Saar

Prof. Dr. Hartmut Boockmann, Rammseer Weg 56, 23 Rammsee b. Kiel

Prof. Dr. Thomas A. Brady jr., Dept. of History, University of Oregon, Eugene, Or. 97 403 USA

Prof. Dr. Martin Brecht, Schreiberstraße 22, 44 Münster

Dozent Dr. Klaus Deppermann, Zwiegerackerweg 8, 78 Freiburg/Br.

Stud. theol. Hartmut Eggert, Am Graben 13, 34 Göttingen-Holtensen

Dr. Wilfried Ehbrecht, von-Holte-Straße 13, 44 Münster

Pastor Dr. Heinold Fast, Brückstraße 74, 297 Emden

Lic. phil. Hans Füglister, Friedensstraße 6, CH 4410 Liestal BL

Prof. Dr. Klaus Ganzer, St. Benedikt-Straße 6, 87 Würzburg

Cand. phil. Kaspar von Greyerz, Steingasse 19, 65 Mainz

Prof. Dr. Hans Rudolf Guggisberg, Bruderholzallee 20, CH 4000 Basel

Prof. Dr. Erich Hassinger, Eichhalde 53, 78 Freiburg/Br.

Dr. René Hauswirth, Wiesenstraße 30, CH 8700 Küsnacht

Prof. Dr. Hans J. Hillerbrand, 33 West 42 Street, City University of New York, New York 10 036 USA

Dr. Sigrid Jahns, Im Hopfengarten 9, 637 Oberursel/Ts.

Dr. Rolf Kießling, Vöstweg 1, 8901 Bonstetten b. Augsburg

Dr. Helga-Maria Kühn, Görlitzer Straße 49, 34 Göttingen

Prof. Dr. Marc Lienhard, 33 rue Louis Apffel, F 67 000 Strasbourg

Klaus-J. Lorenzen-Schmidt M. A., Bahnhofstraße 116, 2209 Krempe/Holst.

Dr. Kurt Maeder, Federnstraße 9, CH 8052 Zürich.

Prof. Dr. H. C. Eric Midelfort, Rt. 1, Box 88 M, North Garden, Va. 22959 USA

Prof. Dr. Jürgen Miethke, Vopeliuspfad 12, 1 Berlin 37

Prof. Dr. Bernd Moeller, Herzberger Landstraße 26, 34 Göttingen

Prof. Dr. Gerhard Müller, Sperlingstraße 59, 852 Erlangen

Prof. Dr. Richard Nürnberger, Tuckermannweg 17, 34 Göttingen

Prof. Dr. Heiko A. Oberman, Am Heuberg 26, 74 Tübingen

Catherine Olsen, Merkelstraße 23, 34 Göttingen

Dr. Rainer Postel, Husumer Straße 19, 2 Hamburg 20

Dr. Jean Rott, 5 rue Jean Jacques Rousseau, F 67 000 Strasbourg

Dozent Dr. Hans-Christoph Rublack, Am Großen Damm 22, 7451 Rangendingen

Prof. Dr. David W. Sabean, Herzberger Landstraße 36, 34 Göttingen

Dr. Heinz Scheible, Heiliggeiststraße 15, 69 Heidelberg

Dozent Dr. Heinz Schilling, Forellenweg 15 c, 48 Bielefeld

Dr. Hans Schneider, Eisenacher Straße 13, 34 Göttingen

Dr. Robert W. Scribner, Dept. of Hist. and Lit. Studies, Portsmouth Polytechnic, Kings Rooms, Bellevue Terrace, Southsea PO5 3AT

Privatdozent Dr. Gottfried Seebaß, Badstraße 44, 852 Erlangen

Prof. Dr. Kurt Viktor Selge, Höhmannstraße 6, 1 Berlin 33

Prof. Dr. Anneliese Sprengler-Ruppenthal, Kreuzbergring 107, 34 Göttingen

Dr. Erdmann Weyrauch, Wilhelmstraße 90 (SFB 8), 74 Tübingen

Prof. Dr. Rainer Wohlfeil, Haynstraße 8, 2 Hamburg 20

Prof. Dr. Eike Wolgast, Bergstraße 59, 69 Heidelberg

Prof. Dr. Ernst Walter Zeeden, Mörikestraße 8, 74 Tübingen

Register

Das Register verzeichnet die Orts- und Personennamen. Die Namen moderner Autoren sind dann aufgenommen, wenn diese an der betreffenden Stelle nicht nur zitiert werden. Ein Stern (*) verweist auf den Anmerkungsteil.

Sachs, Hans 71 ff., 84
Sachsen 28, 79, 162, 164, 167, 178 f.
Salzburg 121 f.
Saterdach, Dietrich 32*
Schaufelberger, W. 104
Schellenberg-Augustusburg 164
Scheurl, Christoph 74 f., 79*, 85 f.
Schilling, Diebold d. J. 100
Schilling, H. 177 ff., 182
Schlesien 39*
Schleswig 125 ff.
Schleupner, Dominikus 68, 81*
Schnitt, Conrad 55
Schubert, E. 114
Schultze, A. 12 ff.
Schwanhausen, Johann 119
Schweinfurt 117
Schweiz s. Eidgenossenschaft
Schwertfeger, Heinrich (Pfeiffer) 74*
Scribner, R. W. 109, 180 f.
Scroders, Catherina 170*
Seebaß, G. 18*, 180, 182
Selge, K. V. 179, 181
Sickershausen 116
Sigismund, Kaiser 38
Simler, Josias 100, 106
Simo VI., Graf zur Lippe 128*
Skalweit, S. 10
Smiterlow, Bürgermeister 31
Soest 28, 32 ff., 40, 43, 45 ff.
Soest, Daniel von 38*
Sohm, R. 12
Sommerhausen 116
Spengler, Lazarus 61*, 73 ff., 79 ff.
Speratus, Paul 111 f.
Speyer 63*, 73, 88 f.
Sprüngli, Bernhard d. J. 100 f.
Stade 36
St. Gallen 53*, 105
Staupitz, Johann von 71
Stettin 39*
Stickhausen 150*
Stockholm 178

Störmann, A. 10
Stralsund 31, 36, 180
Straßburg 21 f., 31, 36, 39*, 61, 63*, 87 ff., 171
Stumpf, Johann 101
Süddeutschland 75*, 122
Südwestdeutschland 178
Sulzer, Simon 49
Sutel, Johann 46

Thomann, Heinrich 102
Thüngen, Neithart von, Bischof von Bamberg 120
Timann, Johann 139
Traphagen, Heinrich 40 f.
Trier 121 ff.

Ubben, Onno 144*
Ulbodus 133
Ulm 64*, 87 ff.
Ulrich, Graf von Ostfriesland 134
Utrecht 156

Venatorius, Thomas 69
Verden 45
Vredewold, Johannes 133

Wackernagel, R. 48
Wädenswil 94*
Waldmann, Hans 99, 106
Walsdorf 119
Wegmann, Hans 104
Weinsberch, Hermann von 40*
Werl 34
Westdeutschland 122
Westfalen 141
Westhoff, Dietrich 34 f.*
Weyer, Barbara 117

24